Petit traité romanesque de cuisine

Du même auteur :

Les Secrets des enfants, Robert Morel, 1960.
Occitanie 1970 : les poètes de la décolonisation, Pierre-Jean Oswald, 1971.
Dins de papetas rojas (Dans les petits chiffons rouges), Institut d'études occitanes, 1975.
Le Troupeau d'abeilles, CIDO, 1983.
La Sopa d'espillas (La Soupe aux épingles), Institut d'études occitanes, 1983.
Appolonie : reine au cœur du monde (avec Henri Jurquet), Plon, 1984.
Béziers dans ses vignes, Loubatières, 1986.
Bréviaire, Narbonne, Recherches graphiques, 1987 ; rééd. Payot, 1994.
Nous les filles, Payot, 1990.
Sonatine pour un petit cadavre, Climats, 1991.
Le Crin de Florence, Climats, 1992.
Les Enfants du bagne, Payot, 1992.
Je ne dois pas toucher les choses du jardin, Payot, 1993.
Tout jardin est Éden, Climats, 1993.
La Marche lente des glaciers, Payot, 1994.
Qu'a-t-on fait du petit Paul ?, Payot, 1996.
Il a neigé cette nuit, Climats, 1997.

Marie Rouanet

Petit traité romanesque de cuisine

PRÉAMBULE

avec
L'offrande de la chair tiède,
L'amour courtois appliqué à la table,
L'importance de la lingerie,
Le tournoiement du ciel,
La faim : ce désir,
Les marchés comme poèmes,
La réhabilitation du gras,
La loupe nécessaire,
La cuisine : caveau d'alchimiste,
La fragilité des chefs-d'œuvre,
La magie, l'amour et le bonheur...

Offrande de la chair tiède

Le saigneur, que je me plais à nommer : Seigneur, opère par un matin transparent d'hiver. D'un geste sans bavure il détache le jambon de la carcasse. La chair rosée qui tremble de la tiédeur de la vie fume dans l'air froid, bordée du lard grumeleux encore de chaleur et couleur d'églantine...

Aussi bien était-il légitime de commencer ainsi un livre de cuisine courtoise, courtoise au sens d'amour courtois. D'abord parce que la lame brillante au tranchant de rasoir sera un des outils privilégiés de la cuisinière, ensuite parce qu'il y a moins de distance qu'on ne croirait entre cette viande offerte et l'amour sous sa forme la plus raffinée. La cuisine, comme l'amour, entre dans le vif, ne va pas, comme lui, sans quelque cruauté, sans quelque nécessaire blessure, sans révélation exaltante du cœur habituellement invisible des choses, sans connaissance des jointures, des dédales intestinaux, des labyrinthes des psychologies. On se révèle, l'autre se révèle dans l'offrande de la chair et de l'âme secrètes.

L'amour courtois appliqué à la table

Il y a une manière courtoise de faire et de consommer la cuisine, comme il y eut une manière courtoise d'aimer, aux alentours de 1100 dans les pays occitans. Et ce fut jugé si bon, si radicalement neuf que le nouvel art d'approcher l'autre se répandit dans toute l'Europe comme une éblouissante épidémie. Au risque de me faire hacher menu par les médiévistes — mais est-ce un si grand risque pour qui est convaincu que pâtés et farcis où tout est démoli pour renaître transfiguré, tel Eson, sont l'alchimie nécessaire et ordinaire de la cuisine ? — à ce seul risque donc, je résumerai l'amour courtois en une phrase : porter la relation amoureuse à sa fragile incandescence en utilisant toutes les ressources, non seulement des autres sens, mais de l'être tout entier, de son intelligence, de sa mémoire, de son savoir.

La cuisine courtoise, elle, porte le goût à son point culminant, à ce zénith hors duquel il n'est que piètres satisfactions, en se servant, outre les papilles, de l'histoire et des sciences, des traditions, des rites inutiles et indispensables, de la couleur des heures. Ce zénith est instable, atteint pour peu de temps. Il faut perpétuellement en recommencer l'escalade... comme en amour. Sont rassasiés un bref moment, comblés, l'estomac, le palais, l'esprit, l'œil, le cœur et l'enfance.

Renouvelés de saison en saison, de semaine en semaine, enrichis à chaque fois de circonstances particulières, et même de leur propre renouvellement, les plaisirs de la nourriture sont presque infinis, tant ils présentent d'aspects imprévus — avec le même plat pourtant. Une fois on a une faim plus vive, une autre fois un ami précieux, une autre fois une saison, un environnement nouveaux. On peut aller ainsi d'émerveillement en émerveillement.

Est-il besoin seulement d'expliquer qu'aucun baiser n'a le même goût pour peu que participe l'homme total ? que le pain de quatre heures n'était pas le pain bénit de la grand-messe et que tout comptait dans chacune des appréciations : la couleur du jour sur le jeu de marelle, l'odeur de l'église où le moisi se mêlait à la cire d'abeilles et à l'encens, la joie du jeu ou l'ennui aimé du dimanche ?

que chaque détail infime participait au goût de la bouchée de pain, la rendait unique, même ce trou de levain aux parois lisses — j'y glissais le bout de la langue — ou la croûte plus ou moins brunie de la fournée, ou encore le fait d'avoir une grosse tartine au lieu d'un carré puisé dans le panier d'osier de l'offrande? Pour qui aime finement, aucun geste, aucune caresse n'est semblable.

Celui qui n'est pas convaincu de cela : que le bonheur et le plaisir de la cuisine sont, comme l'amour, l'aboutissement d'une multitude de sentis délicats, imbriqués les uns dans les autres, pesant leur poids dans le plaisir, indépendants de lui, mais révélés par lui, à la fois supports et finalités, qui n'est pas sûr que dans ces interférences, dans leur jeu musical, réside la joie de manger et qui à cause d'elles n'est pas prêt à avancer à pas menus vers les réalités culinaires, ne devrait pas aller plus loin. Il ne saurait avancer en cuisine courtoise.

Que la cuisine soit amour et seulement intéressante quand elle est amour raffiné, qu'elle entretienne avec l'amour d'étroits rapports, que «dis-moi comment tu manges, comment tu cuisines, je te dirai comment tu aimes» m'apparaisse comme une évidence simple — au décodage délicat toutefois — j'en lis la preuve dans les livres de cuisine, ces gros livres aux pages rongées, cornées, tachées de graisse ou de sucre, parfois arrachées mais minutieusement conservées, compagnons des cuisinières. On y trouve de tout. Ils se sont gonflés au cours des ans de recettes découpées dans les journaux, ou recopiées à la main, ou notées sous la dictée. Dans le mien se trouve une page de calcul de la classe de fin d'études récapitulant surfaces et volumes de toutes les formes, agrémentée de petits dessins. J'y peux réviser sur le papier jauni des anciens manuels scolaires le volume du tronc de cône, ou du prisme! Pourquoi est-elle là? Pour se souvenir que la bombe glacée est cylindrique? J'aime lire *La Cuisinière des ménages*, ce gros volume à demi démoli. J'y trouve «les devoirs de l'amphitryon»,

« les hâtelets », l'antique presse-purée, le couteau « à tourner les racines », tout sur l'art du troussage, du bridage, du découpage, du service à la française et à la russe. Et des menus. Et comment obtenir un froid de moins 17 degrés avec huit parties de sulfate de soude et cinq parties d'acide chlorhydrique.

Le vocabulaire de ces livres est étonnamment amoureux. Il n'est question que de frémir, flamber, trousser, servir, chanter, parer, reposer, crever, étouffer, dresser, blanchir, habiller, manier, saisir, dépouiller, mouiller. Des mots pour la passion, jusqu'à ce nouet, cette mousseline où envelopper les galantines — de galant — légère comme un voile de mariée ou bien cette étamine fine à passer les sauces et ce bouquet garni, odorant, lié d'un coton blanc.

Importance de la lingerie

La cuisine, comme l'amour, veut la toile immaculée, à l'âme bleue. N'oubliez jamais ceci, cuisinières : tout homme rêve d'écarter des blancheurs pour arriver au corps féminin, il rêve de faire l'amour avec sa grand-mère parmi les corsets, les jupons et les pantalons brodés. Utilisez donc les toiles bien repassées, blanches de préférence. Linge de table ou fine chemise, c'est tout comme. La préparation des mets est un courtisement. Dans le lin on éponge le poisson, avant de le jeter dans la fine farine d'où il sort poudré comme un marquis ; dans le lin on frotte la pomme de terre nue ; c'est sur un torchon aux plis marqués que l'on pose les oreillettes ; c'est sous une toile que reposent les pâtes ; on n'offre le pain coupé que sur une serviette au chiffre du maître et sous les treilles de l'été un torchon est posé sur le plat pour le préserver des mouches et des abeilles : au dernier moment, on l'enlève, comme tombe la dernière lingerie — dessous, c'est la chose offerte. La cuisine est traversée de blancheurs... je me souviens de sombres cuisines aveyronnaises noires de suie, éclairées d'éblouissants torchons. Quant à la nappe et à la serviette, elles accompagnent la consomma-tion — remarquez que l'on dit : consommer le mariage — car il n'y a pas de rites sans linge. Quelle aberration de garder les services dans les armoires, pour des occasions exceptionnelles, alors que manger est une fête pluri-quotidienne ! Un conseil : mettez comme moi en service pour « tous les jours » nappes, argenterie, jolies faïences. On vous dira : ça s'use, ça se casse. Et nous alors ?

La faim : ce désir

Porter les sens à incandescence suppose toute une économie. Montaigne nous disait qu'il faut « étudier, savourer, ruminer tout contentement », le sonder, « plier la raison à le recueillir » pour qu'il n'échappe pas stupide-ment.

Cela suppose en premier lieu de cultiver le désir. Et à table le désir s'appelle la faim. Je pense à Guilhem échangeant avec Flamenca deux syllabes par semaine jusqu'au moment où elle sera entre ses bras. Je pense à ce carnet de guerre, rédigé par un prisonnier dans un stalag d'Allemagne, entre 1940 et 1942 et où il nota les recettes que ces hommes privés du nécessaire se racontaient entre eux en salivant... Une exacerbation du désir sert le plaisir final. Mâcher à l'avance chaque bouchée, rêver sur les ingrédients, leur qualité, leur provenance, avoir l'eau à la bouche rien que d'y penser, évoquer les odeurs... voilà de quoi multiplier le contentement. « Petites tripes d'agneau de lait », disait le carnet, « les nettoyer dans plu-sieurs eaux, la dernière étant vinaigrée. Faire cuire dans un bouillon bien aromatisé (ail, thym, laurier, poivre) où on aura coupé une carotte en très petits morceaux, une branche de céleri, *de même*. Longue cuisson. Le jus doit réduire... » J'imagine ces hommes, dans le froid de leur baraquement, le ventre creux et la cervelle pleine d'images alléchantes.

13

Certes, on ne peut prôner la privation systématique... mais, un jeûne préparatoire et voulu en souriant d'aise? Mais, une austérité générale? La cuisine courtoise n'aime pas les estomacs distendus, les lourdeurs d'après repas. Elle suppose l'appétit et, paradoxalement, les gens maigres. Le tastevin n'est pas un ivrogne et l'amateur de fine cuisine est une sorte d'ascète. Ne craignez rien, je vous vois faire la moue. On peut rêver et attendre sans vraiment mourir de faim. Il est possible d'arriver aux repas avec un appétit convenable, si on use généralement de modération. Comme, alors, sont délectables et apéritifs les odeurs et les bruits de la cuisine!

Aphrodisiaques : les odeurs

On n'aime plus les odeurs. On les traque avec des bombes «déodorantes» qui diffusent de fausses senteurs de rose ou de chèvrefeuille. On ne sent que dans quelques rues populaires ces forts effluves des poissons pauvres en train de frire, des «fricots», plats uniques où les femmes réalisaient des prodiges avec peu d'argent et beaucoup d'oignons et de bas morceaux. Et pourtant, tout ce qui rappelle la nourriture à un estomac en bonne santé devrait réjouir et épanouir.

Il y a les odeurs qui flottent — on pourrait dessiner leur aire — et qu'il faut aller chercher en levant le nez, celles dont la volute est suspendue, immobile, dans le coin d'une pièce, les odeurs pénétrantes qui s'insinuent même dans les pièces fermées et filent jusque dans la rue, celles de petit rayon qui ne dépassent pas les alentours du plat, celles qui sautent au visage quand on soulève le couvercle sous lequel elles ont été concentrées, celles qui restent longuement aux doigts de la cuisinière, celles qui enivrent. Il est possible d'en profiter au quotidien. Elles augmentent l'attente joyeuse et en font partie, comme les couleurs et les bruits : le délectable craquement du pain chaud. Lorsque, enfant, je faisais le soir mes devoirs sur la table de la cuisine, le bruit de l'anti-monte-lait — toc, toc — annonçait le chocolat du lende-main. Il reste à l'Histoire, à la Grammaire, une ancienne odeur de lait bouilli et parfois brûlé, un «boul» discret de sauces en voie d'épaississement, un chant menu de pommes de terre en train de frire, des couleurs de «gra-tiné» sur un macaroni ou un flan. «Comment on pourrait faire», me disait ma sœur d'un air rêveur, «pour n'avoir que du doré, que de la peau de poulet...?» Elle dégustait par avance la portion qui lui reviendrait et une fois servie mettait le meilleur dans un coin de l'assiette pour le man-ger en dernier.

Le tournoiement du ciel

Attendre, savoir se réjouir d'attendre, n'est pas forcé-ment un exploit ascétique : il suffit de laisser faire le rythme des saisons, le ciel et sa respiration, la maturation naturelle, il suffit de laisser faire le temps : il va offrir chairs, légumes et végétaux sans forcer le soleil et la terre.

Cuisine courtoise d'été : dehors c'est le grand midi de feu. À l'abri de quelque feuillage, treille, tilleul ou cèdre qui laisse passer l'air, filtre la chaleur et la lumière, mais les laisse percevoir par-delà l'abri, assez pour en éprou-ver l'excès et jouir doublement de l'ombre, on mangera quelque anchoïade de jeunes légumes ou la crêpe de farine de pois chiches, brûlante et poivrée. Ou bien ce sera le soir, après la chute rouge du soleil, quand on est balayé d'une brise de feu où perce toutefois l'amorce d'une relative fraîcheur nocturne. Ce sera un soir, sur une plage ou au bord de la rivière. On aura fait une grille de sardines fraîches, ou une poêlée de vairons ou de sépious. On ne finira de manger qu'à la nuit close sous les étoiles du ciel d'été. Orion se lèvera à l'opposé de l'immobile Polaire pour illuminer la digestion de l'ome-lette froide à l'espagnole. On aura l'âme pleine de hautes pensées et de persillade.

Cuisine courtoise d'automne : les champignons blancs, veloutés comme des souliers de première communion, seront mangés en salade. Suivront les trompettes de la mort, ou le veau aux girolles, ou le cèpe en sauce blanche, peut-être le perdreau dont le goût se nourrit du bleu impondérable de la gorge et des pattes rouges. On finira par le dernier raisin : le servant, et sa saveur de regret.

Courtoisie culinaire d'hiver. On a vu peu à peu, dans les jardins, la courge grossir comme une lune rouge, les marrons, aux arbres, passer de la fleur à la bogue. C'est l'époque des légumes secs, des haricots cocos ou lingots, des fèves très vieilles, de tout ce qui brille, sucré, dans la nuit hivernale — grenade et orange —, de tout ce qui brille dans le silence ombreux de l'être.

Courtoisie culinaire de printemps, la plus légère, la plus délicate, quand déferlent sur les marchés les fraises, les asperges, les petits pois, les mange-tout, translucides comme la matière naissante. Les noms des mets printaniers disent l'immaturité : févettes, amandons, agneau. Toutes ces nourritures luisent de jeunesse au jeune soleil dans l'air vif.

En toute saison, il y a ce qu'on mange « à la main » sans préparation, vols menus au panier ou à la table dressée. La crevette crue, vivante — on s'en lèche les cinq doigts et le pouce —, la fraise saisie par sa verte collerette, la tomate, petite, ferme et lisse dont on ne fait qu'une bouchée, le radis, la carotte cueillis à la botte, vaguement frottés de la main et croqués, la crème prise avec l'index à la surface du lait frais bien reposé, et l'engrenage de délices du pain, du roquefort et du chasselas.

Ce qui nous arrive annuellement a un accent de profonde philosophie : serons-nous là, l'an prochain, au moment des asperges sauvages ? Profitons donc avec intensité de ce que procure le moment. Avoir tout, tout le temps, empêche de vraiment jouir. Comme j'aime voir au menu d'un restaurant : poisson : suivant arrivage, ou légumes :

16

marché du jour! La domestication du froid nous a joué un très mauvais tour, comme d'ailleurs les serres et les forcings à base de photosynthèse artificielle. Arrivent sur les tables des tomates insipides et farineuses, des fraises sans goût, des pommes de terre en toute saison nouvelles, des poissons de forme carrée identifiables seulement par le nom inscrit sur la boîte, des poires qui ont passé six mois dans des sortes de morgues. Je préfère attendre les tomates de pays, m'en régaler jusqu'aux toutes dernières et passer huit mois à me souvenir d'elles à travers le tomata et le triple concentré.

Réhabilitation du gras

Si on évite la goinfrerie, si on sait pratiquer l'attente saisonnière, si on a soin de mesure, alors on ne craint plus le gras. Réhabilitons donc le gras sans lequel la viande n'est que femme squelettique. Le gras du jambon, rosé, épais de quatre doigts dont un morceau accompagne chaque bouchée de maigre ; celui de la côtelette dans la rognonnade d'un blanc de cire quand la brebis est jeune, qui se boursoufle, dore et craque sous la dent ; le gras qui nage à la surface de la sauce tomate longtemps mijotée comme si, à un moment, elle le jetait hors d'elle, ou qu'elle se soit rétractée pour le laisser flotter tout rougi ; le gras mousseux où a cuit la cervelle ; le lard gratté au couteau et étalé sur la tartine chaude de pain grillé ; la graisse d'oie où faire frire les pommes de terre en cocotte ; les lardons et leur jus versé bouillant sur la salade de pissenlits ; la tranche de pain perdu saupoudrée de sucre dès sa sortie du bain d'huile frémissante ; le foie des grives mêlé de beurre et de genièvre en tartine sur des croûtons frits, puis refrits dans le jus de cuisson où a fondu le lard des bardes ; les croûtons de la soupe de pois cassés ou de poissons. Le gras donne le moelleux, le liant, il enveloppe, et le doré, sans lui, est d'une accablante tristesse. Si on se modère, on n'a plus de raisons de se priver de fritons, de beurre fondu, de crème épaisse, d'huile d'olive, ni de laisser nostalgiquement sur le bord de l'assiette la peau des volailles, arrosée et croustillante, ou le gras d'un magret.

Avoir faim, aimer la faim, la frugalité et même à la limite, si on est vraiment un raffiné, pratiquer le jeûne préparatoire, cultiver l'attente heureuse, c'est la condition première d'une cuisine de l'amour.

Après trois jours de pain complet, d'eau de source, d'herbes amères — encore qu'il y ait plaisir de roi à manger une pomme de terre onctueuse et une salade — s'attabler devant une tourte aux girolles...

Les marchés...

Depuis l'aube des temps, à l'aube du jour, le premier souci de la femelle est : qu'est-ce que je *mets* aujourd'hui ? Qu'est-ce que je *leur* fais ? La première réponse, la première démarche : allons au marché.

Dès le matin, sur le sentier du jour, de son œil auquel rien n'échappe, la femme cherche ce qui sera à la mesure des besoins à satisfaire. Elle lève en l'air un doigt mouillé pour prendre le vent, regarde le ciel, pèse le froid. Aux temps très lointains elle allait de buisson en buisson traquant l'escargot, la jeune pousse, la dent-de-lion, exhumant les racines, cueillant la pomme minuscule et sauvage qu'on n'avait pas encore greffée.

Aujourd'hui elle va au marché et la cuisine recommence chaque jour par une quête des produits de la mer et de la terre, arrivés en ces lieux du matin : les marchés, éveillés au petit jour, clos à midi, réduits dans les vesprées à des coques vides, fraîches, où, des allées aux étals couverts, sort une haleine humide de fruits et de marée, bâtiments entourés toujours d'un espace vide car s'agglutinent sur leurs flancs, aux heures de vente, des éventaires divers, de petits marchands modestes exposés aux rudesses des étés et des hivers. Des halles, toutes les villes en possèdent et c'est là que je vais quand je voyage pour mieux percevoir une cité. À Venise, à Barcelone, à Coimbre, c'est au marché que j'allai et j'y découvris les tripes frites pendues comme des guirlandes, des poissons inconnus — l'anguille minuscule vendue à poignées —, des légumes que j'identifiai à une variété de blettes, des galettes chaudes servant de pain, et puis la foule des marchands et des acheteurs.

Parfois les halles sont de vrais monuments anciens poutrés et repoutrés suivant un jeu subtil, une délicate armature d'arêtes de poisson — est-ce un hasard? —, d'autres fois elles ont une architecture de verre et de ferraille sonores. Et toutes sont traversées de vent coulis.

Il faut les aimer. Ce sont des lieux où vivent les saisons de la terre et de l'eau. En leur temps on y trouve le carde, la jujube, la châtaigne du haut pays, la framboise des contreforts montagneux, l'anchois au baril, la morue trempée, les champignons, les « herbettes », les premières fleurs des jardins — et malgré le froid vous direz : c'est le printemps ! —, les premières branches fleuries de l'amandier sauvage — rose —, les asperges de campagne bien soignées dans des bocaux pleins d'eau, les poireaux de vigne, le gibier, le confit, le poisson vivant. Des marchés, parfois, s'installent sans bâtiments sur des mails — celui des lices, à Arles —, contre des églises — à Toulouse autour de Saint-Aubin —, sur des places — David-d'Angers à Béziers.

En hiver ils s'illuminent de braseros et les marchands sont engoncés dans des vêtements matelassés.

Très vite, si vous fréquentez un marché, les commerçants vous connaîtront. Ils vous demanderont de vos nouvelles, vous diront s'il a gelé aux portes de la ville, neigé sur le haut pays, si la mer est houleuse ou plate, si les champignons sortent. On éprouve une joie élémentaire à circuler dans un monde aux dimensions de l'homme et à ses dimensions propres, dès qu'on vous y hèle, dès qu'on vous parle de vous.

... comme poèmes

Les marchés sont des lieux de convivialité, des poèmes vivants, de ravissantes géographies olfactives. On s'y promènerait les yeux fermés et on saurait dans quel «quartier» on est : vers les poissonniers à l'odeur de sperme fugitive et douce ; vers les primeurs, terre et foin mouillé ; vers les charcutiers, salaisons et poivre, ou vers les crémeries ; on saurait si on passe près du marchand de pizzas à emporter à cause de la chaleur du four et du souffle de fromage fondu ; si on s'approche du boulanger au centre de son odeur de caramel et de pain chaud.

Le nez, la main, l'œil éveillés, la cuisinière sait que le plaisir de la table commence là, que là, sur le tas, se forme l'art de choisir. Car il ne s'agit pas maintenant de se laisser vendre un produit impropre à la consommation ! N'oubliez pas que Mercure, dieu des Marchands et des Voleurs, même si sa statue n'est plus présente, habite toutes les halles du monde ! Mais si on est éduqué par la fréquentation des marchés on ne se laissera pas tromper.

Au fil des jours et des éventaires on apprend s'il faut regarder un produit dans les yeux, sous la chemise ou sous les pieds.

Je m'émerveillais de la sagacité de ma mère. Elle écartait — l'espace de quelques secondes — les feuilles de l'artichaut et décidait, après un test sur plusieurs cageots, que ceux-là seraient charnus et sans trop de foin. Elle se contentait d'effleurer du gras des doigts et décrétait que ce céleri serait filandreux, qu'avec ces haricots «tu remplirais des bobines», que ces aubergines étaient cueillies de la semaine dernière, que ce bifteck était «de la vieille carne», que par contre ces asperges, ce chou-fleur étaient du matin même, que ce poisson, là, était bon pour te «foutre de l'urticaire», que le camembert du coin «partait tout seul», que cet autre irait jusqu'à demain ou était à point pour aujourd'hui. «Mais comment tu le sais ?» lui demandais-je. «Ça se voit», disait-elle avec

20

un geste de la main, et elle ajoutait en pointant le doigt vers son nez : « Ça se sent aussi. » Aussi penchait-elle souvent son visage à hauteur des paniers. Au fil des jours, près d'elle, d'abord, seule ensuite, j'ai appris... J'ai appris surtout que, pour savoir, il fallait beaucoup se tromper, être trompé, que le choix des denrées comme les gestes les plus simples de la cuisine demandaient beaucoup de temps, qu'on n'arrivait pas du premier coup au résultat.

J'ai su, un jour, reconnaître les crabes femelles, voir à la tranche si l'asperge était vieille ou fraîchement cueillie. La jeune matière, la jeune odeur sont irremplaçables. La rutilance des foies, le velours de la fève, le luisant des cerises ne sauraient s'obtenir artificiellement. Aucun maquillage ne transforme un vieux visage en chair adolescente.

La vraie fraîcheur a un brillant inimitable, indescriptible. Il meurt inexorablement au bout d'un certain temps et aucune aspersion, aucun artifice, ne saurait le faire renaître. L'œil du poisson de la nuit, à peine opalescent, est vertigineux, bombé. L'œuf frais pondu à une matité de craie. C'est sous la queue que le melon révèle s'il a été prématurément cueilli. Respiré là, il dit s'il est sucré, muscat ou insipide. Un rapide toucher anal révèle son exacte maturité. C'est individuellement qu'il faut le respirer car un groupe de melons a toujours une odeur enivrante et trompeuse. Sur les marchés on apprend une foule de choses en botanique, zoologie, géographie — à lire sur les étiquettes les provenances. Ce savoir sera complété ultérieurement par la manipulation, l'épluchage, le nettoyage. J'ai beaucoup acquis de savoirs, et lentement, et délicieusement, dans les nombreuses heures passées à flâner, à regarder, à toucher, à sentir tous les produits des étalages.

Cela pour ne rapporter dans son panier que des produits de qualité, des viandes libres — certaines graisses d'élevage intensif ont un teint vaguement gris de rien qui vaille, et le veau blême donne les trois sueurs —, des fruits savoureux et cueillis à point qui ont connu des insectes, des oiseaux et des paysages, des salades au pied terreux dont la première feuille est grignotée par les escargots, qui ont donc verdi dans un jardin et dont les plis gardent quelque limace, un merlan dont l'estomac contient un petit rouget. En plus du goût, c'est l'âme, la vie, des denrées qui compte. On fait son esprit de l'esprit des choses, j'irai jusqu'à dire qu'on mange l'esprit. Et que penser des dangers que fait courir à notre être la viande d'un poulet qui n'a jamais vu la lumière du soleil, qui n'a jamais gratté la terre ? L'œuf d'une de ces poules névrosées qui ont peur de tout et piquent à mort leurs compagnes ? Et par contre de la chair du véritable agneau de lait ? Dans mon plaisir de manger une daube de sanglier, il y a toute la garrigue inhospitalière qui couvre des collines et des collines du côté de Vailhan. En Corse, quelle joie de manger ces cochons noirs que leur propriétaire surveillait du haut des cols à la jumelle et perdait de vue des semaines entières : une chair de châtaignes et de glands.

En revenant du marché, le panier plein et le cœur content, on achète le pain. Dieu merci, après un passage terrifiant à la panification industrielle, il s'est remis à exister du vrai pain. On trouve facilement aujourd'hui des flûtes et des miches de bonne volonté, du bon pain des quatre éléments — le pain est un aliment total dans sa simplicité : l'eau, l'air du levain, le blé de la terre et le feu —, un pain qui, trempé, ne deviendra pas de la colle, qui, le lendemain, ne sera pas transformé en biscuit pour canaris, le seul qui fera les bons farcis, l'excellent pain perdu, la bonne chapelure. Un pain à goût un peu acide de levain. Chacun trouvera celui qu'il aime : plus ou moins levé, poudré ou non de farine, beaucoup de croûte ou beaucoup de mie.

Rentrer chez soi l'œil rempli d'images, un pain chaud entre les bras, l'entendre craquer et le respirer, prédispose aux chefs-d'œuvre culinaires, comme ce bonheur matinal éprouvé sur les chemins verts et frais des marchés.

La cuisine : caveau d'alchimiste

La cuisine est vaste. La table assez grande pour que le livre voisine avec les épluchures, avec une lettre commencée, le matériel de peinture d'un enfant, votre dernier manuscrit, le dictionnaire, le bouquet de saison, plus loin le compotier garni. Elle est vaste parce qu'on aime s'y tenir, y siéger. L'idéal serait qu'elle soit pourvue d'une cheminée et d'un four à pain, de fauteuils, de chats endormis, d'un buffet où l'on expose, beau, plus beau qu'une fleur, le chou-fleur ou l'artichaut violacé, de lits et de rayons de bibliothèque. Que la cuisine soit une pièce à vivre où la nourriture s'impose aux gens, qu'elle se prépare ou subsiste comme un odorant souvenir...

Les recettes, les proportions, les temps sont-ils nécessaires ? Oui, mais aussi tout à fait insuffisants.

Si vous lisez dans un manuel la formule pour arrêter le sang ou celle d'un philtre d'amour, ne croyez pas que pour autant vous stopperez l'hémorragie ou que vous vous ferez aimer. Car s'il faut la formule exacte à un mot, à une respiration près, il faut aussi le don. De même pour la cuisine qui est essentiellement flair, «biais de faire», appréciation du corps, des sens, des doigts, sans compter une foule de petites choses impondérables — au sens littéral : qui n'a pas de poids décelable — et qui sont de l'ordre de l'amour et du bonheur. Il se passe beaucoup de choses dans l'esprit d'une cuisinière qui lit une recette : à toute vitesse elle corrige, précise, ou invente, ou se souvient des expériences, ou tient compte des nécessités du jour. Ces mille modulations interfèrent sans arrêt sur une lecture qui n'en est plus une.

Et puis la cuisine contient toute notre relation avec les convives de tout à l'heure. Un philtre d'amour n'est jamais qu'une sauce réussie et quand on est fielleuse on prépare des soupes aux épingles. Un plat contient tout le bonheur qu'on a eu à le cuisiner, la vérité des ingrédients utilisés — ou leur mensonge —, la joie de la table ou les animosités larvées. L'estomac est un organe aussi délicat que le cœur. Toutes les émotions l'irradient...

Importance de la loupe

Deux objets sont indispensables dans une cuisine, même si d'aucuns les jugeraient inutiles. Une balance Roberval dont les deux plateaux de cuivre pèsent l'air et la lumière, dont les poids minuscules vous donneront l'impression de jouer à la marchande, et une loupe. Une grosse loupe, avec un œilleton plus grossissant encore, pour pénétrer au cœur de la matière. On ne connaît jamais assez les animaux et végétaux dont on se nourrit, les limbes, les filigranes des navets, l'œil pédonculé du crabe, l'os de seiche, les fleurs comestibles — câpre, clou de girofle —, le bouquet du brocoli.

C'est tout comme ustensiles. Ah ! oui, bien sûr, quelques casseroles et cocottes. Tout ça très simple, en bon vieux fer, en émail, terre ou fonte, en porcelaine à feu. Ces matières vieillissent bien, leurs craquelures, leurs bosses et leurs ébréchures révèlent qu'elles ont un intérieur. Une poêle, un moulin à légumes en fer et ses trois grilles, et de beaux couteaux fins, brillants et tranchants comme des rasoirs — plus une pierre à aiguiser.

Inutile de se pourvoir de cinquante machines à ceci ou cela. Et ne croyez pas qu'avec une Cocotte-minute vous pourrez diminuer les temps de cuisson. Il faudrait pour modifier les temps être plus fort qu'une casserole de métal ! Diminuer ou allonger le temps est affaire de Dieu. La cuisinière sacrifie au dieu Temps, veloutuer des sauces, attendrisseur des chairs, concocteur de nouvelles substances, procédant parfois par éclairs, d'autres fois par longues couvaisons.

Un œil sur la trotteuse, un autre muni d'une loupe, fenêtre vers le cosmos de l'intérieur, vers la poésie ineffable du trivial, entourée de blancheurs, ayant à portée de la main l'oignon vêtu de soie ocre ou violette, la tresse d'ail rose de Lautrec, environnée de luisances — éclat blanc bleuté des faïences, verre subtilement bleu ou vert dans sa transparence —, des odeurs fines et mêlées de l'étagère à épices — laurier sauce, thym, safran en pistil dans une drôle de petite boîte ronde pas plus grosse qu'un sou, poivre noir, gris, vert et rose, sel marin gris, marjolaine pour pizza dont le temps n'altère ni l'odeur ni la couleur, petits piments de Cayenne au feu inversement proportionnel à la taille, zestes qu'il suffit de réchauffer pour que de leur peau pâlie sorte la réserve d'un parfum intact —, des odeurs petites et douces, distillées par la mouraison des fruits — elles font pâmer le cœur —, des odeurs larges et fragiles minées par les heures du jour, comme ces fromages sous leur cloche ; ainsi entourée, confortée, ses livres serviteurs et non maîtres à portée de la main, il reste à réaliser la magie blanche de la cuisine, tout en louant la beauté de la création.

Sur la table arrivera, entre le pain des quatre éléments et le vin de toutes les philosophies, une synthèse de l'univers, une quintessence de toutes ses grâces et de tous ses dons.

Fragilité des chefs-d'œuvre

Vite disparue, toujours à refaire, l'œuvre culinaire reste toutefois en nous : dans notre chair et dans notre mémoire. Par la bouche entre la nourriture et sortent les mots, les cris et le chant.

Tout à l'heure, demain, jour après jour, l'appétit renaît de ses cendres, jeune et si ardent qu'on pourrait le repaître de médiocrité.

Livrons-nous plutôt, pour le bonheur — sont-ils si nombreux les bonheurs renouvelables plusieurs fois le jour ? —, pour le cœur, à une opération alchimique, poétique, hautement savante, complexe dans sa simplicité. Telle est la cuisine courtoise.

JANVIER

En Languedoc les abeilles ne dorment que d'un œil : au moindre soleil un peu chaud les voilà dehors à butiner romarins, pommiers du Japon, premières éclosions d'amandier, tout ce qui ose porter fleur.

Mettez un astre dans votre four, appréciez la transparence unique de la lumière, sachez choisir les cranquettes, portez en terre le blé de la Sainte-Barbe, confiez les tripes au feu, partagez la galette des Rois, essayez le repas tout châtaignons et profitez des longues nuits pour boire le vin chaud.

Les huit cent mille Lacaune recensées en France sont en train d'agneler dans les bergeries chaudes blanchies à la chaux. Les agneaux ont des voix d'enfants. Il arrive que soit restée une hirondelle d'une nichée trop tardive pour le grand départ — les années où l'été est immense — et dans la chaleur des étables elle regarde les hommes avec son air gentil, son col blanc sur son tablier noir. Ainsi se prépare le roquefort.

Ne chômez pas le 1ᵉʳ janvier : ce jour doit préfigurer l'énergie de l'année : les Romains offraient des dattes couvertes d'une fine feuille d'or.

Et tandis qu'elles se reposent : profitez-en pour psychanalyser les pâtes.

Un astre dans votre four

Les aubes sont vertes, limpides et glacées comme l'eau des torrents. La terre gelée sonne sous les pas. Mais pour les saisons à soleil froid, août a couvé des astres éclatants, des fruits de contes de fées : les courges, lunes rouges des jardins déserts, ou salamandres gigantesques, luisantes, vertes et jaunes, endormies sur un coin de terre.

On a trouvé des graines de courge dans des vestiges vieux de cinq mille ans. C'est donc peut-être un des plus anciens légumes, un des plus humbles aussi, un des plus méprisés.

Des courges, vous ne l'imaginez pas, il y en a des dizaines d'étonnantes variétés : les longues, tavelées, au cou incurvé, les râblées : ces pâtissons à peine plus gros que des tomates, la courge spaghetti dont la chair bouillie se débite tout naturellement en... spaghettis qu'il ne reste plus qu'à accommoder d'une bolognaise, le potimarron qui a goût de châtaigne, l'acorn fine et farineuse comme la meilleure purée de pommes de terre, la « hussard bleu », qui est d'un bleu poussiéreux de clair de lune.

Sur les marchés, le marchand débite les courges avec de grands couteaux, en tranches flamboyantes. La chair sue délicatement à l'entaille en fines gouttes perlées. Cette chair compacte à la couleur sans nuances, au grain sans aspérités, dense, sans défauts, comble l'œil. Et le cœur nébuleux, aux graines prises dans un filet laiteux et désordonné, est une voie lactée au centre de la chair. La courge est un cosmos inverse.

Celle que je préfère, je l'avoue, est le potiron orange, rond, celui qu'on ne voit pas d'abord, dans l'abondance des jardins d'été, qu'on ne distingue pas dans la lumière aqueuse, sous les larges feuilles et qui, quand se dépouillent les espaces, apparaît alors, lumineux sous le ciel gris, comme né dans l'instant, adulte, replet.

Pour le plaisir des yeux, avant de la cuisiner, ornez votre buffet d'une courge entière de quelques kilos. C'est plus joli qu'un bouquet et plus satisfaisant pour l'esprit que les coloquintes ornementales non comestibles. Le bonheur est grand quand on entre dans la cuisine au crépuscule, de voir briller la rotondité de la courge. Mais le bonheur est plus grand encore de savoir qu'on la consommera. Ce qui est beau et se mange, c'est comme si au lieu d'avoir un tableau au mur on le mettait dans son estomac et que l'art, alors, nous éclaire du dedans, que nous vivions la beauté parce que nous l'avons ingérée.

Au milieu d'autres préoccupations on sourit à la courge, on la caresse du plat de la main — elle est lisse. « Sois belle, tu ne perds rien pour attendre. »

On la débitera un jour pour faire la soupe orange, des beignets, un gratin... et d'autres choses encore.

Avec un petit kilo de courge, trois ou quatre pommes de terre, un cœur de céleri, de l'ail, de la crème fraîche et du beurre, vous ferez une soupe copieuse pour cinq ou six personnes. Je ne sais pourquoi, enfants, nous faisions unanimement la moue à la soupe de courge. Est-ce parce que : « courge ! » était une insulte ?

Faites bouillir un gros litre d'eau salée, poivrée. Mettez-y ail, céleri, courge et pommes de terre coupées en morceaux. Une pincée de thym. Passez. Mettez beurre et crème et battez vivement.

Pour les beignets, on coupe la courge en morceaux grands comme une main d'enfant, de un ou deux centimètres d'épaisseur. On les fait blanchir dans l'eau salée. Ils doivent être tout juste cuits car sinon la chair se démolit. Ils achèveront leur cuisson dans la friture. Égouttez soigneusement. Préparez la pâte à beignets : deux œufs, deux cuillerées de farine, un peu d'eau, un peu de lait, un peu de sel. C'est facile, le seul problème est qu'elle ne soit ni trop liquide, ni trop épaisse, chaque morceau de courge doit emporter sa pellicule de pâte, de quoi l'envelopper sans l'alourdir. On fait frire dans une poêle à moitié pleine d'huile.

Pour le gratin, faites cuire une cuillerée ou deux de riz par personne. Garnissez-en le fond d'un plat de terre — j'en ai un vernissé, d'un vert qui va bien à l'orange de la courge. Parsemez le riz, en faible épaisseur, de persil haché, ail, gruyère, beurre. Posez les morceaux de courge et recommencez : riz, beurre, ail, persil, gruyère. Terminez par un voilage de riz et encore du fromage. Faites dorer au four.

Le « mesturet », ainsi nommé du côté de Revel, est un gâteau. On le prépare avec une livre environ de courge réduite en purée, 200 grammes de farine, 150 à 200 grammes de sucre, autant de beurre et une grosse poignée de grains d'anis. L'astuce est de le faire cuire en faible épaisseur dans une bonne quantité de beurre. Tout le monde réclame les coins, où il y a le plus de croustillant. Mon amie Michèle, dont je tiens la recette, médite la fabrication d'un moule spécial mesturet, une sorte de bac à glaçons ultra-plat où chaque convive aurait quatre coins !

Pour apprécier le mesturet, il faut avoir travaillé dur dans le froid des jours gris du Lauragais, avoir tué le porc par exemple ou s'être occupé des oies mères, être allé les compter au matin quand, roulées en boule dans leur propre duvet, elles se sont laissé recouvrir par le gel nocturne et dans les prés apparaissent de loin en loin, comme des œufs gigantesques tombés du ciel pâle.

Mais le plaisir des plaisirs, avec la courge, sera de mettre cet astre tout entier dans votre four.

Il faut d'abord, du côté de la queue, tailler un large couvercle, une calotte bien échancrée, retirer les graines et filaments — les garder au besoin : les graines séchées sont comme de petits pignons. Armé d'une cuillère, racler la chair jusqu'à vider la courge, en respectant toutefois un centimètre environ contre la peau : pour la solidité de l'ensemble. Puis regarnir le trou central de cette même chair en alternant avec des couches de pain rassis — bien rassis, c'est très important, la courge rend beaucoup de jus et le pain a charge de le pomper — en alternant donc : pain, fromage — gruyère, cantal râpé ou brisures de roquefort —, ail, persil, crème épaisse. Ayez la main généreuse en crème, fromage, sel et surtout poivre. Tassez sans trop pour éviter l'éclatement. Remettez la calotte, fermez la courge comme si elle n'avait jamais été ouverte. Enfournez.

En cuisant, la farce intérieure déborde toujours un peu sur les flancs et c'est vraiment peinte, vernissée, plus orange que jamais et intacte dans sa forme que la courge sortira du four. L'épreuve du feu si souvent nuisible aux coloris laisse imperturbable la couleur du légume.

Vous avez mis sur la table ronde un plat rond et vous amenez l'astre comme si le jardinier venait de le cueillir. Vous ouvrez le couvercle et vous sautent au nez les parfums exaltés de l'intérieur. L'isolement brûlant, passionnel pourrait-on dire, porte à leur point culminant les qualités de l'âme.

C'est un plat communautaire, un plat pour inviter les amis. Par sa rondeur, le potiron se prête aux consommations collectives. On pourrait très bien concevoir d'armer les convives d'une simple cuillère et de les faire puiser tous au même plat.

Redécouvrez l'humble courge, ses recettes très simples, sa couleur somptueuse. Découvrez cette fête d'avaler, brûlant et farci : le soleil.

Le crabe enragé

Dans la nature, le petit crabe gris, à la moindre frayeur, s'évanouit prestement, en glissant sur le côté dans un trou de rocher, ou s'enfonce dans le sable. Mais dans le bac du poissonnier il fait face, courageusement, à la main qui veut le saisir, se dresse et menace. Les antennes, les palpes de sa bouche s'agitent avec colère autour de petites bulles de bave. Ses yeux pédonculés, à facettes comme ceux des insectes, regardent dans tous les sens, vous toisent furieusement, tandis qu'il se met debout sur les pattes de derrière. On l'appelle d'ailleurs : le crabe enragé.

Mais depuis longtemps je ne le crains plus. J'ai appris à le saisir à un certain endroit de son céphalothorax et ses pinces n'attrapent que l'air. Autour de moi, des ménagères poussent de petits cris de frayeur et je livre mon secret : vous mettez le pouce ici, l'index là. D'ailleurs, voyez, le pincement du crabe n'a rien d'insupportable. Et devant les spectatrices admiratives je plonge ma main dans le bac grouillant : ça s'accroche ici et là.

Pourquoi ne pas me servir de la pelle et puiser les crabes avec elle dans le baquet ? Pour faire mon intéressante, oui, mais pas seulement pour cela. Il s'agit pour cette recette de sélectionner les femelles, les seules contenant du corail. Voilà le moyen, il est tout simple : leur abdomen, cette languette collée sur la face ventrale, est arrondi, alors que la languette des mâles est pointue. Le moyen de détermination est le même pour tourteaux, étrilles et araignées. C'est donc une précieuse indication.

En principe, on ne vend que des «cranquettes», des femelles — le crabe se dit cranc en occitan, d'où ce féminin. Mais comme tout le monde n'est pas connaisseur — vous le serez désormais — les pêcheurs glissent des mâles dans le lot. À vous de choisir judicieusement et de cueillir les dames une à une.

Dans le sachet où on les transporte, l'agitation des cranquettes produit une sorte de ronronnement continu. Le crabe est d'une stupéfiante vaillance : jusqu'à la mort, il gratte les murs de sa prison, afin de trouver la fissure où s'infiltrer et fuir.

En arrivant chez soi, il convient de retourner le sachet dans une cuvette afin d'éliminer les individus morts. Après quoi on les précipite tous ensemble dans de l'eau bouillante. Ils s'immobilisent, instantanément devenus rouge vif.

Égouttez-les, dépouillez-les des pattes et de la languette de l'abdomen et jetez-les à mesure dans une cocotte huilée.

Là, leur essence va continuer à se manifester. Après la rougeur c'est l'odeur qui se répand. Toute la marée entre dans la maison.

Retirez-les de la cocotte avec l'écumoire et dans cette huile à goût de crustacé, un peu rosée, faites la sauce tomate habituelle, bien parfumée. Il ne faut craindre ni le thym, ni l'ail, ni le laurier, ni le poivre. Le goût des cranquettes peut tenir tête à de hardis assaisonnements.

Remettez sauce et cranquettes à mijoter. Épluchez quelques pommes de terre farineuses, mettez-les à cuire dans la sauce, laissez-les s'y défaire un peu : elles l'épaissiront finement.

Puis servez dans cette odeur qui demeurera dans les coins, plusieurs heures.

Cela se mange avec les doigts. On aspire, on suce le peu de jus — délectable — qui s'est infiltré dans la carapace. Ensuite, en insérant une pointe de couteau dans le trou où on a arraché la languette, on fait levier : l'animal s'ouvre comme une noix. Dans la carapace cueillez le délicieux corail et s'il en reste d'inaccessible, allez-y avec la pointe de la langue. Certains raffinés mettent tout le corail de côté et le mangent après, écrasé avec les pommes de terre. Ça se défend ! il y en a si peu au bout de la lame : gros comme un petit pois ! « Mais vrai est que ce peu est supérieur au beaucoup de tout autre », dit le sage Rabelais. Ne jetez pas les branchies avant de les avoir mâchées pour profiter de tous leurs sucs. Crachez ce qu'il reste.

L'avantage du ragoût de cranquettes est d'occuper longuement la bouche et les lèvres et de varier sur la pomme de terre. Elle s'y prête, la coquine ! Et au contact de ce crustacé elle acquiert un goût inimitable. De l'animal lui-même on ne retire en fait que des jus — ou presque — mais on les sait riches en vitamines de la mer.

La cranquette est bon marché. C'est pourquoi son odeur flottait le vendredi dans les quartiers modestes de mon enfance. On ne craignait pas de lécher, d'aspirer, de se salir les doigts, de se barbouiller de sauce tomate. Parfois un convive passait un morceau de pain sur ses lèvres, y pompait le surplus de jus et pour que rien ne soit perdu mangeait la mie imbibée.

Personne n'était gêné des manipulations, succions, bruits de bouche et de langue, personne n'était gêné des petits tas de branchies mâchées et recrachées qui s'entassaient près de l'assiette.

À table, souvent il fait bon être pauvre. Outre l'inventivité populaire qui a su trouver l'exquis dans la simplicité — les humbles trésors abondent — loin du corset des convenances, du jeu subtil du couteau et de la fourchette, on manifeste bruyamment son plaisir, on aime le contact direct avec la nourriture. À pleines mains le râble du lapin, avec les doigts le poisson, dans la paume le fruit.

On parle en mangeant, on met les coudes sur la table innocemment, loin des salles à manger silencieuses où le riche, compassé, regarde nostalgiquement, écarté dans un coin de l'assiette, le croupion de volaille qu'il ne sucera pas.

Un bon tripat

C'est à travers la peau de saucisson, de la saucisse et du boudin, que je me découvris amateur de tripes.

J'étais encore une enfant. Ce fut d'abord une délectation solitaire, vaguement honteuse. Je crus longtemps qu'en mâchant en cachette la peau du saucisson jusqu'à ce qu'elle eût livré tout son goût — celui-là même des pièces à demi obscures où l'on gardait les salaisons, où se mêlent le poivre, le laurier, une moisissure noble et la saumure — et qu'elle fût devenue blanchâtre et insipide, bonne à cracher dans le ruisseau, ce que je faisais avant de revenir au jeu de balle ou d'osselets avec ce goût entre les lèvres, je crus longtemps que je commettais une action indécente.

Des tranches de boudin, frites à la poêle, je gardais la tripe pour la fin. Cette peau craquante et grasse était le meilleur de la rondelle — et je le pense encore aujourd'hui. Parfois j'arrivais à dérober les peaux croustillantes que les autres dédaignaient.

À cette époque-là, j'aimais aussi le ventre des bêtes. L'intérieur des lapins sauvages, même quand leur intestin avait éclaté sous les plombs, répandait une odeur enivrante. Je m'amusais à faire glisser les petites crottes rondes dans l'intestin grêle, à recueillir une vessie pleine à travers laquelle, en la maniant délicatement, je regardais la lumière. Il y avait aussi le ventre des oiseaux. C'est sans dégoût que je mangeais les tripes de la bécasse étalées sur des croûtons. Les poissons, eux, recelaient des foies rouge vif ou rose pâle, des œufs qui crissaient sous les dents, des laitances qu'à table je réclamais comme une friandise. Le rouget — bécasse de la mer — était plein d'une crème onctueuse garnie de « corail » rose vif.

Bref, aussi loin que remontent mes souvenirs, aucun abat, aucune tripe ne me rebutèrent jamais. Et j'aime toujours les manier, les cuisiner et les consommer. Je suis restée cette mangeuse de peau de saucisson.

Puis j'ai grandi. J'ai vu au marché de Coimbre les tripes frites pendues comme des guirlandes festonnées. J'ai aussi réfléchi au ventre, à ce lieu de chimie complexe, à cet endroit où la chair humaine puise l'énergie du cosmos. Et j'ai compris que le poète ne peut qu'aimer tripes et boyaux, cornues d'une alchimie comparable à celle du verbe.

Les abats sont nommés : accessoires ou cinquième viande. Certains sont de prix élevé comme les ris ou la cervelle. D'autres au contraire sont bon marché. Ils exigent un nettoyage minutieux : échaudage et grattage, effectués par le tripier lui-même. Toutefois les tripes sont toujours renettoyées par les cuisinières comme pour les exorciser de la magie digestive, à grandes eaux bouillantes dont la dernière est vinaigrée. Avez-vous déjà participé au nettoyage de celles du porc, fumantes encore de la vie, que l'on vide d'abord des excréments tièdes, puis qu'on savonne comme du linge, qu'on retourne comme des chaussettes, qu'on racle, frotte, rince, qu'on renifle pour s'assurer que toute odeur mauvaise a disparu et que pour finir on blanchit au citron ?

Ce que l'on consomme dans le tripat, c'est en général les quatre parties de l'estomac du bœuf ou du veau ou même du mouton : la panse, le feuillet, la caillette, le bonnet.

L'une ressemble aux alvéoles d'une ruche, l'autre à un livre à feuilleter, l'autre à un tapis-mousse. L'une est très blanche, l'autre plus brune.

37

On coupe en gros morceaux, ou alors, suivant la mode aveyronnaise des tripoux ou la mode provençale des pieds et paquets, on fait avec les tripes des paquets roulés, dans les enroulements desquels on ne ménage pas le poivre et que l'on noue d'un bout de tripe découpé en ruban. Mais quelle que soit la présentation, le principe est toujours le même : une longue cuisson dans un court-bouillon avec oignons, carottes en fines rondelles, thym, persil, poivre, ail, gros sel, très petits lardons. Les pieds, veau ou bœuf, sont indispensables au moelleux du plat. Le vin blanc par contre est facultatif. Il faut cuire en plusieurs fois et jusqu'à vingt heures.

Une fois que les morceaux sont cuits on peut les paner et les faire frire. C'est alors le « tablier de sapeur ». On peut encore les mettre à gratiner en alternant les couches de gras-doubles et un saupoudrage de mie de pain, d'ail et de persil. Ou encore, les faire cuire dans une cocotte scellée de pâte et tenue de longues heures dans un four.

Le tripat se prépare en général pour un grand nombre de personnes. À cause de la longueur du nettoyage, de la longueur de la cuisson. À cause du phénomène de quantité. C'est curieux, mais certains plats s'améliorent de leur abondance même. Trois, quatre, cinq kilos de tripes seront succulents, une livre ne vaudrait rien. Allez savoir pourquoi. Des choses se passent dans les foules qui ne se produisent pas chez les individus isolés.

C'est prêt lorsque la tripe se défait en filaments de viande sous la fourchette, quand le jus est assez onctueux pour que les morceaux ne nagent pas mais emportent leur part de sauce.

Les châtaignons : de la soupe au dessert

« BEL PAIRE,
RUDA MAIRE,
POLIDA FILHOTA. »
« Le père est beau, la mère rude et la fillette jolie. »
(Devinette populaire à réponse triple.
Ce père est le châtaignier,
cette mère dure : la bogue et la jolie fille : la châtaigne.)

Entre quatre cents et huit cents mètres, sur les sols acides, pousse un arbre majestueux qui peut devenir plusieurs fois centenaire, un arbre de lumière et d'endroits découverts, dont on tira aussi bien le mobilier que la nourriture et même l'eau-de-vie : l'arbre à pain, le châtaignier au bois imputrescible.

Vers la fin de l'été, ses feuilles, de vert vif, deviennent jaune éclatant et dans la touffeur des jours humides ou des pluies grises et glacées, c'est sous une voûte dorée que l'on ramasse les châtaignes.

Le feuillage au-dessus des têtes, l'abri aéré qu'il forme, le bruit des fruits qui en tombant heurtent les branches, le jaillissement des châtaignes brillantes quand on marche sur une bogue, les beaux fruits qui roulent un instant et miroitent : que tout cela est beau ! Il y a quelque chose d'exaltant à voir la nature produire à profusion.

À chaque automne, je contemple les innombrables châtaignes, je plonge mes mains dans le panier rempli, au milieu des fruits frais et lisses et je m'émerveille de leur beauté et de leur abondance.

Du côté opposé au hile, la châtaigne, velue, s'achève en une fine barbiche de soie beige. Le même velours aux poils soyeux tapisse l'intérieur de la bogue et double le péricarpe, cette peau écailleuse en cuir ciré qui entoure le fruit. Mais les poils du velours sont couchés sous la pression d'une chair rebondie. La lumière, le bout du doigt révèlent la douceur de la doublure. Rien de mieux protégé que la châtaigne par des alternances de vêtements revêches et de fins matelassages, jusqu'à cette peau qui épouse tous les plis de la chair : le tan.

Fendez la châtaigne pour goûter sa chair crue et surtout la voir dans sa blancheur native car, après la cuisson, le tan lui aura communiqué sa couleur chocolatée : la couleur de la crème de marron.

Mais ce fruit riche en eau se flétrit très vite. En quelques jours le luisant disparaît, la peau se fane, la chair fond, le péricarpe ne l'épouse plus. Et le tas de châtaignes a tendance à moisir.

Pour la conserver on la séchait dans de petites maisons sans fenêtres équipées d'une cheminée et, à mi-hauteur, d'un plancher à claire-voie. On entretenait du feu, on fermait la porte. Au fil des jours, le fruit se racornissait dans sa coquille de peau, jusqu'à devenir très dur et faire dans l'enveloppe un bruit de grelot. Le tan lui-même se séparait de la chair, comme une décalcomanie fripée. Il ne restait plus qu'à battre et venter.

Et voilà : avec l'ombre et le feu les châtaignes ont changé de sexe. Elles sont maintenant les châtaignons jaunis et ridés. Ils font les uns contre les autres un bruit de gravier et peuvent se garder plusieurs mois. On peut en sucer un comme un curieux bonbon. Il se ramollit progressivement dans la chaleur et l'humidité de la bouche, y redistribue son glucose. C'est grâce à lui que, dit-on, les camisards résistèrent si bien.

Un soir — les farineux aiment la glace et la nuit — essayez le repas « tout châtaignons ».

Il faut un trempage de vingt-quatre heures environ, pour réhydrater les fruits avant de les mettre à cuire. Progressivement ils se regonflent — il faut veiller à rajouter de l'eau — et s'ils ne retrouvent ni leur blancheur, ni leur goût primitif, ils ont acquis une saveur fumée des plus agréables.

Plusieurs heures de cuisson à « petit boul » transforment peu à peu le bouillon — on aura salé l'eau — en un liquide brun-rouge, légèrement farineux.

Premier plat : la soupe. On verse l'eau de cuisson sur de fines tranches de pain arrosées d'huile. Il nage toujours quelques bouts de châtaignons cassés. C'est le « bajana » des Cévenols.

Deuxième plat : le fricot. Les châtaignons sont écrasés, salés, poivrés, arrosés d'huile.

Dessert : châtaignons au lait et au sucre. Une variation riche consiste à les passer au four pour caraméliser le sucre, à flamber ensuite à l'eau-de-vie.

Ainsi se nourrissaient nos ancêtres : modestement. C'est un tour de force que de varier sur la monotonie même. Si, trop bien nourris, vous dédaignez les soupes à pain trempé, je vous conseille toutefois d'essayer les deux autres plats : le salé sucré du châtaignon en salade et ce dessert caramélisé et flambé qui n'est pas loin du luxueux marron glacé.

On faisait mieux encore avec le châtaignon. En le passant au moulin on obtenait une fine farine beige pâle. Vous la trouverez encore dans les magasins spécialisés : elle vient d'Italie ou de Corse.

On la transformait en bouillies ou « farinettes » plus ou moins épaisses. Une sorte de chocolat d'avant le chocolat qui, sucré d'un sucre fondu dans les pincettes chauffées au rouge et tombant en gouttes grésillantes dans le liquide, était aussi délicieux qu'inattendu. On en épaississait des crèmes pâtissières — leur texture et leur goût prenaient de l'originalité, grâce à la présence de cette farine. Souvent, pour un roux, c'est elle qu'on utilisait au lieu de la farine de froment, rare en ces pays pauvres. Parfois même on en faisait un pain lourd et brun.

Une polenta de farine de châtaignons peut accompagner tout agneau ou cabri rôti. De l'eau salée et de la farine. C'est tout simple. Le délicat de l'opération n'est que la cuisson. Il faut dessécher la bouillie sur le feu, remuer avec énergie jusqu'à ce que soit obtenue la consistance voulue : celle d'un mortier ferme, ou d'un pâté de sable — souvenez-vous de vos jeux sur la plage : le sable trop mouillé ne « tenait » pas. On serre la bouillie dans un linge fariné, puis on la coupe en tranches, et on consomme avec le jus du rôti.

Pour finir, je vous conseille un gâteau. On le mange en Corse et aussi du côté de Pise.

À la farinette un peu épaisse — que l'on peut préparer au lait — on mêle des raisins secs et des noix. On verse en mince épaisseur, pas plus d'un centimètre, dans un moule vaste et exagérément beurré. On parsème de pignons et on fait cuire, juste le temps que ça croustille, tout étant déjà cuit. J'ai dans la bouche et le cœur la lumière délicieuse sur les bords de l'Arno et cette pâtisserie exquise, mangée tiède.

N'y a-t-il pas magie à faire durer un fruit périssable, à le transformer en soupe, en légume, en gâteau, en salade, en Phoscao, crème ou pâtisserie ?

Le soir du repas « tout châtaignons », sachons méditer humblement sur l'ingénieuse pauvreté.

Un royaume est fait pour être partagé

Qu'il s'agisse d'une galette ronde de pâte feuilletée, garnie ou non d'une crème, d'une couronne briochée ou à consistance de biscuit de Savoie, ou de savarin, le gâteau des Rois est riche de ce qu'il cache : une fève. Ce fut autrefois une vraie fève sèche, dure comme bois, qui pour n'être pas esthétiquement belle n'en gardait pas moins sa valeur symbolique d'embryon — mâle. Elle était à la fois le germe de la vie à venir, et en même temps elle contenait, nous rappelle Pline, les âmes des morts. Ainsi, précieux de la fève cachée, ce gâteau est au centre du grand mouvement de la vie qui passe à travers la naissance et la mort, puisque les morts reviennent dans chaque naissance. Lorsqu'on remplaça la fève par un petit personnage de porcelaine poreuse, c'était d'ailleurs le plus souvent un bébé tout emmailloté. Puis, à mesure que les valeurs symboliques et les significations essentielles se perdaient, on vit une lune, un roi, un trèfle.

Qui n'a pas lorgné le gâteau des Rois en cherchant à reconnaître la boursouflure du trésor caché ? Qui n'a pas essayé de tricher ? Qui n'a pas senti battre son cœur ? Et pourtant quelle étrange royauté donne l'obtention de la fève ! On pourrait dire : une royauté inverse. Le hasard le plus pur préside à l'élection. La couronne n'est qu'en carton et si elle est ornée de gemmes rouges ou vertes, celles-ci sont en ronde bosse dans le papier. Le pouvoir du roi sera une contrainte : payer au prochain repas un autre gâteau. Quant à son royaume, il est partagé en parts égales et dévoré avant même de lui être attribué. Non seulement le bien est divisé mais il en échoit à un inconnu une part égale à celle que reçoivent les fils légitimes. Le pauvre, l'exclu, le marginal est présent au partage. Rien ne dit d'ailleurs que ce ne sera pas lui le roi.

Hasard, bien périssable, égalité des parts, insignes royaux de pacotille, appropriation interne des morts, par ingestion, donc, acceptation de la vie future où nous nous réincarnerons, voilà de quoi alimenter l'imaginaire. Le « royaume » est plus riche de ces éléments que de la pâtisserie elle-même, toujours très simple.

Personnellement, je préfère la galette ronde — comme la lune — qu'on débite en triangles isocèles plutôt que la couronne. D'abord parce qu'on peut la garnir d'une crème aux amandes : une pâtissière agrémentée d'amandes pilées. On peut en décorer la surface d'un réseau de losanges : ils disent qu'on a capturé la lune dans un filet, ils rythment la consommation. Tout le monde a grignoté les petits-beurre de festons en festons, et le chocolat par rapport aux carrés qui le divisent. Les décorations géométriques des pâtisseries proposent un cheminement aux dents. Ne serait-ce point le retour à l'ordre après les folies culinaires des fêtes ? Avant le désordre carnavalesque ?

Au matin des Rois, on a porté en terre le blé de la Sainte-Barbe. Il est un peu jauni, à peine tient-il debout. Je vous indiquerai comment le planter en décembre et comment vous en servir.

Petit point d'ancrage en forme de triangles isocèles et de losanges réguliers, dans la nuit de ces temps d'hiver, la fête des Rois et le gâteau que l'on y consomme invitent à la réunion et à l'élargissement des cercles d'amis. Ouvrons la porte : une part est prête pour l'inconnu. Il s'avance dans le froid. Pour les Grecs comme pour les chrétiens c'est le Dieu en visite.

Servez le royaume avec du vin chaud à la cannelle. Quand le gâteau des Rois est une galette sèche, on peut faire «saussole» dans le vin chaud, plaisir de prince qui était dans nos pays plaisir des solstices : d'hiver avec le vin chaud, d'été après la sieste, avec le vin frais sucré monté des caves.

Vin chaud à la cannelle

Quand le sang a été bien fouetté, après une promenade dans les jours glacés et courts, quand par exemple on a longuement marché au bord du canal du Midi au milieu des miroitements de la surface, du ciel et des flaques glacées du chemin de halage, quand on a cherché les salades sauvages dans les vignes pierreuses, les yeux éblouis de la lumière la plus vive de l'an, les doigts gourds de froid, on prépare, en rentrant, le vin chaud.

On fait bouillir un bon vin rouge, sucré à sa convenance — quatre morceaux par quart de litre —, dans les bouillons duquel on jette une écorce d'orange, un peu de citron, un clou de girofle et de la cannelle en bâton. On dit en bâton, mais c'est de l'écorce du cannelier qu'il s'agit, qui garde des années l'arôme intact.

Il faut faire bouillir, le temps de s'enivrer de senteurs au-dessus de la casserole. Les oreilles bourdonnent, le regard vacille au-dessus d'un tourbillon de sorcière où apparaissent et disparaissent tour à tour un bout d'écorce, un éclair d'orange, le bouton floral du girofle. Juste avant de servir on corse le tout d'eau-de-vie ; d'aigardent comme on dit ici, où nous nommions le trois-six à la manière des Indiens : l'eau ardente. Et on flambe. Cette flamme courte, fugitive, de feu follet ajoute au mystère, dans une pièce éteinte un bref instant.

Puis on boit ce nectar, sipureux et fort en degré, qui fait monter le feu aux joues, dispose à l'indulgence et à la belote, à l'amitié, à l'amour, au sommeil.

Sachez que le citron, parmi ses innombrables propriétés, sauve le foie et les reins, protège de toute anémie, du scorbut, de l'asthme et de la sénescence, que l'orange fait dormir et que cannelle et girofle sont des aphrodisiaques.

Les assaisonnements culinaires — ces essences végétales jetées dans les jus et les plats pour le réjouissement des papilles — sont aussi des médicaments.

Ainsi et à chaque moment la cuisine se trouve-t-elle au confluent de la médecine et de la magie.

Psychanalyse des pâtes au repos

Chut! la pâte repose. Dans des terrines vernissées. Entre des linges blancs comme des draps, où on l'a installée saupoudrée de farine, bien roulée en boule. Le plus souvent dans la pénombre et la tiédeur, au froid exceptionnellement.

La pâte, c'est toujours pareil : de la farine, du sel, de l'eau, de la matière grasse. Et pourtant que de variétés : brisée, sablée, feuilletée, briochée, pâte à beignets, à oreillettes, à pizza... À quoi tiennent les différences? Aux proportions et au repos actif des pâtes qui est parfois un rêve, parfois une méditation, parfois une pensée qui se concentre, qui analyse et d'autres fois s'élève aux généralités. Au fait aussi que la farine est vivante et l'eau plus ou moins dégourdie, que l'on pétrit avec plus ou moins d'énergie ou pas du tout, qu'on a, ou non, la main chaude.

Si l'eau et la farine sont travaillées de levain — c'est-à-dire travaillées par elles-mêmes, le levain n'étant jamais que de la pâte aigre — la masse au repos se gonfle de rêves, d'images vagues jusqu'à doubler de volume. Le doigt s'y enfonce comme dans un sein.

Lorsqu'on a mêlé intimement beurre et farine jusqu'à avoir dans le saladier une sorte de sable fin et que l'on mouille, la pâte médite, elle englobe les zestes qui la parsèment de virgules transparentes, de moment en

48

moment, elle les exhorte, les exalte et confirme leur parfum. Elle réfléchit sur le beurre, elle le divise et l'intériorise, le mêle aux molécules de farine, elle pense au mélange de la farine et de l'eau dont l'accord se fait lentement en fonction de l'humidité de l'air et d'impondérables données astrales. Elle pense si fort que lorsqu'on soulève le torchon pour la saisir, elle sue une petite sueur grasse : on la trouve presque rétractée, elle a taché de gras les torchons pendant son actif repos.

Il lui arrive de n'avoir qu'un léger ballonnement, une souplesse de la chair, un relatif enthousiasme pour l'alchimie qui l'habite.

La pâte feuilletée, elle, a un côté militaire : trois fois des pliages au carré, comme des paquetages, espacés de quarts d'heure de repos. Mais quel repos : au froid, sans la moindre détente, toujours à angle droit. L'éducation de la pâte feuilletée est un peu spartiate ou anglaise. Un, deux, trois, étalez en rectangle, pliez en trois. Frigo. S'agit pas de mollir. Trois tours et pas un de plus. Pas de fantaisie dans les pliages ! Et on évite de se disperser, de se mélanger : le beurre avec le beurre, la farine avec la farine. Respectez la hiérarchie. Se tenir droit et ne penser qu'au service. La pâte feuilletée au repos est comme ces militaires reconnaissables même en permission à leur coupe de cheveux et leur maintien.

Il faut reconnaître l'excellence du résultat. Ces feuillets légers qui fondent dans la bouche et reçoivent si bien les sauces crémeuses du vol-au-vent...

Mais, la plupart du temps, quand on confie à l'ombre et au repos le mélange de farine, d'eau, de sel et de matière grasse, la pâte couchée pense, rêve ou dort. Ne la dérangeons jamais. Farinons-la, comme on talque les bébés : pour son confort, réalisons les conditions pour que rien de matériel ne la gêne dans sa réflexion.

Un principe général concernant les quantités ; le poids de farine divisé en deux donne le poids de beurre. L'eau, c'est plus délicat. On l'a dit, cela dépend des saisons. Donc, c'est avec jugeote qu'il faut mouiller, sachant que les molécules de farine vont gonfler et que la pâte sera plus compacte après le repos qu'avant. Or une pâte trop sèche équivaut à une pâte dure. Il vaut mieux avoir une pâte humide qui colle un peu aux doigts au moment où on la met au lit.

Brisée, la pâte est faite avec le beurre qu'on a fait disparaître dans la farine, à sec, avec dix doigts actifs. À la fin, le mélange coule comme de la semoule de la paume au saladier. C'est alors seulement qu'on mouille.

Pour obtenir une pâte semi-feuilletée, il faut débiter le beurre en copeaux transparents noyés au fur et à mesure dans la farine de la pointe du couteau. Faites très vite pour ne pas réchauffer le beurre dans votre main. Farinés, les rubans minces doivent rester entiers. Ensuite il s'agira d'introduire l'eau sans — presque — toucher. Cela paraît insoluble : comment toucher sans toucher ? On soulève la masse beurre et farine des cinq doigts écartés en versant l'eau. Puis on serre en boule, et au repos ! Il ne faudra pas craindre de voir les morceaux de beurre entiers quand on étalera la pâte.

À la cuisson, les pellicules de pâte seront soulevées par le beurre fondu, mais plus anarchiquement que dans la vraie pâte feuilletée qui se lit comme un livre.

Feuilletage : fleur de farine en colline sommée d'un puits ou fontaine dans lequel on verse l'eau non seulement fraîche mais frappée — j'y mets un ou deux glaçons — et le sel. Mêler en détrempant peu à peu la farine en ayant soin que l'eau ne passe pas par-dessus bord, mon vieux livre de cuisine conseille de mêler de la main droite, tandis que la gauche flatte doucement le flanc de la colline de farine pour la faire tomber, comme une fine neige, dans le puits. Rassembler en boule. Un quart d'heure de repos, au froid. Reprendre la pâte, l'aplatir grossièrement, mettre le beurre au centre et replier la pâte sur lui. Aplatir au rouleau en un rectangle dont la longueur est le double de la largeur que l'on plie en quatre pans, exactement comme une serviette. Cela s'appelle un tour. Repos au frais un quart d'heure. Et recommencez six fois. Un quart d'heure après le dernier tour la pâte est prête.

La pâte à pizza est une sorte de pâte à pain très simple, graissée d'huile. La levure — de bière de préférence — est délayée dans de l'eau tiède et salée que l'on mêle à la farine où l'on a versé une grosse cuillerée à soupe d'huile pour 100 grammes de farine.

La pâte sablée — intéressante pour les tartes aux fraises ou aux framboises, celles qui utilisent des fruits rouges non cuits, sur crème pâtissière, le tout arrosé d'un coulis du même fruit — se fait sans eau.

La pâte sablée, en effet, refuse l'eau à 125 grammes de farine : qu'elle se débrouille et gonfle ses molécules avec 60 grammes de beurre et un œuf. Encore le faut-il petit. S'il est gros, on ne met que le jaune et seulement une partie du blanc. Et on ajoute 60 grammes de sucre, avide lui aussi de liquides. C'est la bagarre.

Dans le saladier où on a mis farine et sucre on sable le beurre, c'est-à-dire que l'on mélange jusqu'au moment où on obtient une consistance de sable. Puis on ajoute l'œuf et on pétrit. La cohésion est incertaine tant la bagarre a été forte. Ensuite on « fraise » plusieurs fois, c'est-à-dire qu'on aplatit de la main. Puis on roule en une boule de pétanque. Le repos d'une heure va amorcer une petite réconciliation, mais en fait il n'y aura pas d'entente. La pâte sablée est une pâte de division. Difficile à étaler, il vaut mieux en foncer des tartes petites et procéder à la main plutôt qu'au rouleau.

On la cuit toujours à feu doux — veillez à ce qu'elle reste bien jaune paille et ne brunisse pas — en mettant dans le fond une épaisseur de noyaux d'abricots réservés à cet usage et que vous gardez dans un pot de confiture, pour que la tarte ou tartelette ne gondole pas. La tarte se garnit après, à froid, d'une crème pâtissière et de fruits frais — fraises, mûres, framboises ou ce que vous voulez — puis elle s'arrose d'un coulis du même fruit.

Je vous parlerai de la pâte à pâtes au mois de mai.

51

Mais je n'aurai pas tout dit. Psychanalysez vous-même les pâtes au repos, sachez ce qu'elles pensent, tâtez-les du bout des doigts et de la paume pour tester leurs réactions. Ayez en réserve pour elles des saladiers profonds, des draps usés et un lieu de chaleur douce. Ainsi agirez-vous convenablement et de délicieuses pâtes ferez tourtes et tartes, envelopperez chou et poisson, scellerez les cocottes où mijote le tripat, façonnerez des pâtés en croûte, finalement ennoblirez l'ingrédient le plus simple.

Et de pâte en pâte, engourmandi par leurs subtilités psychologiques, rien ne dit qu'un jour vous ne réussirez pas le mélange le plus élémentaire mais le plus subtil : le pain.

FÉVRIER

Le 2, vous mangerez la lune sous forme de crêpe. Entre le froid vif et les herbettes sauvages, le sang est bien fouetté. Quelque part dans le bleu et l'odeur des jacinthes tremble une clarté printanière. Choisissez un beau froid pour tuer le ministre. Carnaval, en riant, offre à notre part d'ombre un plein panier d'oreillettes.

Les poules, averties de quelque chose au fond de leur petit cerveau, recommencent à pondre et si vous avez le courage de vous griffer les mains, peut-être mangerez-vous la première omelette aux asperges de campagne. Les branches d'amandier, si menacées, embaument le sucre et invitent à l'émotion. Le navet de Pardailhan, mondialement célèbre, est d'une blancheur de neige sous la terre ocrée de sa croûte. La purée de pois cassés et la saucisse vous rappellent votre enfance — ces raies que vous traciez avec la fourchette, ces fleuves de jus qui coulaient dans la glaise verte — et aident à affronter le gel des nuits et des aubes. Et surtout, usez et abusez du chou, dont je vous parle en octobre, mais c'est ainsi que l'année se mord la queue.

Herbettes, saladettes, fars et farçums

Cherchons les salades sauvages dans les vignes pierreuses et les talus, les yeux éblouis d'une lumière dure, les doigts gourds de froid, dans les miroitements des rivières qui passent derrière les arbres transparents, du ciel reflété dans les flaques glacées. Car n'allez pas croire que la terre est totalement nue. Certes, elle le paraît. Tout semble sec et grillé, et comme mort. Non pourtant, les herbes sont là, petites et solides. Le grand mouvement tournant des plantes a commencé dans la discrétion. Armé d'un fin couteau et d'un panier, allez à la cueillette d'herbes diverses. Vous les mangerez en salade, vous les ferez bouillir pour fars et farçums. Pendant trois mois au moins on peut ramasser saladettes et herbettes. Ayez du courage, une bonne flore régionale, ou assurez-vous le concours d'une vieille bien savante. Car il n'y a plus de marchands qui crient, au coin des rues, la saladette. Un parfois, rue Solférino, à l'angle des Nouvelles Galeries, un homme de petits métiers vend, en leur temps, des « roubious » — lactaires délicieux ou sang du Christ —, du houx, du gui pour Noël et des pissenlits. Une certaine jardinière de la place David-d'Angers est riche d'herbes sauvages — mais il n'y en a que pour ceux qui ont pris la peine de commander. Le mieux est d'assurer vous-même la cueillette. Je parlais d'une bonne flore parce que les noms vulgaires, s'ils sont pittoresques, changent de pays à pays. Impossible de s'y reconnaître...

Il existe des dizaines de saladettes, des douces et des amères — à vous de composer les mélanges —, certaines ont des goûts si vifs, si poivrés qu'elles peuvent servir de condiments.

Les pâquerettes, les feuilles de coquelicot, de lilas d'Espagne, la joubarbe, le chardon des champs, tout cela très jeune, sont les plus inattendus.

La doucette sauvage, tous les cressons — bâtards, faux, des fontaines —, toutes les catégories de pissenlits : ils ont le goût de la noisette et une blancheur d'amande — dent-de-lion, pissenlit rond —, toutes les laitues, la rouquette, le laiteron à la bûche, le repounchou, sont les plus connues.

La barbe-de-capucin, la salade de lièvre, le broute-lapin ou oreille-d'âne, sont les plus joliment nommées. Et je gardais pour la bonne bouche la terra grepia — picridium vulgaire — ses feuilles radiales d'un vert glauque et de goût savoureux qu'on appelle ici « couscounille ». Mon père appelait tendrement ma mère « ma couscounille » et on nomme ainsi affectueusement les enfants.

N'hésitez pas à jeter dans la mêlée le pourpier commun, les pétales de capucine et de chrysanthème.

Les saladettes sont délicieuses avec de l'huile d'olive et de l'ail, mais aux temps du sang bien fouetté par le froid, on aime les accommoder aux lardons — lardons gras ou lardons maigres. La graisse qu'ils rendent en cuisant remplace l'huile. Quelques croûtons aillés — frits ou simples lichettes de croûte prélevées en bordure du pain — n'y vont pas mal non plus. De même que des rondelles d'œuf dur. Ou un vieux morceau de roquefort écrasé dans la sauce, ou du cantal durci, en cubes, ou du chèvre chaud ou frais. Ne craignez pas le bouton floral du pissenlit. Il est jaune d'or et délicieux.

Lorsque le pissenlit est un peu âgé, préparez dans une poêle du lard maigre — la cansalade — en très petits morceaux. Quand c'est doré, ajoutez du concentré de tomate. Écoutez-le frire (attention, il éclabousse), jetez un jet de vinaigre. Mettez alors vos pissenlits. Un, deux tours : le temps qu'ils « tombent », ayant perdu la raideur de la salade crue. Et c'est prêt.

Une préparation que j'appelle terrine verte, un peu plus luxueuse, peut même figurer sur une table dominicale.

On mêle aux herbes cuites, hachées, un peu de chair à saucisse et du thym — ou bien on fait des couches alternées d'herbes et de chair au fil de l'humeur. On met dans une terrine de terre que l'on scelle de pâte pour l'onctuosité du mélange. Avec des crénelures, des échancrures faites au ciseau, la pâte dorée à l'œuf permet une cuisson à l'étouffée. On sert dans la terrine même, joliment.

De décembre à avril, avec un peu de temps et de patience, les plantes sauvages n'en finiront pas de nous étonner.

Mort d'un ministre

Parce qu'il fut longtemps le personnage le plus important de la ferme — on eût mieux aimé se voir malade soi-même que voir le porc malade —
parce qu'il était un des pôles essentiels de l'année culinaire,
parce qu'il était bien nourri, donc gras,
on l'appela : le ministre.
Tué mais respecté.
L'exécuteur : le saigneur, jouissait dans la société rurale d'un statut de choix. Sa fonction était presque sacrée. Le jour de la mort, celui-là même et les jours qui suivent, le travail était si collectif et si joyeux, qu'on l'appelait la fête, mais aussi : la fatigue.
Autour du porc, de la charcuterie, tournent superstitions, légendes, usages. Pendant la vie du porc on a craint pour lui la congestion et le mauvais œil. On l'a protégé comme on a pu de bouquets magiques. La femme l'a frotté de paille, on l'a laissé courir dans les châtaigneraies et manger autant de douces châtaignes qu'il voulait. On l'a mis dans le verger pour qu'il profite des pommes tombées. On lui a parlé amicalement. Le cochon comprend autant de mots qu'un chien — environ deux cents mots. C'est un compagnon aimable et intelligent, mais on le destine à autre chose.
Avant de tuer, on calcule la lune, les « chaleurs » de la truie et les règles des femmes qui, on le sait, feraient « tour-

ner» la viande, les pâtés et les boudins. On calcule le froid. Malheur s'il faisait marin! Les disponibilités des uns et des autres, et surtout du saigneur et de ses aides, sont étudiées.

L'an dernier nous avions fixé la date au 28 décembre. C'était à Jossely et nous allions tuer une bête de 160 kilos, nourrie au maïs. On ne tue plus de porcs aussi gros. Ils ne vivent plus d'ailleurs comme je l'ai dit : chouchoutés et respectés. Mais celui-là, il était à l'ancienne. Nous n'en tuions qu'une moitié — on dit cela : «tuer la moitié d'un cochon» — et ces jours-ci où s'approche la fête du prochain demi-cochon, j'achève mon vieil os de jambon : il parfume des lentilles.

À Jossely, le porc est en train de mourir. Pendu la tête en bas, il s'échappe de la plaie de son cou, à chaque ruade, une grande giclée de sang qui vient remplir une bassine. Une des femmes qui est venue aider, manches retroussées, bat à pleines mains le sang qui fume sous le ciel froid. À la fin, elle sort de la bassine un amas de fibres blanches sanguinolentes : on dirait que l'on vient de tremper de sang un paquet de dentelle. C'est la fibrine. Le sang, désormais, restera liquide.

Puis c'est un minutieux nettoyage à l'eau chaude. La température est mesurée au thermomètre, mais elle est fonction de la température ambiante et du poids du porc. Doctement, le saigneur décide si ça va ou non. Tout en travaillant, il parle du difficile coup de couteau qu'il lui arriva de manquer au début de sa carrière, de la première fois où seul, sans conseil de personne, il enfonça la lame et lui fit faire un quart de tour.

Il réprouve, dit-il, la méthode qui consiste à saisir le porc avec un crochet enfoncé sous le menton pour le faire venir docilement, mais douloureusement, sous le couteau. Car tout le monde sait que le cochon sent la mort et rue et crie. «Moi», dit-il superbement, les avant-bras nus et encore tachés de sang, «moi je ne fais pas ça. Ça fait bourreau.»

Le porc sort de l'eau rasé, lisse, blanc rosé, déchaussé de ses ongles crottés arrachés d'un coup de crochet. Un vrai teint de jeune fille.

59

Près du saigneur : deux femmes. Agnès et Hélène. Elles apprécient déjà les jambons, la stature, la couenne. Avec un sourire de contentement, elles disent : «Le pauvre, quand même.» En fait elles affirment que tout est parfait. Hélène est la prêtresse du sang, c'est elle qui tout à l'heure l'agitait dans la bassine. Elle a un fin visage qui fut très beau. Toutes deux ont des mains marquées par le travail mais habiles et des gestes mesurés pleins de grâce efficace.

Nous qui tuons le porc, sommes censés commander. Alors en permanence elles ont des phrases ambiguës : «C'est vous qui le voyez... C'est vous qui commandez», «Ce n'est pas pour nous...» Elles ont l'air d'exécuter, elles dirigent une opération de laquelle ni moi ni Michèle ne savons rien.

Tout ce qu'elles font est marqué du signe de la minutie, tout est plein du respect que l'on doit à cette viande. Il s'agit de tout réussir. Elles agissent encore comme si le porc était le centre de l'année culinaire, comme si on n'était pas passé à une civilisation du gaspillage, du luxe frelaté. Pas un morceau ne doit être perdu. Elles s'interrogent mutuellement, tout en ne voulant pas qu'aucune prenne le dessus sur l'autre. Ce sont deux souveraines rivales et solidaires.

Le premier travail est le nettoyage des boyaux, les fins et les gros, et d'abord le désemmêlage de cet amas fumant. Que c'est bon dans le froid vif qui monte le long des jambes et descend entre les omoplates de plonger les mains dans cette chaleur et de les sentir devenir douces de graisse fine.

Aux subalternes que nous sommes, on octroie le gros intestin, plus solide, tandis que les «connaissantes» dégagent l'intestin grêle, d'une finesse de papier, qui sèche presque instantanément à l'air libre.

Il monte des boyaux, dans le jour gris, une forte odeur de vie et d'excréments.

Le saigneur et son aide sont partis dans une pièce annexe faire le premier découpage. Ils ne se mêlent point des boyaux. C'est un travail de femme. N'est-ce pas leur destin d'être aux excréments — des enfants d'abord, des vieux plus tard? N'est-ce pas leur droit naturel que cette intimité avec le soubassement de l'être? Et demain à la charcuterie, à l'œuvre délicat des dosages de sel et de poivre, à la surveillance des cuissons?

Les seuls hommes à être restés près d'Hélène et d'Agnès sont des hommes d'aujourd'hui, des «modernes» un peu benêts qui travaillent avec une bonne volonté touchante de leurs gros doigts et ont oublié les antiques convenances.

L'odeur des boyaux disparaît peu à peu à force d'eau acidulée et de savonnages.

Le saigneur est parti, il reviendra ce soir à 20 h 30. Il a décidé de l'heure en fonction du froid. La viande doit être «caillée» pour la découpe.

C'est du boudin noir et blanc que l'on s'occupe en premier. Comme on goûte pour s'assurer de l'assaisonnement, des cuillerées de mélange circulent d'Agnès à Hélène et de toutes deux à nous. Le boudin de sang les dégoûte. Elles affichent une répulsion pour le sang cru. Elles évoquent le grand-père qui en avalait de grandes cuillerées en s'en mettant plein les moustaches. Après avoir goûté moi-même, je trouve délicieux ce mélange barbare bien aromatisé et poivré.

Tandis que nous soupons, dans l'abattoir, le porc ouvert comme un livre attend dans la nuit. Les femmes se lèvent de table à tour de rôle pour s'assurer que les «bébés» — les boudins — se portent bien. Elles sont fières de n'en avoir crevé aucun. Elles disent prudemment: «On n'a pas encore fait de bêtise», sachant qu'il en arrive toujours quelqu'une en ces «jours de porc». Un peu plus tard elles reviennent avec un melsat éclaté. C'est un malheur sans gravité qui donne l'occasion de goûter la charcuterie le jour même et de juger de sa qualité.

Le saigneur et son aide reviennent pour le découpage. Chaque moitié de porc demandera une heure environ de travail. Jeu d'acier, vif et savant, des couteaux dans les chairs. Science des jointures et des articulations. Il est presque minuit quand nous nous rassemblons autour du feu, de la tisane et de l'alcool de prune.

Le lendemain, c'est la fabrication des saucisses, saucissons et pâté de foie. C'est la mise au sel des lards gras et maigres ainsi que des jambons.

Récurer les os pour la saucisse est un travail de subalternes. L'assaisonnement, la mise en boyaux, le salage sont encore l'œuvre des prêtresses qui goûtent et disent : « ça va », tout en ajoutant « mais c'est à vous de décider ».

Le soir, lorsque j'installe la saucisse sur les perches, mes mains ont l'onglée. Voilà des années que je ne connaissais plus cette sensation dont la douleur monte dans les poignets.

Quand, le soir, tout est fini, quand les jambons dans le sel cristallin, dans des torchons immaculés, sont prêts comme d'énormes bonbons ficelés — c'est la méthode du Lauragais —, quand on a nettoyé les tables et les instruments, commence un repas royal. On y mange le filet mignon, du boudin blanc. Et la fête s'achève avec la confection des « curbelets », gaufres fines que l'on roule chaudes sur la cuisse. Les familles du Lauragais avaient, chacune, leur moule aux dessins géométriques ou marqué d'initiales. On dirait des moules pour hosties.

Pendant qu'on chante, qu'on boit et qu'on mange, la nuit d'hiver descend, pleine d'étoiles froides. On entend dans le pré piétiner les oies mères, protégées par leur duvet du gel le plus âpre. Le lendemain, il se lève sur nos réserves un jour lumineux et glacial. C'est le temps qui convient. On a réussi. Le doux Lauragais, terre de délices, est raide de givre sous le ciel.

Un fil dans la pâte
ou
la lune sous forme de crêpes

Chandeleur, fête de la lumière, mais d'une lumière tremblante et brève, froide encore et sentie comme incertaine. Aussi la célébration chrétienne s'illumine-t-elle du cierge en cire d'abeilles, aussi ne célèbre-t-on pas le soleil, rayonnant, mais la lune, qu'il s'agit aujourd'hui de manger sous forme de crêpes.

La ressemblance de la crêpe et du disque lunaire est évidente : mêmes cratères, même couleur. De plus, comme on la roule ou la plie sur sa farce de sucre cristallisé, de confiture ou de crème — je vous conseille un coulis de mandarine —, la crêpe représente la pleine lune et ses phases, et quand elle est consommée : la lune nouvelle. Et on recommence. Les lunaisons s'enchaînent les unes aux autres dans l'engrenage tout symbolique de la gourmandise. Être capable de faire tourner la crêpe en l'air, c'est affirmer son pouvoir sur les astres, donc sur le sort, donc sur la fortune. C'est pourquoi on prétend que si l'on y parvient on aura de l'argent toute l'année, ou du bonheur. C'est bien d'avoir chez soi un louis d'or et de le mettre dans la paume des convives avant qu'ils ne tentent de commander à la lune. La pièce d'or est à la fois inaltérable comme l'éternité du temps et ronde comme tout astre. Cette pièce dans la paume, c'est toute l'ambition humaine d'éterniser le fugitif et de commander aux sphères inaccessibles du ciel.

Les œufs qui sont à la base de la pâte à crêpes ont toujours été sentis comme des cosmos en miniature. Ce soleil roux, enclos dans la masse lactescente du blanc — qu'on appelle clair : «clar» en occitan — elle-même enclose dans la pelure, elle-même entourée de la coquille, ce soleil vivant, a été perçu depuis nos plus lointains ancêtres comme une nourriture essentielle et magique.

Que Chandeleur est riche! Comme elle nous projette haut! Elle dit, ludiquement, l'essentiel.

Les enfants adorent manger des crêpes. Ne vous y trompez pas. Ils vont d'instinct vers ce qui les met en relation avec le cosmos tournoyant, vers les nourritures qui sont communion avec les cycles végétaux et astraux. La balançoire, c'est à la fois le soleil dont la hauteur varie, les saisons; la toupie, c'est la terre dont la valse nous donne le vertige; la consommation du «fromageon» fruit de la mauve et du pistil d'acacia, est participation aux grands mystères joyeux du printemps.

Une recette de pâte?

Dans un saladier, mettez de la fleur de farine, un peu de sel, cassez autant d'œufs que vous le désirez, mouillez moitié lait, moitié eau. Battez et laissez reposer. Le mélange final doit être lisse comme un ruban et léger — l'idéal est que la crêpe soit fine, finote, translucide. Laissez reposer une heure, deux heures, à l'abri d'une toile. Et ne dérangez pas la farine en train d'épouser les liquides. Comme elle les épouse au point de les absorber, avant de l'utiliser rajoutez si c'est nécessaire un peu d'eau et assurez-vous que quand la pâte tombe de la louche dans le saladier, elle a bien l'aspect d'un ruban.

La meilleure crêpe est au beurre. Mais nous utilisions l'huile. Une fourchette était emmaillotée d'un chiffon tenu d'un bout de fil. Avec cet instrument bricolé nous puisions dans un bol la juste quantité d'huile convenable à la cuisson. L'avantage était triple : le nettoyage du fond, des petites particules de pâte brûlée — à la fin de l'opération, le chiffon était tout noir —, l'économie, et un graissage suffisant qui nous épargnait les graisses trop cuites. Parfois ma mère mettait dans une petite assiette un morceau de beurre ramolli et avec son chiffon huilé en puisait quelques grammes avant de frotter la poêle. On ajoutait à peu de frais le goût délicieux du beurre. La pâte, fluide exactement, était versée à la louche sur le beurre frétillant et vite, habilement : il s'agissait de la « faire courir » pour qu'elle remplisse la circonférence de la poêle.

Lorsque la crêpe avait sauté, pour l'autre face on passait à nouveau la fourchette emmaillotée. C'était chacun son tour. Aux plus petits on tenait la main. Des adultes maladroits on se moquait, leur prédisant qu'ils n'auraient ni chance, ni argent.

Pour rire, une ou deux fois dans la soirée, on glissait un fil d'une vingtaine de centimètres dans la louche de pâte et celui qui mangeait la crêpe s'en mettait partout, car on mange la crêpe en la tenant entre les doigts et elle bave toujours quelque confiture ou quelque beurre fondu, quelque sirop, quelque grain de sucre cristallisé. Si en plus on tire parce qu'on est tombé sur le fil, on a de grandes chances de se salir. Ça fait rire tout le monde, ce vieux gag du barbouillé.

Et comme on a pris soin l'année d'avant de faire sauter la dernière crêpe sur le haut de l'armoire ou du buffet on va la chercher au milieu des moutons et des poussières, noircie de vieillesse, craquante comme un vieux papier, et on offre à nouveau la dernière crêpe aux divinités domestiques, nouant l'an à l'an en assurant la fortune de la maison.

Les premiers vrais œufs

Les poules recommencent à pondre. Je parle, évidemment, des vraies poules, celles que la nature a faites oiseaux coureurs, gratteurs, sociaux. Si nous le pouvons, évitons l'œuf de la poule ébecquée, névrosée par une vie à la lumière électrique, la patte recroquevillée sur le grillage qui lui sert de sol — et j'en passe! —, n'ayant connu ni l'aube, ni le coq de toutes les couleurs, ni l'herbe où chercher des cailloux, et tâchons de trouver un fournisseur en œufs vrais. On connaîtra alors ce que connaissaient si bien nos proches ancêtres : les alternances saisonnières de pénurie et de grande abondance, l'importance des lunaisons. On connaîtra toutes ces nuances de formes et de coloris qui font d'une jatte pleine d'œufs un étonnant camaïeu de blancs divers, portés par des formes ovoïdes tout aussi diverses : l'œuf minuscule presque rond de première ponte, l'œuf de taille maximum, l'œuf double qui étonne toujours les cuisinières, l'œuf pointu, le longiligne, l'œuf au gros ventre, celui au museau effilé, celui qui a des taches de rousseur, celui qui est plus roux que son roux intérieur, le rose, le bleuté, le mauve.

Quand les œufs reviennent en masse, c'est le moment des crêpes, de toutes les pâtisseries carnavalesques qui en exigent tant — gaufres, curbelets du Tarn, escalettes de l'Hérault. C'est le moment du gâteau à la broche des Aveyronnais — tenez-vous bien : un kilo de farine, un kilo de beurre, un kilo de sucre, deux douzaines d'œufs ! C'est le moment des œufs farcis, de toutes les omelettes. C'est le moment des œufs de Pâques.

Décidez cette année d'en décorer et, vous le verrez, c'est inséparable du plaisir de les consommer. Quelques semaines avant la fête, pratiquez l'omelette. Faites deux trous, le plus petits possible aux deux extrémités pointues. Soufflez pour faire sortir jaune et blanc par la petite porte. Ainsi vous aurez des coquilles presque entières. Lavez-les et mettez-les à sécher, sur un radiateur par exemple, pour ôter toute humidité intérieure.

Lorsqu'ils sont bien secs, commencez à peindre vos œufs avec de l'imagination, des feutres multicolores, de la patience, de la joie, de la minutie, de l'or et de l'argent. C'est assez délicat : il faut tenir l'œuf entre le pouce et l'index et surtout éviter de poser les doigts sur ce qui a déjà été peint de fleurs, de galons, d'étoiles, de ronds, de paillettes. Quand la couleur est sèche, vernir d'un vernis à ongles incolore, ou blanc nacré, pour obtenir des transparences avec les roses et les bleus vifs. Ces œufs se gardent plusieurs années. Leurs tons pâlissent un peu, mais joliment. Il m'arrive d'y inscrire le nom de l'enfant auquel je le destine, ou une devinette, ou une formule magique pour arrêter le sang, le feu, le chagrin, ou faire fuir les verrues.

Évidemment, cela fait manger beaucoup d'omelettes, ou tout ce qui contient l'œuf entier : la crème renversée, la pâte à choux, le pain perdu, toute chose panée.

L'omelette ? à n'importe quoi. Aux croûtons, au vieux fromage inutilisable autrement, aux pommes de terre — coupées très fin ou en petits carrés, cuites vivement d'abord pour la dorure, sous un couvercle ensuite —, au lard gras, à la farine, aux lardons, à l'ail et au persil, ou carrément au sucre, hardiment flambée d'eau-de-vie.

Vous goûterez peut-être le premier délice printanier : l'omelette aux asperges de campagne. Quand le ciel le permet, en même temps que les amandiers, dans les lieux abrités, les premières pointes de l'asparagus trouent la caillasse, entre les ronciers. Il faut avancer la main et ne pas craindre les griffures si douloureuses aux doigts gourds de froid. Ce n'est pas pour rien que l'asperge sauvage est la plus réputée des pointes à consommer. Il y en aura bien d'autres mais le goût de celle-là l'emporte sur tout. Une petite poignée et toute l'omelette est embaumée. Si vous habitez un pays de garrigue, vous pourrez en trouver sur les marchés. Elles sont chères, mais il faut songer à ce que chaque asperge demande d'œil exercé, de marche malcommode, d'habileté, de mains et d'avant-bras qui ne craignent pas les égratignures. Quand notre ami Roger nous en porte une botte, il a l'air d'être passé à travers la colère d'un chat très méchant. Mais nous savons qu'il nous offre en bouquet toute la pierraille bleutée de la Corbière Marine où il les trouve, et c'est un cadeau en avant-première du printemps.

À la période d'abondance des œufs, faites aussi un plein panier d'oreillettes.

Des oreillettes, il faut toujours en faire un plein panier. Elles supposent une grosse corvée de sueur qu'on aborde néanmoins joyeusement et pour laquelle il convient de se mettre à plusieurs.

Il faut : 1 kilo de fleur de farine,
1 orange et 4 citrons non traités,
6 œufs entiers,
250 grammes de beurre,
la pincée de sel qui exalte les goûts,
assez d'huile pour cuire tout ça en changeant une ou deux fois de bain,
un grand panier évasé, car l'oreillette est fragile comme le champignon du même nom,
un beau linge blanc pour mettre au fond de la panière, assez grand pour pouvoir le rabattre sur les pâtisseries quand elle sera pleine.

N'oublions pas que le linge blanc accompagne le pain frais coupé, l'enfant qui naît, la table de fête et toute célébration culinaire — dont l'oreillette.

On commence par récupérer les zestes de tous les agrumes préparés et on les mêle intimement à la farine avec le sel.

Puis on fait de cela un volcan immaculé, au sommet duquel, dans un puits creusé à la main, on casse les œufs solaires, on met deux petits verres de rhum, la totalité du beurre ramolli grossièrement divisé en six à huit gros morceaux, le jus de deux des citrons. Et on pétrit. On pétrit follement, longuement, jusqu'à épuisement. Et on recommence, on recommence encore. La pâte doit être souple dans les mains, onctueuse. Dès cette opération il est bon de n'être pas seul pour bavarder, se relayer à la tâche, s'exhorter.

Une fois battue, rebattue, malmenée, la pâte a besoin de repos. Nous aussi. Laissons-la au moins quatre heures, bien enveloppée, à l'ombre.

Ensuite : à l'étirage ! Au rouleau d'abord, puis à la main. Il faut voir au travers. Fine la pâte comme un linon fin, comme un crêpe de soie. Si vous la trouez, raccommodez-la du bout des doigts. Les formes sont des quadrilatères irréguliers que l'on plonge dans la friture très chaude. Là aussi il est bon d'être plusieurs. Une personne ne doit pas quitter la bassine des yeux. C'est cuit en un rien de temps et l'oreillette ne doit pas brunir mais rester blonde.

Sortez-la avec une écumoire, posez-la doucement dans la corbeille et saupoudrez de sucre cristallisé.

Tout est délicat dans cette pâtisserie : la finesse de la pâte, la cuisson, la juste température du bain d'huile, le sucre qui brille à la surface, et ce goût de beurre qui se répand dans la bouche où elle s'émiette délicieusement.

Sa Majesté le navet, né de Pardailhan

« Blanc comme neige, il n'est pas neige... » La réponse à cette devinette est : le navet. Le navet, décrié, détesté des enfants, aimé seulement des amateurs d'art, est pourtant un légume sublime, indispensable au pot-au-feu, se mariant magnifiquement avec le porc et la daube de sanglier.

Mais entre tous les navets, il en est un de « supérieur » aux autres : celui de Pardailhan ! Le village de Pardailhan, près de Saint-Pons, bâti contre le flanc de la montagne, est à la fois méditerranéen et montagnard. Dolmens, menhirs, tumuli, mines et villas romaines ont laissé là leurs traces depuis le néolithique.

Est-ce depuis ces temps anciens que le navet a trouvé à Pardailhan sa terre d'élection ? C'est possible. En tout cas, la graine du « vrai » navet de Pardailhan n'est pas dans le commerce. On le trouve en décembre et janvier sur les marchés de Béziers, non calibré, maquillé d'une terre rouge, fine et jolie à l'œil comme l'ocre des peintures rupestres.

On l'a cueilli après les gelées et, quand il n'est pas ligneux, « cordé », quand le délicat treillis de sa chair ne contient pas de fibres dures qui resteraient entre les dents comme des fils de chanvre — on ferait des sacs ! —, il fond dans les sauces auxquelles il est confié.

Lorsque d'un coup de couteau on tranche le collet où sont quelques petites feuilles vert pâle, apparaît une chair d'une blancheur qui évoque le plumage de l'effraie et l'hostie éclatante.

À mesure qu'on pèle le navet, la terre sableuse tombe entre les mains et la moindre pression des doigts tache la candeur de la pulpe. La loupe, ici, est fort utile pour admirer son dessin losangé. J'ai déjà dit l'importance de cet instrument pour des voyages d'exploration à l'intérieur de la matière, dans l'os de seiche, la section cristalline de la carotte, le germe du pignon, le poil fin de la châtaigne, le velours des cosses de fèves et la chair du navet.

On frotte le navet épluché d'un torchon qui paraît gris auprès de la chair lumineuse. Il ne faut pas le couper n'importe comment. À Pardailhan on vous précisera : en écailles. C'est-à-dire comme on taillait les crayons de bois. Il fait sous le couteau un bruit de givre.

Dans de la matière grasse — lard de préférence — on fait roussir les écailles jusqu'au noir. N'exagérons pas le noir. Disons : jusqu'au moment où le dessin du navet apparaît en filaments noirs. C'est dire si le brûlé, car c'en est un, est modéré. On ajoute alors poivre, sel, laurier, un peu d'eau chaude — je dis bien un peu, il ne faut pas noyer le légume dans de la lavasse et comme il est vite cuit il ne faut guère compter sur beaucoup de réduction. On n'a pas oublié une bonne douzaine de grains de genièvre.

On a pu mettre des « coustillous » pour parfumer. En hiver, on trouve encore assez facilement le plat de côtes de porc salé et au besoin il est facile à chacun de se préparer du porc au sel. Pour des raisons qui tiennent aux qualités propres du gros sel et à celles de la viande de porc — l'un faisant violence, l'autre se défendant —, une queue, une oreille, du plat de côtes, du lard maigre salé, ont un goût inimitable et en préparation font merveille. Ce n'est pas qu'il y ait beaucoup à manger, mais c'est succulent et les petits os poreux qui restituent sous la dent leur sang et leur moelle sont particulièrement savoureux.

On peut consommer le plat ainsi. Mais vous avez peut-être la chance d'habiter un de ces villages des contreforts montagneux dont les portes de garage s'ornent des trophées d'une chasse à nulle autre pareille : la battue au sanglier. Dans les cols glacés, les hommes sont postés et ils attendent le porc sauvage au goût puissant. Certains, dans l'impunité d'une garrigue qui s'étend sur des milliers d'hectares, placent des collets. Tout le monde ici prépare le sanglier : en rôti, en daube surtout — une forte daube, noire de vin épais. Quelquefois on sale une cuisse et l'on détient un jambon exceptionnel. Quand il s'agit d'un sanglier de braconnage, les femmes passent la nuit à le mettre en pots. Au matin : ni vu, ni connu. Il ne reste que les pattes onglées, velues comme le diable. Une fois sèches, elles iront rejoindre les autres, clouées sur les portes.

C'est donc avec cette daube de sanglier que le navet de Pardailhan va le mieux se révéler : elle a besoin d'un accompagnement qui pompe la sauce et dont le goût ne soit pas écrasé. Le navet de Pardailhan est, pour cela, idéal.

Tâchez de savoir en profiter avant que la graine ne se perde irrémédiablement. Il ne reste plus à Pardailhan que quatre-vingt-trois habitants. À Gimios et Baroubio on préfère planter des pieds de vigne — on ne saurait d'ailleurs le reprocher aux habitants : connaissez-vous le muscat de Saint-Jean-de-Minervois ? Et Sa Majesté le navet de Pardailhan risque fort de bientôt devenir aussi préhistorique que dolmens et menhirs.

Des pois très cassés

Vous souvenez-vous des meubles d'épicerie? Des tiroirs de bois? Une des faces parfois était de verre, ou de verre le dessus incliné. C'était l'époque d'avant les emballages perdus et on pesait tout : le beurre coupé à la motte, le fromage râpé et les légumes secs. Les petits sachets étaient en papier brun, décorés souvent d'un bouquet de fruits, et pliés astucieusement et régulièrement comme des serviettes dans une armoire. Le marchand en prenait un dans la pile, lui redonnait du gonflant et le posait sur le plateau de cuivre de la Roberval. Il tenait tout seul et ne faisait même pas bouger l'équilibre. Alors, avec une pelle, l'épicier puisait dans le tiroir des lentilles, ou dans celui des pois chiches, du riz ou des haricots, ou des pois cassés. Son geste était toujours accompagné du bruit caillouteux des légumes secs et du bruit de pluie qu'ils faisaient en glissant de la pelle dans le sac de papier. Les pois cassés étaient d'un beau vert et vraiment cassés. Les deux parties du tégument, coupées en morceaux, gardaient quelque chose du vert de la jeunesse, et de la rondeur de la sphère. Sous les doigts ils étaient soyeux et frais. Qui n'a pas plongé la main dans le blé, dans les haricots en vrac, subrepticement, quand le tiroir était encore ouvert et avant que la vitrine ne vienne faire écran? Qui ne connaît pas cette sensation d'une masse qui se referme froide et lourde comme le mercure sur les doigts? Et cette odeur un peu poussiéreuse et anisée soudain répandue?

Lavez rapidement les pois cassés, mettez-les dans une casserole, couvrez-les largement d'eau froide. Deux gousses d'ail, une feuille de laurier, un petit oignon piqué d'un clou de girofle — noir comme un œil étoilé sur la chair de l'oignon. Puis, suivant votre richesse, ajoutez une jambonnaille quelconque : un os, une tranche de salé, des couennes, un morceau de lard gras. Et laissez cuire.

Passez au vieux moulin à légumes, grille fine, et ne mouillez qu'un peu avec le jus de cuisson. La purée, sèche, va être rendue souple avec beurre et crème fraîche.

Réservez-la à une chaleur douce. Sur les dessus de cuisinières, les coins éloignés du foyer faisaient merveille et la purée préparait, puis laissait crever à la surface une grosse bulle d'air, avec un «boh» ou «pouh» qui éclaboussait le couvercle. Le pois cassé, comme tous les féculents, est flatulent. C'est pourquoi on en consommait beaucoup dans les moments nocturnes de l'année. Ils remplissent le ventre d'air et favorisent la circulation des âmes. Ce n'est que par peur du sacré que l'on a tourné le pet en dérision. Nous aurons l'occasion d'y revenir.

Pendant que la purée se garde au chaud, faites frire une bonne saucisse. Dans une casserole pour récupérer le jus. Bien frite, bien dorée. Et préparez des croûtons.

Servez. Il ne vous reste plus qu'à faire un trou au sommet de la purée dans votre assiette. C'est assez dire qu'elle ne doit pas être molle pour pouvoir se prêter aux façonnages. Dans le puits de ce volcan en miniature, versez le jus de la saucisse.

Gros tronçon de saucisse, croûtons qui chantonnent encore : vous avez sous les yeux une sorte de naissance du monde. C'est la terre, encore en furie, incertaine, les ruisseaux brûlants, le chaos en train de prendre forme. Et vous ouvrez des ravins, tracez leur chemin aux laves, engloutissez un morceau de saucisse, une fourchette de purée, un bout de croûton. Que c'est bon. Quel plaisir élémentaire de sculpter le monde à coups de fourchette et de le consommer à coups de dents.

Vous avez pris la précaution de réserver ce plat pour un jour glacial. Un bon vent pénétrant fait de la glace dans les ruisseaux des rues, sous un ciel vertigineux. Vous ne craignez donc pas cette quantité de matière grasse que vous allez brûler dans quelque marche émoustillante.

Le lendemain, vous allongerez la purée restante avec de l'eau et du lait et servirez la soupe avec — encore — des croûtons frits. C'est comme un écho culinaire. Pour beaucoup de plats, il existe un prolongement du plaisir dans les restes du lendemain et vous aurez avec certaines préparations pris la précaution de faire grosse mesure.

Sculpter des montagnes, faire circuler les jus, vous aimerez le faire aussi avec la purée de pommes de terre que vous aurez choisies bien farineuses et douces. Mais ce sera alors édulcoré, virginal, léger. Et le reste, vous le transformerez le lendemain en croquettes panées, blondes elles aussi, parfumées au fromage ou au poulet.

MARS

Le ciel est parfois d'un bleu céleste : la lumière a gagné sur l'ombre. La soupe au fenouil naissant est en accord avec le printemps et l'oignon de mars embaume vos baisers. On appelle oignon de mars le germe qui sort de l'oignon de conserve, celui que l'on garde tout l'hiver — Mulhouse ou jaune paille des vertus —, qui maigrit au printemps et d'où sort une pousse verte que l'on mange à la croque-sel.

Trouvez-vous à La Fouillade, le jour de Vendredi saint : l'estofinade que vous y mangerez est un étonnement de l'estomac et les pois chiches — méditerranéens et galactogènes — « en persillée » n'ont rien d'une pénitence, non plus que la carpe farcie. Après le carême on savoure tous les étages de l'agneau pascal et on tire parti de la « recuite ». Il est temps d'inviter Dame Seiche sur votre table un jour de giboulées. Un bouquet de violettes à collerette de feuilles vertes orne le buffet de la cuisine.

Veillez à manger gras en dépit du beau temps : il n'est que traîtrise ! Et si jamais mars a quatre mardis, dans les nues la catastrophe n'est pas loin !

Carpe(s) farcie(s)

Je vais vous raconter une histoire comme on aime en inventer pour les enfants. Mais celle-ci est vraie.

Dans l'Aveyron vert du Nord où les eaux abondent, beaucoup de propriétaires ont barré un ruisseau, capté deux ou trois autres veines d'eau vive et fabriqué un étang artificiel. On les voit briller de loin en loin dans le paysage. Certains sont minuscules : on se toucherait la main d'un bord à l'autre, mais assez grands toutefois pour accueillir quelques batraciens, des touffes de jonc et des osiers au bel orange. D'autres sont vastes, pourvus de chaussées construites, d'une bonde pour les vider qui débouche sous une arche ronde. Certains sont si vastes qu'on ne voit pas l'autre rive. Dans presque tous, des débarcadères en miniature, dans presque tous des canards sauvages, des colverts dont les couvées sont soigneusement surveillées par les propriétaires et les adultes sacrifiés judicieusement pour assurer les reproductions.

On vidange celui que je connais tous les deux ans et environ 300 kilos de poissons sont récupérés et vendus. L'opération a lieu le Jeudi saint afin de pourvoir à la table du jour le plus maigre de l'année, celle du Vendredi saint. Encore que manger de la carpe n'ait rien d'une mortification.

La surface est d'un demi-hectare et le petit étang de La Fouillade contient environ quatre mille mètres cubes

79

d'eau. À partir du moment où l'on ouvre la bonde, jusqu'à celui où les premiers poissons arrivent sous l'arche, il se passe une dizaine d'heures.

Jeudi saint 8 h 30

Journée bleu et or. L'air est un peu vif. Depuis 7 h 30 ce matin on a ouvert la vanne — imputrescible — qui retient l'eau. Elle s'engouffre dans le conduit à gros bouillons et tombe dans un bassin, fermé d'une grille fine. Malgré la force de l'eau qui arrive en cascade dans l'ancien lit du ruisseau, rien sur la surface n'est encore visible. L'étang est calme sous le ciel lumineux, bordé d'iris d'eau, de stellaires, de pulmonaires, de longues herbes de la pampa, plumeuses.

10 heures

Le niveau commence à baisser. On dégage quelques poissons envasés, les moins malins, car la plupart suivent la descente de l'eau.

11 heures

Des canards suivis de leurs canes cherchent dans la vase avec un vif contentement.

12 heures

Cette fois l'étang a bien baissé. La vase apparaît largement sur les bords, fine, marron foncé, crémeuse. Les canards y enfoncent profondément leurs pattes.

C'est l'heure du repas mais tout en mangeant c'est de la récolte et de la vente du lendemain que l'on parle. On vendra d'abord des alevins, sauf ceux que l'on garde pour soi. Ils iront dans ces étangs minuscules où ils grossiront jusqu'au moment où on les pêchera à l'épuisette. Ou alors ce sera une joie de les faire pêcher aux enfants avec une ligne rudimentaire. Les alevins sont gros comme le doigt et l'on sépare les alevins des carpes de ceux des tanches. Une autre catégorie : les alevins un peu plus gros. Puis les carpes portions de 250 grammes environ, les carpes d'un kilo, et quelques carpes mères, ces énormes bêtes de trois à six kilos qui, pendant les mois de froid où l'étang est gelé, hivernent et rêvent dans la vase, au plus profond. Celles-là, on les garde théoriquement pour les prochaines années puisqu'elles seules se reproduisent, mais si on juge qu'il y en a trop on en met quelques-unes à la vente.

14 heures

Ça s'agite du côté de la bonde. De la jeunesse solide a été invitée pour aider. Ils ont des bottes de caoutchouc et de mauvais habits. De grandes panières d'osier non pelé, rouge sombre, sont prêtes. Prêtes aussi de grandes bassines d'eau claire.

16 h 30

Les premiers poissons commencent à arriver. C'est l'effervescence. On en laisse passer une certaine quantité puis on ferme à nouveau les vannes. On trie à toute vitesse en mettant dans les panières les poissons par catégories : carpillons, portions, grosses carpes, mères. Il faut aller vite, les poissons souffrent, serrés, se bousculant, se blessant mutuellement, presque asphyxiés dans l'eau boueuse. Il faut le plus vite possible leur faire retrouver le calme et l'eau claire.

Les gens rient : ceux qui travaillent et ceux qui regardent. Les jeunes transportent en courant les paniers ruisselants où les poissons battent des queues dans la lumière. Les images se mêlent des carpes miroir au flanc orné d'une rangée d'écailles biseautées, des carpes cuir sans écailles, des yeux où brille une alliance d'or mat, des bouches boudeuses ornées de quatre barbillons, des ventres argentés, des longues tanches de bronze vert aux yeux orange.

Les visages, les vêtements sont picotés de taches de boue. Il monte une odeur de terre, de mousse, de vase, d'eau, d'entrailles, qui submerge et remplit de douceur.

Les spectateurs sourient devant cette abondance, cette bénédiction de poissons drus de santé, luisants, musculeux sous le soleil.

18 heures

C'est fini. Dix, vingt fois la vanne a lâché sa quantité de poissons. Les grosses carpes mères sont sorties en dernier, blessées parfois : elles sont si grosses que la bonde était trop étroite pour elles. De petites plaies saignent à leurs flancs, ou à la jointure des nageoires. Les poissons sont dans leurs bassines d'eau claire. La vente, en effet, exige du poisson vivant : la plupart des acheteurs sont possesseurs d'un vivier.

Vendredi saint, 9 heures

Petit matin de lumière. Chants des merles, chant du coucou. Dans la boue fine tout entière révélée, les petits ruisseaux qui alimentent l'étang ont creusé leurs gorges. Dans la boue aussi, cent itinéraires mêlés de pattes de canard ont laissé des traces qui disent assez une orgie de vers de vase. Certains, ce matin encore, s'aventurent vers le milieu, là où la boue a plusieurs dizaines de centimètres d'épaisseur. Ils se déhanchent pour dégager leurs pattes du bourbier. Ils ont sali leur joli ventre blanc. Ils sont un peu fous d'abondance.

On a beau répéter sur ces hautes terres : « On n'est pas poissonneux », entendez par là : on n'est pas des amateurs de poisson, on aime malgré tout ponctuellement s'en régaler, à condition de l'avoir vu bouger, d'être sûr de sa fraîcheur.

Pour midi, une carpe mère de six kilos nous attend. Son ventre est plein d'un hachis de lard maigre, de pain, d'ail et de persil. Elle est posée sur de grandes tranches de lard. Elle dore dans le four de la cuisinière. Mais on aurait pu aussi bien farcir des carpes portions ou préparer un court-bouillon.

Dans deux ans on recommencera. Deux ans et on aura à nouveau 300 kilos de poissons. Oui, 300 kilos. Il y a une mathématique magique des étangs : telle quantité d'eau peut fabriquer telle quantité de chair de poisson. Pas plus. Si on a beaucoup d'individus ils sont moins

82

gros, et l'inverse. C'est pourquoi il faut bien calculer et les alevins qu'on garde et le nombre de carpes mères. Un équilibre mystérieux s'établit entre la chair de poisson, les vers de vase, les minuscules plantes, les insectes, les peupliers, les canards, le mouvement de l'eau et la présence des hommes. C'est une alchimie complexe et fine où entrent aussi, pour peser le tout, la lumière, le silence et le chant des oiseaux.

C'est fini. Les canes repues se sont couchées sur leurs œufs. La nuit est glacée et immobile. Demain, dans toutes les églises de l'Aveyron, on célébrera en cette nuit pascale le mystère de l'eau. On l'a touché du doigt, tout entier, dans le demi-hectare du petit étang.

Le cinquième jour Dieu dit : « Que les poissons pullulent dans les eaux. » Il vit que ses créatures étaient belles. Et pour l'homme sorti tout neuf de sa main, il ajouta : « Régnez sur les poissons... ils vous serviront de nourriture. »

Pois chiches en persillée

Si la gousse qui le contient ressemble à un cocon de soie : même forme, même bruit de grelot quand on l'agite, même envers soyeux — sauf qu'il y a deux graines dans l'un et une seule chrysalide dans l'autre —, le pois chiche, lui, a l'air d'un bout de sein.

Pourquoi « chiche » ? C'est-à-dire économe à l'excès ? C'est parce que cette légumineuse méditerranéenne s'accommode de la sécheresse et des terrains maigres. Le fourrage est excellent pour les animaux : nourrissant et galactogène. Le ciel a beau rester imperturbablement bleu, en ces juillets de canicule où il ne tombe pas une goutte d'eau, la plante, courte sur pattes, ne paraît pas souffrir sous la fournaise dans la terre craquelée. Quand souffle un vent de terre desséchant, les gousses sèches s'entrechoquent avec un doux bruit.

On battait autrefois au fléau les plantes sèches, comme on le faisait pour les haricots secs, et on gardait dans des sacs pendus les graines beige pâle.

Le pois chiche si goûteux est décrié. À cause de ce chiche qui ne fait pas sérieux, ces deux *ch* qui font vulgaire ? On ne sait. Quand j'étais enfant nous le détestions unanimement. Lorsque au réfectoire, en colonie, arrivait le pois chiche en salade tout le monde faisait « bêh ! » Nous en arrivions même à compter les graines de notre portion. « Pas trop, ma sœur ! » réclamionsnous à la religieuse ! Quelle injustice pour ce légume sec un peu rustique mais qui sait être si savoureux !

Il lui faut vingt-quatre heures de trempage dans un endroit frais — car il a tendance à fermenter. Dans beaucoup d'eau : il va doubler de volume. Vous mettrez dans l'eau de cuisson les assaisonnements habituels du court-bouillon, plus un os de jambon bien viandu mais pas trop jeune et une grosse tranche de lard gras. La cuisson est assez longue, à tout petit feu. L'eau doit à peine bouillonner et on verse sur le dessus quelques cuillerées d'huile. Elles font une sorte de couche isolante.

Vous ne sortirez les pois chiches que lorsqu'ils seront bien souples — on doit pouvoir les écraser entre la langue et le palais. Ils peuvent être servis chauds, en salade, agrémentés de persil, des filaments du jambon et du lard coupé en petits dés ; ou froids, le lard est alors mis de côté. Ne jetez pas le bouillon, il fait une bonne soupe — au pain en lamelles ou aux croûtons frits.

Bien sûr, si c'est le Vendredi saint, vous ne mettez ni lard ni jambon. Vous ne forcez que sur l'oignon et l'ail du court-bouillon. Et vous faites la salade à l'huile d'olive, à l'ail cru écrasé et au persil. Pénitence. Pénitence. Si toutefois sont pénitence l'huile d'olive et l'ail cru.

De toute l'année, seuls les pois chiches «en persillée» du Vendredi saint nous plaisaient. Ils annonçaient les cloches joyeuses et les agapes du matin de Pâques. Ils faisaient partie de l'année liturgique.

Les peuples méditerranéens — Maghreb, Provence, Espagne, Italie — tiraient du pois chiche une farine qui peut s'utiliser en bouillie — tournez la bouillie avec un rameau de laurier — ou en une sorte de crêpe qu'on appelle «soca» dans les rues du vieux Nice. Dans des fours qui ouvrent à même le trottoir, dans des plats de plus d'un mètre de diamètre la pâte — eau, sel et farine de pois chiche, laurier — est étalée en petite épaisseur. Elle grésille dans la matière grasse. Les clients attendent qu'elle sorte, dorée, brûlante. À toute vitesse on la débite et on la mange dans la rue, assis à des tables de bois, en la saupoudrant abondamment de poivre. On la fait descendre avec un rosé frappé — un bon rosé de la pierraille provençale.

Vous pouvez bien entendu préparer ce plat, que je n'hésite pas à nommer friandise d'entrée, ultra-simple. Mais si vous passez par Nice, allez le manger dans une rue de la vieille ville avec des fleurs de courgette, des petits oignons, tomates, poivrons, bref tout légume, farcis de ces farces maigres ou grasses qui sont l'orgueil du pays niçard. Puis vous irez faire la sieste dans les roseraies de Cimiez avant de plonger dans l'or fabuleux des retables de Bréa.

Une excellence de reste

Connaissez-vous le petit-lait ou babeurre ? Ce liquide trouble, bleuté ou jaune qui s'écoule du caillé ? Il servait, après fabrication du fromage, à la nourriture des porcs. « S'i metre coma un porc à la gaspa » — s'y mettre comme un porc au babeurre — signifiait : se régaler. Mais les gens en buvaient aussi : ils aimaient d'ailleurs son goût aigrelet et le savaient riche encore en calcium, vitamines et ferments utiles.

Dans les pays de roquefort, pendant la « campagne », c'est-à-dire les six mois que dure la traite, de l'agnelage au tarissement des brebis, dans les laiteries qui fabriquent les formes, les ensemencent de pénicillium, les salent avant de les envoyer se faire raffiner dans les « fleurines » du roc, une grande quantité de petit-lait de brebis est récupérée. Une partie est usinée pour faire des aliments destinés au bétail, mais une partie non négligeable sert à faire la brousse, appelée « recuite » en occitan. Il en existe de vache, mais le lait de brebis est si goûteux et si riche en crème que la recuite est infiniment supérieure à la brousse de vache. C'est une sorte de second fromage que toutes les fermes d'Aveyron préparaient autrefois en mettant le babeurre dans un grand chaudron, sous lequel on entretenait un feu modéré. À un moment il montait à la surface une mousse blanche. Il était temps de vite retirer le chaudron du feu, de faire une croix dans l'écume avec une grosse cuillère de bois — la croix était très importante — et de ramasser la recuite avec une écumoire. La qualité de la recuite, sa finesse comme on dit, le fait qu'elle soit souple et non caoutchouteuse, dépendait de la cuisson.

Pendant toute la période de traite, cette brousse, très parfumée, constituait un apport important à la nourriture quotidienne

La tartine de recuite, saupoudrée ou non de sucre, salée même, devenait le goûter préféré des enfants. Mêlée à un peu de confiture ou à une cuillerée de miel, elle était le dessert. Un dessert frais et neuf à un moment de l'année où il n'y avait plus de fruits. Quant au miel, il n'y avait pas une exploitation sans ruches, et on recueillait un miel brun, un peu âpre, de châtaignier. Le dimanche, la recuite devenait un flan : on la battait avec des œufs entiers, on sucrait, on parfumait d'une cuillerée de fleur d'oranger, on versait dans un moule caramélisé et on faisait prendre en posant le moule dans la cendre brûlante — pour gratiner le dessus, on versait une pelletée de braise sur un couvercle plat en fer.

J'ai fait souvent ce flan sans four comme dessert, après la blanquette d'agneau.

Il y a eu une période où il était difficile de se procurer de la recuite : au moment de la concentration des laiteries et avant qu'on ne recommence à la fabriquer, en usine cette fois. On la trouvait, parcimonieusement, dans certaines épiceries de village, plus ou moins fine, plus ou moins forte en goût. Maintenant, il y en a partout, de qualité égale, et il serait dommage de se priver d'un des nombreux plats qu'elle permet de préparer.

C'est l'époque : mettez-en dans la salade verte, farcissez-en des artichauts ou des cannellonis en l'accommodant d'ail, de persil et d'un peu de verdure. Faites-lui remplacer le fromage dans les pâtes, dans la soupe gratinée.

Si rien de tout cela ne vous tente, essayez au moins la « flone ». C'est une tarte garnie de recuite battue avec œufs, sucre et fleur d'oranger. Exactement la préparation du flan, mais sur pâte brisée. Certains passent la recuite à la moulinette pour rendre sa texture plus fine. Mais ce n'est pas nécessaire. Ne lésinez pas sur l'épaisseur. Pour ma part, je supprime la fleur d'oranger, je lui préfère un zeste discret d'orange ou rien. Cette « excellence de reste » a assez de goût pour se passer d'un quelconque parfum.

Et si vous vous trouvez du côté de Bonifacio en février ou mars, entrez dans une quelconque boulangerie et consommez tout tiède le beignet de « bruccio ».

L'estofinade des hautes terres

Chez les marchands de salaisons, dans l'odeur aphrodisiaque des tonneaux d'anchois de Collioure, d'olives, de morue salée, des sardines au baril arrangées artistiquement en roue solaire, des harengs saurs luisants, de tous les pickles rougeoyant dans le vinaigre, des poudres aromatiques et de leurs beaux tons de peintures ocre rouge, ocre jaune, beige, des champignons secs, on voit pendre près des chapelets de piments et des tresses d'ail, au-dessus des sacs ouverts des farines et des légumes secs, un poisson ouvert, jaune rance, plus dur que du bois, qui dans le courant d'air fait un bruit cristallin de charbon de bois : le stockfish. C'est une morue, mais seulement séchée, d'aspect fossilisé.

On le prépare tout le long de la Garonne et du Lot car le produit remontait les rivières et était vendu sur les marchés, jusqu'à Villefranche-de-Rouergue, Saint-Geniez-d'Olt. Mais en traversant les terres occitanes le mot anglais a fini par se modifier. Dans les pays du Sud on ne pouvait prononcer « st' » et on disait « estatue ». On a donc prononcé estoquefiche, qu'on a abrégé en estòfi — où, à vrai dire, il est difficile d'entendre stockfish.

Avec cet estòfi dont la grande qualité était la commodité du transport, on cuisine l'estofinade, véritable étonnement de l'estomac, plat de fête de carême — puisqu'il ne comporte ni lard ni viande.

90

Il faut trois jours de trempage au moins à l'estòfi pour consentir au ramollissement. En changeant l'eau deux fois par jour. Quand on a à sa disposition une source, on peut le maintenir dans l'eau courante. Le trempage en est un peu diminué.

L'estòfi révèle alors sa belle chair qui se sépare en feuillets.

Faire cuire et trier comme on le fait pour la morue salée et le défaire en feuilles en enlevant les arêtes et les peaux. Maintenant écoutez bien. On a fait cuire à l'eau des pommes de terre. On les écrase à la fourchette et on mêle le stockfish et cinq ou six œufs durs entiers, eux-mêmes écrasés, un gros bouquet de persil, de l'ail, du sel, du poivre. On ajoute des œufs crus et on mélange sans compter son effort. Ce n'est pas tout : on ajoute de l'huile bouillante jusqu'à obtenir une pâte qui puisse se faire sauter dans la poêle comme une grosse galette.

Le moins qu'on puisse dire c'est que c'est consistant et... exquis. Après cela vous voilà prêt à affronter la bise des plateaux d'Aubrac, celle qui oblige à marcher courbé en deux, qui fend le visage comme un rasoir, ou la neige profonde et silencieuse, la nuit glacée après de folles bourrées, après une bonne « fumada ». Même tombé ivre mort sur le bord du chemin, avec l'estofinade vous ne risquez pas la congestion.

Ébouriffante, l'estofinade. Elle étonne les sens et comble l'estomac.

Soupe au fenouil

Au pied des tiges sèches et creuses, la nouvelle pousse du fenouil apparaît, d'un vert suave, crêpelée comme une fine chevelure. Parfois, dans les friches et les coteaux pierreux où le fenouil croît, la jeune feuille est invisible : en marchant on l'a écrasée et on se retourne vivement vers l'odeur anisée qui se répand et en plein hiver évoque la chaleur de l'été, le coco Boer et l'Antésite des grandes soifs — car l'essence du fenouil entre dans la composition de la poudre de réglisse composée du Codex.

On l'appelle « queue de pourceau » ou anis doux et on en fera en ces quelques jours de renouvellement printanier une soupe qui sera tonique et digestive. Il en faut peu. Une petite poignée de ces feuilles à segments capillaires suffit à embaumer la soupière. Le principe des soupes est toujours le même : un vieil os de jambon, de la pomme de terre farineuse, ici des poireaux, le fenouil et hardi ! à grand « boul » et longuement. Quelques coups de fourchette pour écraser les pommes de terre : point d'autre moulin à légumes. Les éléments doivent être défaits et non réduits en purée.

Le fenouil nage en petits filaments. D'avoir cuit il a perdu une partie de l'agressivité de l'anis. Il n'en reste que ce qu'il faut : un vague parfum.

92

Tous les étages de l'agneau pascal

Pour peu qu'on le veuille, il sera possible de sacrifier l'agneau, le doux agneau blanc à laine courte et frisée, qui embaume le suint et le laitage. Pourquoi exécuter soi-même ce sacrifice ? L'âme sensible se récrie. Oui, mais si vous l'achetez déjà saigné, aurez-vous la sanquette, aurez-vous les tripes en miniature — dont vous me direz des nouvelles —, aurez-vous ce plaisir de voir jaillir au jour cet intérieur nacré, luisant, d'une propreté incomparable ?

Avant de lier les pattes à l'animal — vous aurez choisi un agneau de huit à neuf kilos, un vrai agneau de lait qui n'a pas mangé un seul brin d'herbe — et d'affûter le grand couteau pointu, préparez dans un plat creux un mélange de mie de pain rassis, d'oignon finement émincé, de lard en lichettes transparentes, d'ail, de persil, de poivre et de sel. Bien mêler du bout des doigts et faire couler dessus, jusqu'à recouvrir le tout sans le noyer, le sang rutilant de l'agneau. Si vous êtes amateur préparez deux plats. Mettez-les au frais et mangez-les au prochain repas, tourne retourne dans la poêle, sans dessécher la sanquette. Le sang, vous le savez, c'est l'âme, dont certaines religions refusent l'absorption. Mais nous mangerons allégrement l'âme de l'agneau qui ne connut de la vie que la chaleur du pis maternel, la langue aimante qui le lécha dès sa naissance, le demi-jour de l'étable chaude et ce lait plus riche qu'aucun autre en matières grasses, le lait épais et jaune du roquefort dont la surface au repos se couvre de trois doigts de crème.

Pour écorcher l'agneau, il faut insuffler de l'air sous la peau lainée. Une incision pratiquée au bas de la patte arrière, une bonne pipette et vous le ferez artisanalement avec la bouche, à moins que vous n'ayez une machine à gonfler les pneus. Aidez à la circulation de l'air par de petites tapes du plat de la main pour qu'il s'infiltre partout. L'agneau a doublé de volume mais ce n'est qu'illusion. Une lame aussi tranchante qu'un rasoir va permettre de le dépouiller entièrement. Comme les jointures sont menues et comme il est grassouillet malgré sa minceur ! Une graisse blanche comme cire dont vous le trouverez tout enrobé. Ouvrez la panse et recueillez précieusement les tripes et l'estomac dans une bassine, on s'en occupera après.

Le découpage d'une bête aussi jeune ne pose aucun problème. C'est un enchantement tant les organes sont luisants, appétissants, petitement jolis. Oh ! ces rognons dans leur nid de graisse blanche ! ce foie tiède encore, intact ! et ce cœur en miniature ! Et les poumons, rose pâle, d'un rose si pâle qu'on voudrait une robe de cette couleur. Tout cela — rognons, foie, poumons, rate — dans un saladier, on y ajoutera les ris et tout à l'heure, quand on aura fendu le crâne, la cervelle et la langue. On n'oubliera pas, gros comme le pouce, les mantelets du diaphragme.

Voici la « féchoulette ». Qui n'a pas goûté la féchoulette ne sait rien des délices auxquels on peut atteindre en mangeant.

Attention à la cuisson. Il ne faut point dessécher ces denrées à peine créées, lactescentes de jeunesse, d'innocence pourrait-on dire. On coupe tout en gros carrés et on fait frire, vite, puis on saupoudre de farine, juste ce qu'il faut, d'une main gracieuse. Un peu d'eau. Une petite feuille de laurier, un demi-grain d'ail, un peu de persil, une pincée — à peine — de thym. Tout cela comme une musique légère. Et on laisse cuire un quart d'heure peut-être, le temps d'une sauce courte et onctueuse que, pour finir, on lie d'un ou deux jaunes d'œufs. On n'a mis cervelle et ris qu'en fin de cuisson, pour ne pas trop les défaire. Les convives doivent attendre. On sert tout de suite. Et on déguste. Un bout de foie fondant, un morceau de poumon dont les alvéoles sont imbibés de jus, un bout de viande en miniature — cœur ou mantelet —, un débris de cervelle ou de ris. Il n'y en a jamais assez. Chaque bouchée a un goût de regret.

Si on a commencé par la sanquette, qu'on fasse suivre la féchoulette d'une salade de pissenlits et qu'on termine par un flan au lait de brebis, c'est un repas de roi à marquer d'une pierre blanche, blanche comme l'agneau doublé de graisse blanche.

Le regret, heureusement, est tempéré par les autres délices en attente. Les gigots. Les côtelettes pas plus grosses qu'une noix, les épaules, la blanquette et les fameuses tripes.

Je me demande si dans la consommation des chairs immatures il n'y aurait pas un trouble plaisir d'ogre et d'ogresse dévoreurs d'enfants. Laissons cela, ne nous gâchons pas les bonheurs.

Les tripes, il suffit de les nettoyer, longuement, de les couper et de les faire cuire comme il a été indiqué pour le tripat. On aura réservé la crépine. Elle a tout de la guipure lorsqu'on la lève entre les yeux et la lumière. Elle servira à envelopper les côtelettes avant de les mettre sur le gril. Ou le foie en tranches avant, lui aussi, de le faire griller, mais il faudra choisir : ou le foie grillé enroulé dans sa dentelle, ou la féchoulette.

Il est possible de procéder exactement pareil avec le cabri malicieux et vif. La chair est un peu plus forte. Relativement toutefois. Ces viandes de lait, comme celle d'ailleurs du porcelet, ont une finesse rare, alliée à un goût qu'on n'attendait pas si marqué.

Dame Seiche

Saurai-je dire convenablement le blanc manteau nacré de Dame Seiche, cette irisation d'arc-en-ciel qui la pare subtilement? L'astucieux bouton-pression avec lequel, soigneuse, elle accroche son abdomen à sa tête? Sa couronne de tentacules que dans l'eau elle tient fermés comme les doigts d'une main dans les moments où elle se tient immobile entre deux eaux, yeux mi-clos, tenue seulement par le frémissement du volant en forme qui entoure son corps? Son bec de corne blonde, translucide, vigoureux comme un bec de rapace, avec lequel je ne vous souhaite pas d'être pincé? Mais aussi son œil d'or roux? Mais encore l'os miraculeux qui la tient droite, craie et neige, plume calcifiée? Et son odeur délicate de sperme frais? Et... Mais on n'en finirait pas. Il faudrait parler de ses œufs en grappes noires échoués sur les plages, que l'on peut peler comme des raisins et qui comme des raisins révèlent une sorte de chair opaline au centre de laquelle, au lieu de pépins, on voit une seiche en miniature, à peine plus grosse qu'un grain de riz, qui bat, toute vivante, avec des yeux comme des têtes d'épingle mais déjà dorés et la poche à encre, plus fine que la pointe d'une aiguille.

Par pitié — je veux dire par pitié pour vous — n'achetez pas les blancs déjà triés, délavés, vous vous priveriez de ces plaisirs qui enjolivent un plat. Vous prive-

96

riez aussi vos convives du foie fragile, liquide qu'il faut recueillir dans une soucoupe et sans lequel la rouille n'est pas bonne. Vous les priveriez des tentacules amusants à manger. Il y en a huit courts et deux longs et grêles qui peuvent s'enrouler dans deux poches sousoculaires — la seiche est la championne du rangement. Vous seriez aussi privé des glandes nidamentaires de la femelle, à certaines époques très gonflées, blanches, en forme d'outre, particulièrement savoureuses, ainsi que de l'œil cuit, véritable boule de cuivre.

Admirable Dame Seiche qui hors de l'eau pousse un inquiétant cri d'enfant, une sorte de sanglot.

Si vous allez à Venise, vous vous promènerez dans les îles de la lagune et à Burano, Murano, vous verrez des pêcheurs de seiche. C'est à la seiche vivante que l'on pêche. Une femelle est accrochée à l'hameçon. Tandis que le moulinet la ramène, un mâle suit et l'enlace. L'accouplement est particulièrement chaste ; tandis qu'il serre sa bienaimée, le mâle de son bras octocotyle prélève ses propres spermatozoïdes et les dépose dans la cavité palléale de la femelle. Il est tellement occupé à cette tâche qu'il n'a pas vu le pêcheur et l'épuisette qui le cueille et le met dans le seau. C'est là que vous entendez leur étrange gémissement, c'est là que vous les verrez changer de couleur à l'excitation dermique. Leurs rayures deviennent plus foncées comme si l'animal était en colère.

Ah ? comment la préparer ? est-ce bien nécessaire ? Tout est bon. Bouillie, en rouille, en simple sauce tomate avec quelques pommes de terre, rien n'égale le moelleux de cette chair qui fond dans la bouche.

Vous êtes au régime ? Consommez-la bouillie, dans un court-bouillon corsé où vous n'aurez oublié ni la carotte, ni le poireau, ni le céleri et la blette, où vous aurez mis le foie liquide et le girofle, et vers la fin de la cuisson quelques pommes de terre. On n'a besoin d'aucune mayonnaise ou vinaigrette. On peut écraser les pommes de terre avec un peu de bouillon, si goûteux de tout ce qu'il a cuit.

Pour la rouille, coupez les manteaux en gros morceaux, séparez les tentacules, faites frire vivement, ajoutez le foie qui va frire aussi. Là, suivant les goûts, mettez un peu de concentré de tomate et mouillez d'eau. Laissez cuire jusqu'à ce que les morceaux soient bien souples. Je dis bien le concentré n'est pas absolument nécessaire, on obtient deux résultats un peu différents si on en met ou si on n'en met pas.

Vous aurez préparé un quart de bol d'une mayonnaise aillée, mêlée à de la poudre de piment doux. Au moment de servir mêlez ce bol à la sauce — courte — progressivement, pour éviter de brousser l'œuf. Servez sur des pommes de terre bouillies, ou tel quel, avec cette sauce crémeuse.

Le simple ragoût ajoute en fin de cuisson des pommes de terre coupées en carrés, sans autre liaison au jaune d'œuf.

Et comme vous avez gardé l'os — il est si beau que vous n'osez pas le jeter — vous le mettez à sécher sur l'appui de la fenêtre. Vous le donnez à vos canaris ou aux canaris du voisin, ou alors, comme les baleiniers d'autrefois, vous sculpterez au canif cette masse crissante, fragile, blanche comme de la porcelaine poreuse et au centre de la mandorle vous ferez jaillir un lys, des poissons, un calvaire, un lézard, ou une dentelle de rêve.

AVRIL

Le vent est adorable, et gratuits ces cadeaux du prin-
temps : houblons et tuquiers. Il y a encore des asperges
sauvages. La lumière est pure, miraculeuse. Aux embou-
chures l'eau miroite, réchauffée. On ferme délicieusement
les yeux, assis près des roseaux qui font un bruit de soie.
Et l'anguille mord à la ligne. Il faut avoir goûté cette sorte
de serpent. Comme il fait bon, on flâne aux marchés de
plein air. On a le temps de se faire expliquer des recettes
par la jumelle de Valras. On a désir de mer, des senteurs
âpres de la marée. C'est le moment de se souvenir que la
pieuvre — dite ici poufre — est un oiseau du fond de
l'eau aux beaux yeux et que l'encornet est de la chair
d'ange.

Achevons un repas avec un dessert bien languedo-
cien pour lequel nous nous sommes amusés à forger un
nom à l'allemande : « maïscorbièresanglaisecannellepoi-
recrèmegâteauservipoché ».

Anguilles des embouchures

L'anguille s'achète toujours vivante. On la voit dans le bac du poissonnier se tordre et glisser sur elle-même, comme un serpent. C'est sûrement cette ressemblance qui empêche beaucoup de gens d'y goûter. Mais aussi la connotation sexuelle qui lui est attachée, mais encore cette émigration vers la mer des Sargasses pour aller pondre : tout ce savoir mystérieux que contient le petit cerveau, derrière son œil féroce de murène, et encore cette incroyable résistance : la vie ne veut pas la fuir. Mon père les pêchait à l'embouchure de l'Hérault ou de l'Aude et quand il rentrait le soir, malgré un coup de couteau dans la nuque, elles bougeaient encore et bougeaient encore après avoir été pelées.

Les peler, d'ailleurs, est l'opération la plus difficile. L'anguille est tellement visqueuse qu'elle est insaisissable. Mais quand on la tient solidement avec un gros torchon de toile et qu'avec un autre torchon on arrive à saisir la peau sous la tête — après, justement, avoir tranché le cou — on la déshabille d'un seul geste et il n'y a presque plus rien à nettoyer : c'est un poisson très propre.

Il faut la couper en tronçons et tout garder jusqu'au bout extrême de la queue. Tout est bon, tout est constitué de cette chair délicate, réputée à juste titre, qui se détache de l'arête centrale, comme la cuisse de poulet de l'os, une chair blanche, goûteuse, sans arêtes.

101

Sur le gril, les tronçons d'anguilles ont l'avantage de perdre une partie de leur graisse et de rester moelleux. On les sert avec une sauce verte — ail, oignon, persil, cornichons, câpres, hachés dans de l'huile — et une grosse salade où l'on a mêlé des radis lavés mais non épluchés pour le rose de leur carnation et le craquant de leur chair.

La matelote d'anguilles est en fait une daube. Et il faut procéder comme pour une daube. La seule différence est qu'on ne mettra le poisson qu'un quart d'heure à cuire dans la sauce. Lardons et oignons bien blondis sont mouillés de vin rouge et d'un peu d'eau — dans une sauce au vin, qu'il soit rouge ou blanc, il ne faut jamais mettre le vin pur, deux tiers/un tiers c'est la bonne mesure. Ajoutez un bouquet garni, mais un bouquet à la catalane : un petit fagot bien ficelé préparé à l'avance et gardé dans un pot, composé d'aneth, de thym, sauge, laurier, menthe, fenouil, estragon, marjolaine.

Au Moyen Âge, l'anguille est, avec le saumon, le poisson le plus estimé. Elle est souvent présente dans les contes où elle excite la gourmandise féminine. Et les épouses n'hésitaient pas, quitte à payer ce délice d'une bonne volée, à se régaler de la part de leur mari ou à profiter de leur absence pour s'en faire un festin. En pâté dit-on. L'« empastat » des parfaits cathares que nous verrons en fin d'année pouvait se faire avec de l'anguille.

Aujourd'hui, si l'on excepte les amateurs et les pêcheurs qui connaissent son excellence et sa consommation fumée sur tous les bords de Loire, l'anguille inspire le dégoût et la crainte. Elle est carnivore et pas seulement consommatrice de proies vivantes, et dans mon enfance d'horribles histoires se racontaient de noyés déjà investis par les anguilles. Passerai-je sur les détails ?... Oui, dans la mesure où je voudrais vous inciter à y goûter. C'est une des chairs les plus fines, les plus fameuses.

Voici pour terminer la recette de ma mère, femme de pêcheur du dimanche qui fut rompue au nettoyage et à la cuisson de tout poisson de rivière et de mer. Pour une friture — c'est le plus difficile malgré la simplicité de l'opération : tout est dans la température de l'huile, le farinage et le temps de cuisson — pour une friture, je ne lui arrive pas à la cheville. Voici une de ses recettes pour l'anguille. Les tronçons sont cuits dans un vin blanc bien aromatisé et assaisonné. Puis ils sont mis à égoutter. Pendant ce temps le court-bouillon que vous aurez pris soin d'avoir très court est mis à réduire. On pourrait avoir recours à une pincée de farine pour l'épaissir, mais je préfère qu'il soit riche en oignon émincé. Panez et faites frire les tronçons d'anguille et servez avec la sauce liée d'un jaune d'œuf et d'un peu de moutarde, une pointe de fourchette. Vous m'en direz des nouvelles.

Débarrassez-vous vite du préjugé anguille comme vous vous libérerez du préjugé navet.

Vous aurez fait un pas vers les sommets de l'art culinaire.

Les cadeaux du printemps

Le printemps l'exige, et plein de petits nez verts sortent à la lumière : qui du noir de la terre, qui du bois que l'on croyait mort. Beaucoup de ces jeunes pousses, gorgées de sève, vert tendre, se cassant du bout des doigts, sont comestibles et recherchées. La plus célèbre est l'asperge, que l'on trouve au pied de celle de l'année passée, devenue longue, revêche, piquante et d'un vert presque noir. Mais la bryone dioïque+, le tamis communis+, le houblon, le petit houx, l'herbe aux gueux+, le salicaire crête de coq, la consoude tubéreuse, la grande ortie, quand ils sont très jeunes se mangent en salade, bouillis, ou se préparent en omelette.

Pour montrer qu'on fait bien la différence avec la royale asperge, on désigne certaines sous le vocable d'asperges de cordonnier. Ce qui est très étonnant, c'est que les plus connus : le tamier et la bryone, sont donnés comme vénéneux dans les livres de botanique et pour cela marqués d'une petite croix.

Malgré tout, n'hésitez pas à les cueillir près des rivières et des ruisseaux qui en Languedoc courent encore au mois d'avril — après, ils ne sont que des lits de cailloux où restent quelques trous d'eau noire.

Le houblon avance et enroule dans le sens des aiguilles d'une montre un museau pointu et luisant de serpent. Il atteindra jusqu'à cinq mètres de haut, mais en début de saison il est à votre hauteur et il suffit d'en cueillir une vingtaine de centimètres. La bryone, ou tuquier, d'un vert plus pâle, pelucheuse, le museau rond, se trahit par les vrilles avec lesquelles elle s'accroche à tout ce qui est à sa portée, et dont les deux du haut, de chaque côté de sa tête aveugle et velue, la font ressembler à un papillon immobile. Le tamier est aussi une liane, mais au départ on ne s'en aperçoit guère ; l'épi de sa tête lourde pend comme une crosse d'évêque. Rappelons son nom d'« herbe aux femmes battues ». L'Albigeois, l'Aveyron sont friands de cette fausse asperge et de grandes tables renommées s'honorent de la servir.

Le plaisir, avec toutes ces jeunes pousses, c'est leur abondance. Au contraire des asperges que l'on gagne une à une, dans la douce lumière qui miroite, les premières ondes de chaleur, on peut faire près des eaux une moisson de houblons et de tuquiers sans presque bouger de place, en tendant seulement la main. Le plaisir est aussi dans la jeune matière translucide, si imbibée de sève qu'elle laisse aux mains un jus poisseux qui sent le filet rentrant de la mer. Il y a plaisir à la gratuité de cette verdure sauvage. Un panier rempli et qui n'a coûté que le plaisir d'écouter les oiseaux, le vent, les eaux qui courent, de se sentir soi-même dans le monde et de se renouveler tout à l'heure en mangeant, bouillies, ces pointes, ou en en garnissant une omelette. Chacune a son goût et sa texture, mais toutes sont tendres, idéalement, et remplies de chlorophylle printanière à plaisir. C'est à leur propos qu'on a envie de chanter :

À la tendresse,
À la verduresse...

Le poisson surprise de la jumelle de Valras

Les jumelles de Valras passaient deux ou trois fois par semaine dans les rues de la ville en criant : « À la traîne ! À la traîne ! » Leur éventaire était une voiture d'enfant aménagée pour leur petit commerce : la vente du poisson de leurs maris. Poisson dessus, dans des cagettes couvertes d'une toile de jute trempée, balance à côté — bras, corps et plateaux étaient argentés d'écailles —, papier journal dessous. Elles transportaient même un petit seau d'eau de mer. Elles se ressemblaient tellement qu'il était impossible de les distinguer et quand l'une des deux venait seule on disait : la jumelle. « À qui as-tu pris ce poisson ? — À la jumelle de Valras. »

Le filet que l'on nomme traîne décrit une courbe dans la mer, une hyperbole. On le tire depuis la plage. Autrefois cela se faisait à la main, toute la famille du pêcheur était mobilisée pour cette opération pénible et longue. Si quelque promeneur, quelque « badaire » se trouvait là, il se joignait à l'équipe et on le payait de poissons.

Aujourd'hui, sur la côte languedocienne où subsistent quelques traînes, c'est avec le tracteur que l'on tire le filet, mais à Nazaré, au Portugal, vous pourrez encore voir la manière ancienne : les hommes sont aidés des femmes vêtues de noir, enveloppées de fichus noirs mais dont l'effort révèle les multiples jupons multicolores.

Parfois la poche du filet est vide, parfois elle déborde. C'est ce poisson imprévu que « la jumelle » — maintenant que sa sœur a disparu on continue à la nommer « la jumelle » — vient vendre encore à Béziers, raide de fraîcheur. Elle vous hèle, vous demande d'approcher, soulève le sac de jute et découvre le poisson du jour. Comme vous n'êtes pas toujours connaisseur de tout et que vous restez perplexe devant certaines espèces, inconnues ou mal connues, elle vous donne la recette et vous trie le poisson.

Quelle maestria quand elle pèle la sole, défait les ailes de la raie, débarrasse en un tournemain la seiche de son encre et de son os, fend le merlan de son couteau pointu ! Ses conseils sont précieux, ses recettes exquises. Avec elle on apprend qu'il ne faut pas trier inconsidérément le poisson, jeter n'importe quoi, même pas les têtes. Elle m'enseigna à bouillir la seiche, à profiter de ce foie que tout le monde jette, à toujours servir les laitances, les œufs et les foies farinés et poêlés ou bouillis ; à ne pas trop délaver la seiche ou l'encornet ; à ne jamais négliger la joue, à ne vider ni le rouget ni la sardine, nourris de plancton ! Elle vous apprendra que ce geste des poissonnières qui montrent les ouïes rouges est un trompe-couillon, car la fraîcheur se trouve dans l'œil : un œil vertigineux, bien bombé, totalement cristallin. Vous pourrez lui demander la recette de la sardine crue, la meilleure manière de préparer la grillade, la bourride de maquereaux, la « bouille » du pêcheur et le poisson-chat dit missole ou roussette.

Nous parlerons de la sardine en son temps qui est le grand été, évoquons seulement le maquereau au soleil et en bourride ainsi que la bouille du pêcheur.

Le maquereau au soleil, comme son nom l'indique, est confié à l'ardeur de l'astre. On installe les filets soigneusement séparés de l'arête centrale à l'endroit le plus éblouissant — les pêcheurs avaient de petites maisons précédées d'une véranda hors de l'ombre cloisonnée de laquelle c'était la canicule — chair dessus, peau dessous, du sel, du poivre généreusement. Il suffit d'attendre... et de préposer quelqu'un, armé d'une branche — et d'un vaste chapeau — à la garde du poisson que les mouches veulent investir. C'est tout, ça se mange à l'ombre, avec du pain frais et du vin glacé.

Pour la bourride on retire aussi les filets et on procède comme pour la coûteuse bourride de baudroie. Un fondu de blanc de poireaux, de vert de blettes, de carottes. Mais alors un fondu, rien ne doit être frit, tout doit être attendri par les vertus d'une cocotte de fonte et d'un feu menu. — Je vous recommande d'ailleurs ce même fondu de légumes pour accompagner un gigot ou un rôti. Quand c'est bien fondu, on pose les filets de maquereaux sur ce lit moelleux, et sans augmenter le feu on attend une dizaine de minutes. Si les filets rendent trop de jus on donne alors la flamme, mais en gardant l'œil sur la cocotte : il ne s'agit pas que ça attache ! Dès que toute trace de liquide est évaporée on arrête le feu, on met les filets — attention ils sont fragiles — dans un plat chaud, on lie les légumes fondus avec un petit bol d'aïoli et on verse sur les filets. À mon avis, c'est meilleur qu'avec la baudroie qui a l'avantage d'être sans arêtes mais qui est un peu insipide. Vous me direz : il manque le foie pilé dans la sauce. Mais rien ne vous empêche de vous être fait donner un ou deux foies de merlans. Les poissonniers en ont toujours de reste puisque les sots l'y laissent. C'est fou ce qu'il y a de morceaux qui sont des « sot-l'y-laisse », surtout dans le poisson.

Quant à la bouille du pêcheur c'est une sorte de soupe. Des couches alternées de pommes de terre, de poisson ordinaire, voire de déchets dans le genre tête, joues de raies, ou petites anguilles en tronçons, couvertes d'eau bien aromatisée, salée, poivrée, avec un bel oignon coupé en quatre et une ou deux tomates. N'oubliez pas le bouquet catalan. L'eau doit juste recouvrir pommes de terre et poissons pour qu'on n'ait pas un plat final trop liquide.

Lorsqu'on mange la bouille, on écrase les pommes de terre dans le jus et on y va avec les doigts pour le poisson.

Des jumelles de Valras, qui ne soient pas avares de leurs trucs, il y en a partout. Il suffit de les trouver. Et de les écouter.

L'artichaut, si on ne le mange pas, devient une fleur de paradis

Dans toute la saison du jardin rien n'est aussi somptueux que la fleur de l'artichaut. Elle surpasse tout, même les roses. Quand s'écartent les écailles du bouton floral, apparaît, énorme, une fleur ronde, d'un bleu idéal — en réalité mille fleurs insérées sur un large capitule tendre — le fameux fond d'artichaut. Douce comme le velours, parfumée, la fleur d'artichaut est l'ornement du jardin. Cueillie, elle se conserve longtemps dans un vase, devient même une sorte d'immortelle qui pousse des bractées d'un blanc d'écaille nacrée et conserve, affaibli, un peu de bleu. Vous ne pourrez en avoir une que si vous connaissez un jardinier qui consente à garder l'artichaut jusqu'à ce qu'il fleurisse et le cueille ensuite pour vous l'offrir. Jamais on ne trouve ces fleurs à vendre. On les admire sur une plate-bande où brille leur rondeur comme une flamme de gaz, ou on a la chance d'en recevoir.

Mais l'artichaut fermé, comme il est beau aussi, dans sa régularité, semblable à une pigne amandière renversée! On ne s'étonne pas, à le voir, qu'il ait servi de modèle à des sculptures de bois ou de pierre. Ses écailles sont armées discrètement d'une petite griffe et son vert ou son violet mat sont drus. Il donne une impression d'extrême solidité. Et pourtant il est tendre! La base des «feuilles» est charnue, blanche. On tirera entre les dents cette chair après l'avoir trempée dans une bonne vinaigrette. Quant au cœur, débarrassé du foin, il est tout simplement excellent. C'est un des meilleurs « morceaux » de la cuisine, qu'on le fasse frire, qu'on le farcisse aux cèpes secs ou qu'on le mouline en purée.

L'artichaut très jeune, lui, peut se consommer cru. D'un coup de ciseaux on taille l'extrémité des feuilles, on le coupe en lamelles que l'on trempe dans l'eau vinaigrée pour qu'elles ne noircissent pas, puis on accommode avec une vinaigrette agrémentée d'œuf dur pilé et de fines tranches de foie de porc salé — c'est une spécialité audoise et toulousaine — ou si l'on préfère, de jambon cru très sec. Inutile de saler, jambon et foie le sont suffisamment.

Connaissez-vous l'artichaut farci? Une fois blanchi — n'oubliez jamais de peler les queues et de les faire, elles aussi, bouillir — on écarte les feuilles et on introduit de la farce, entre les écailles, jusqu'au centre. Dans la cocotte où on les pose debout on peut mettre lardons et pommes de terre coupées en dés, ou, à la convenance, sauce tomate. Ce peut être une farce à la saucisse, mais aussi bien une farce maigre à l'œuf, au pain, à l'ail et au persil, ou une farce à la brousse. Comme vous ne trouverez plus d'artichauts farcis au menu d'aucun restaurant, sauf en Corse, ni d'ailleurs de jeunes artichauts en salade, je vous conseille d'en préparer.

Et pour l'été prochain — juillet/août — tâchez de vous faire ami avec un jardinier pour profiter d'une fleur de paradis.

Poufres et poufrets ou le combat de Giliatt

Lorsque vous verrez les poufres dans les bacs des poissonniers, aux halles centrales ou au marché du vendredi, vous ne saurez rien de leur gentillesse, ni de leur élégance. Vous ne verrez que des corps mous et gluants.

Mais dans son milieu naturel, le poufre évolue avec autant de grâce qu'un oiseau dans le ciel, de ses huit bras fins qu'il utilise comme des doigts délicats pour dépiauter les crustacés dont il est friand. Il devient tout rouge lorsqu'il est surpris ou en colère. Il est curieux et vient explorer du bout des doigts tout corps qu'il ne connaît pas et l'observe de ses yeux admirables, d'or orange dont la pupille est rectangulaire comme celle des brebis. En français on dit : la pieuvre. Ça fait peur en général. Si vous annoncez : c'est de la pieuvre, vous observerez un mouvement de recul, un refus avant toute tentative de dégustation. Vous verrez s'avancer des lèvres prudentes et déjà dégoûtées.

La consommation de l'« octopus », ce monstre qui faillit tuer Giliatt — dans la scolarité d'autrefois on tombait indéfiniment sur le récit de Hugo et la répulsion de la plupart des gens est d'origine littéraire — la consommation de la pieuvre, donc, est commune à toutes les côtes du Sud : au Portugal on vous apporte un tronçon gros comme un poignet d'enfant où les ventouses ont la taille de cupules de glands, brûlant et saupoudré de curry, à Barcelone on grille d'énormes pattes et on les mange au poivre, au piment doux et à l'huile d'olive.

Nous, nous ne craignons pas cet animal doux et sociable. Nous savons que s'il enserre notre cheville dans les rochers, c'est par une affectueuse curiosité, nous savons qu'il s'apprivoise comme un petit chat et qu'en avançant dans le milieu de l'eau, par un mouvement plié-tendu extrêmement gracieux, il vient chercher de ses tentacules une moule au bout des doigts. Nous ne craignons pas non plus de le manger.

Le moment où il est le moins beau et le plus triste, c'est quand il est là dans le bac du poissonnier, quand vous en choisissez deux ou trois, pas trop gros, par personne.

Faites-les vite cuire, ils vont retrouver un peu de leur beauté, devenir tout roses, révéler que ce que l'on croyait gluant est un jeu serré de fines fibres musculaires. Les yeux, une fois cuits, sont de petites boules dures qui ont la couleur et l'éclat du cuivre.

Pendant que chauffe l'eau d'un court-bouillon très bien relevé, triez les poufres : détachez les bras du bonnet rond, coupez d'un coup de ciseaux les viscères qui pendent du côté des pattes. Quand vous rencontrez brun et gros un foie, réservez-le dans une soucoupe car il est presque liquide. Ne nettoyez pas pattes et bonnets plus amplement. N'enlevez même pas le bec de corne au centre des pattes. N'essayez pas de peler ; tout cela est inutile. Peau et déchets divers s'enlèveront d'un seul geste après la cuisson.

Laissez cuire une grosse heure à la Cocotte-minute, trois heures si vous mettez à cuire dans une marmite sur la cuisinière ou le poêle.

Égouttez. Nettoyez alors. Vous pouvez tout peler si vous le désirez. Sinon, vous pouvez garder jusqu'aux ventouses, dont vous découvrirez sous la dent qu'elles sont aussi du muscle.

Préparez une sauce tomate, comme «la sauce de l'homme pauvre» que vous agrémenterez en début de cuisson de très petits lardons.

Tandis que la sauce cuit doucement en faisant « put, put » du bout des lèvres, préparez un farci, de la manière suivante : 250 grammes de chair à saucisse, deux petits œufs, ail et persil à volonté, thym en mesure, poivre, un peu de sel et du pain très sec, comme toujours. Un pain de bonne race, au levain.

Avec cette préparation, remplissez les bonnets. Fermez l'ouverture d'un point de chaînette ou d'un surjet. Mettez à cuire dans la sauce tomate, longtemps, à petit feu. Coupez les pattes en tronçons dans la sauce et ajoutez, parcimonieusement, un peu de foie réservé — une petite cuillerée.

Ne mettez pas toutes les pattes. Réservez-en quelques-unes pour les présenter à l'apéritif, en morceaux, dans une bonne vinaigrette où vous aurez laissé éclater votre imagination : ail, ciboulette, estragon, oignon, échalote, persil... et j'en passe. Tout cela largement aphrodisiaque.

Il est possible de servir les bonnets froids dans leur sauce froide. C'est aussi un apéritif un peu original, comme les pattes. Je commence à en avoir assez des éternels chips, Chipsters, caouettes et cacahuètes sans inspiration. Et vous ?

Ça s'intitule : fumé, au fromage, au jambon. Imposture, oui. Préférons carrément le cube de cantal fort, le dé de jambon, la rondelle de saucisson, ou si nous sommes un peu courageux la sardine farcie, la pascadette, la mélette, le bonnet de poufre à la tomate et les pattes en salade.

Chaud, le plat de « bonnets » s'accompagne très bien de riz.

Mais, quand les poufres sont cuits, on peut, une fois de temps en temps, faire la « tielle ». Elle nous vient d'Italie, à travers la Provence et des ports comme Sète. Armé de ciseaux et d'une grande patience, vous allez débiter toute la chair en morceaux petits comme des grains de riz. Ce hachis sera vivement poêlé dans l'huile, vous y mettrez deux ou trois piments de Cayenne — des minuscules de la grosseur de l'ongle, défaits du pouce et de l'index — et des tomates entières concassées, de quoi lier sans noyer. Salez sans trop, c'est déjà bien poivré.

Vous foncerez une tourtière copieusement huilée de pâte à pizza débordant très largement — jusqu'à la table — et vous en aurez gardé autant pour couvrir la farce versée dans le fond, dessus qui débordera lui aussi largement. Au lieu de souder les deux parties, vous procéderez par un jeu tenon-mortaise du plus bel effet. De la pointe d'une fourchette, sans toutefois trouer, vous décorerez le dessus de points. Feston du bord comme picots ne servent qu'à l'agrément de l'œil — encore que les petites cornes du bord, une fois cuites et frites dans l'huile, soient bien savoureuses.

Du plat des deux mains, vous huilerez le dessus — huile dessous, huile dessus — en faisant bien la cochonne, clac, clac, des paumes. Un geste dont on rêve depuis l'enfance : s'en mettre jusqu'aux poignets. On dit en occitan : pastissejar.

Attention à la cuisson. Juste le temps de dorer la pâte qui enveloppe un intérieur déjà cuit et qui doit rester très moelleux.

Bien ointe, cette simple pâte à pain est devenue succulente. Quant à l'intérieur où l'animal effrayant est réduit en parcelles méconnaissables, il est rare qu'il ne fasse pas l'unanimité. Et vous ne serez même pas obligé de nommer la pieuvre de Victor Hugo.

Poires pochées au corbières

Pelez des poires de façon à les conserver entières et gardez la queue, qui servira à les saisir. Préparez, par ailleurs, un bon «corbières», aromatisé à la cannelle et à l'orange et sucré à votre convenance. Laissez cuire un peu. Puis pochez-y les poires en les posant dans le vin, debout sur leur base élargie. Le vin doit arriver jusqu'au niveau des queues. Cette cuisson, bien évidemment, ne doit pas détruire le fruit : il faut qu'il sorte entier, c'est seulement sa couleur qui s'est modifiée, la chair opaline étant passée au bordeaux. Sortez les poires et posez-les, toujours debout, sur un plat creux. Laissez alors cuire le vin, jusqu'au moment où il devient un peu sirupeux. Ne retirez la cannelle qu'au moment où vous le versez dans le plat creux où sont réservées les poires. Cette fois, elles dépassent largement. Le sirop de vin ne leur fait qu'un bain de siège. Mettez au frais.

Pendant ce temps préparez une crème anglaise et un gâteau de maïs. Celui-là je le tiens de ma grand-mère et ce que j'aimais en lui, outre sa couleur, c'était cette texture grenue entre les dents. Il sera un excellent accompagnement des poires pochées au corbières.

Tout marche par verre. Un verre de farine blanche. Un verre de farine de maïs jaune. Un verre de sucre. Un verre de lait. Le reste en doses petites et facilement mesurables : une pincée de sel, une cuillerée d'huile. Un zeste de citron. Et si vous êtes bien riche : des raisins de Corinthe et des fruits confits coupés en petits morceaux. Pour que raisins et fruits confits ne tombent pas au fond du gâteau, il faut les fariner très légèrement. Ils restent alors suspendus dans la pâte. Faire cuire dans un moule bien beurré, en faible épaisseur (4 cm environ).

Ce qui sera délicieux, c'est les quatre goûts, les quatre textures que l'on mêlera, ou que l'on alternera à sa fantaisie, tant qu'il restera quelque chose à manger dans l'assiette à dessert où on a posé : les poires onctueuses ; le sirop de vin : enivrant et âpre ; la crème anglaise : la douceur à côté de la dureté, dont la couleur lumineuse contraste avec le vin cuit, et le gâteau, aussi jaune que la crème, mais sableux et citronné.

J'appelle cela d'un nom allemand, un de ces noms si interminables que lorsqu'on arrive au bout on a oublié le début et dont, en plus, on a joué à modifier l'ordre : maïscorbièresanglaisecannellepoirecrèmegâteauservipoché. Mais ce nom correspond bien au charme des cassolettes allemandes en cuivre où se côtoient jarret de porc entier, sauce, champignons, chou, confiture d'airelles, et bien d'autres choses encore — il y en a pour douze convives et vous avez ça pour vous tout seul ! Et l'on puise à son gré, un goût chassant l'autre, un goût se mêlant à l'un, puis à l'autre.

Connaissez-vous : le boudinnoir et le boudindefoie-dans-la-terrine-de-spätzels-avec-du-fromage-souabe-de-la-salade-de-la-purée-de-pommes-de-terre-et-de-la-gelée-de-framboises ?

La chair des anges

Des bateaux légers, équipés de milliers de bras illuminés, glissent sur les eaux océanes. S'agit-il de ces nefs d'argent et de cristal dont parle la chanson? Non. Ces machines fantomatiques dans la nuit, intelligentes comme le mal, pêchent industriellement l'encornet. Impitoyablement, fines et superbes, elles passent et repassent sur les bancs et les innombrables lignes, claquant comme des fouets, accrochent les proies.

Piqueté de carmin sur une chair opaline, une plume effilée cristalline lui tenant lieu de squelette, longiligne, pourvu d'ailerons, l'encornet est une sorte d'ange. Son indice de réfraction, proche de celui du verre, le rend dans l'eau presque invisible : une fée, une nymphe des gouffres, un peu de rose qui passe dans le bleu ou le vert de la mer.

Comme il est d'une propreté de source on le trie du pouce et de l'index. On tire la plume de verre qui le rend rigide comme on dégainerait une épée inoffensive. La poche d'encre éclate rarement, ce fuseau oblong, métallisé, délicat comme tout le mollusque. Et la grivelure rosée du manteau — une mantille sur un teint de jeune fille — s'ôte comme une peau qui se desquame : au bout des doigts. C'est trié le temps de le dire. On ne s'y noircit pas les doigts. Une fée, je vous dis.

Et l'odeur? l'encornet embaume le sperme frais.

Allons jusqu'au bout de cette odeur de sperme que j'évoque si souvent à propos du beau poisson : il s'agit d'une première semence adolescente, lactescente, moitié lait maternel, moitié bête en rut. Un pur délice.

Cet ange toutefois est un carnassier. Mais un carnassier un peu particulier. Vous vous en rendrez compte en le triant. Il suce ses proies, les allonge, les détruit, les fond comme dans l'enfance nous amincissions les sucres d'orge. Elles deviennent de plus en plus minces, gardent leurs formes et leurs couleurs, mais s'effacent progressivement, s'évanouissent peu à peu jusqu'à complète disparition. Longtemps sont reconnaissables un rouget, une cabote, démesurés parfois comparés au corps — en forme de cornet à glace — de l'encornet.

Il ne faut point trop laver : c'est tout propret. Couper en morceaux et jeter dans l'huile chaude. Attention ! cette chair angélique est passionnée : elle saute littéralement au visage, tourne à une couleur délicieuse, rose vif, saumonée. Que l'animal soit gros ou de la taille d'un doigt, c'est cuit en un tournemain. Dix minutes, un quart d'heure pour les plus grosses pièces, et dans son propre jus dont le rose s'exacerbe. Et puis rien. En tout cas à mon goût. Que faire de mieux avec la chair des fées que de la transformer le moins possible ? Une pointe d'ail, un peu de persil ne sont même pas utiles. Comme vous l'avez peu lavé, vous lui avez laissé le sel de la mer. On peut donc, souvent, se dispenser d'assaisonnement.

Évidemment la forme de cornet invite au farcissage. Évidemment on peut ajouter ; pour certains une pâte à frire enrobera les morceaux avant qu'ils soient jetés dans l'huile ; pour d'autres un œuf monté liera avant de servir les morceaux poêlés. En ce qui me concerne, je ne crois pas que l'on puisse ajouter à l'absolu... Et à condition qu'il ait sauté de la mer dans votre casserole, l'encornet c'est l'absolu. Un avant-goût du paradis.

MAI

Mois rouge vif et blanc, mai est celui des amours et de la Vierge. À la première cerise, à la première fraise, on fait un vœu. C'est la possibilité offerte de réaliser tous ses rêves et aussi de philosopher un peu : un an déjà depuis la dernière fois où on a vu luire près des troncs, dans le feuillage neuf retroussé par le vent, les fruits rutilants. On est frais, riant, déshabillé. Attention toutefois aux saints de glace : Mamert, Servais et Pancrace ! Alors, soupez le soir de macaronades diverses : elles tiennent au corps. Allez vous promener dans la campagne où fleurit, sphérique, l'ail sauvage. C'est le mois de toutes les grâces : entre les communiantes et les poupées de coquelicot, mai offre en beignets aux fillettes les grappes de fleurs d'acacia. C'est quatre heures sur les trottoirs tièdes. Le civet, alors, ne peut être que blond. Comme des bijoux dans leurs cosses de velours vert pâle, les fèves se cuisinent ou se croquent crues.

L'île flottante de votre enfance

Une bonne part de la magie qui entoure ce dessert tient à son nom d'«île flottante». N'appelions-nous pas «île» cette plage sableuse au milieu du ruisseau que d'un bond on pouvait franchir? Et «île» aussi ce bosquet minuscule où nous installions notre campement? L'île c'est ce lieu où l'on échappe au monde. Et quand elle flotte, alors on est presque sûr qu'elle est introuvable. Si en plus on la déguste à coups de petite cuillère, si on croque les ruisseaux de caramel qui la sillonnent, alors, à la mythologie de l'île s'ajoute celle du palais de Dame Tartine où les murs sont en pain d'épice, les poutres en chocolat, les contrevents en nougatine et où il suffit de grignoter autour de soi quand s'éveille la gourmandise.

Le mois de mai se prête bien à la préparation car le lait du printemps est savoureux : il a une odeur d'herbette et de fleur. Pour quatre personnes il en faut un gros litre, sucré de seize pierres de sucre. Il est mis à bouillir avec une gousse de vanille, une vraie gousse noire pleine de filaments cristallisés que l'on achète dans son tube de verre. Il faut tenir au tube de verre. Il contenait deux gousses et lorsqu'il était vide je me le faisais donner pour y loger des perles.

Pour que la vanille donne tout son parfum il vaut mieux la fendre en deux dans le sens de la longueur. Pendant que le lait sucré bout à petits bouillons et emmagasine le parfum subtil de la vanille, prenez dix œufs, séparez le blanc du jaune, versez le lait bouillant précautionneusement sur ces jaunes et battez. Une petite mousse se forme à la surface. Elle sera précieuse.

Remettez dans une casserole et posez sur un feu — petit, petit, il ne sera jamais assez petit — et tournez avec une cuillère de bois, sans arrêt, *sans quitter la casserole des yeux,* jusqu'à ce que la mousse disparaisse et que le mélange, arrivant à la *limite de la température où il bouillirait,* s'épaississe. Il est temps de retirer la casserole du feu. Si jamais le lait-aux-jaunes bouillait, il serait broussé sans remède. Versez dans un joli saladier. Beaucoup ôtent la gousse de vanille. Je préfère la laisser car elle continuera à faire son travail. Tandis que le saladier refroidit un peu avant de passer au réfrigérateur, occupons-nous des blancs. Battons-les en une neige si ferme que l'on puisse retourner le plat sans qu'elle tombe. Caramélisons· entièrement un moule à flan. Versons-y avec délicatesse le blanc battu, sucré au sucre glace mêlé par de légers mouvements. Mettons le moule à flan à four moyen, le temps de le faire prendre. Démoulons au dernier moment après avoir fait tremper le derrière du moule dans l'eau. Et voilà l'île qui flotte sur la crème jaune. L'île ruisselle de caramel. Taisons-nous. Dans la chaleur d'un repas qui se termine, le blanc croule doucement dans une mer sucrée, vanillée comme les îles et c'est le Temps Retrouvé.

Des fèves jeunes et des fèves vieilles, cum commento

Les fèves sont les premières à trouer la terre des jardins nus, et en un rien de temps, désordonnées, elles grimpent follement sur les tuteurs de roseaux, les dépassent, et ébouriffées, un peu ivres, elles s'élancent vers le ciel du printemps. Bientôt sur les marchés arriveront les cosses grasses, du même vert pâle que les feuilles, souples sous la main. Fendons-les suivant la ligne de déhiscence pour l'écossage.

Rien dans la nature n'égale le velours où est couchée la fève. Rien n'est mieux protégé que cette graine, car en plus du capitonnage moelleux de la cosse, elle est entourée au plus juste d'une peau lisse et serrée. Tout a été prévu pour l'esthétique : ce même vert à peine nuancé de la feuille au fruit ; tout a été prévu pour son confort, jusqu'à cette sorte d'amortisseur : la caroncule, par laquelle elle est suspendue. Autant le petit pois est serré à maturité contre ses voisins, au point que sa graine sphérique en est aplatie, autant le haricot est petitement logé, autant la fève s'étalera à l'aise dans son abri luxueux, pourra s'y prélasser, s'y dilater paresseusement. Pourquoi ? Sinon parce qu'elle contient, affirme Pline, les âmes des morts ? Ne sont-elles pas le premier don de l'année venu du fond de la terre ? Le cadeau des morts aux vivants ?

125

Les cosses des fèves sont trompeuses, toujours gonflées. Il convient de les tâter pour s'assurer qu'elles ne sont point vides, ce qui arrive en début de saison. Sur un kilo de fruits en cosse, on récupère après le triage péniblement un fond de bol. Les toutes premières fèves se mangent telles quelles, crues, en hors-d'œuvre, avant même de s'être mis à table, avec une pointe de sel et du pain frais coupé avec les doigts dans la bannette craquante.

Une ou deux semaines plus tard, la gousse se remplit, la fève s'arrondit fémininement. C'est le moment de faire des ragoûts d'une finesse incomparable. Il faut prendre la peine de peler le fruit — on dit très joliment le « dérober », lui enlever sa robe — pour ne garder que les deux morceaux de l'amande. Quand on fait glisser les deux lobes de la graine de l'enveloppe, on comprend pourquoi les petits garçons appellent « fève » l'extrémité de leur jeune verge : même arrondi, même douceur fragile, même brillance.

« Ça vient à rien », disait-on après le triage, en montrant d'un côté une montagne de déchets, de l'autre les graines pelées qui ne garnissaient plus qu'un petit plat. Mais quel plat de roi quand on les cuisine avec un oignon, un cœur de salade ! Ça cuit en un rien de temps à feu menu, dans sa propre vapeur — que l'on fait tomber en rosée sur les fèves. Et si fragile ! Ne remuez pas.

Ça fond littéralement dans la bouche. C'est un succulent accompagnement pour une volaille, pour une viande, mais surtout une viande jeune, comme l'agneau.

Comme tous les fruits en gousse la fève peut être cueillie quand la plante est sèche et se garder et se consommer comme un haricot.

Misère ! La fève est le seul des féculents à devenir carrément laid. Les haricots, les prolétaires haricots qui, eux, ne vivaient pas dans le velours, qui étaient étroitement et durement logés, enchantent par leurs coloris, ont d'incroyables grâces, des couleurs tendres, suaves, de délicieux brillants. Ils sont coquille d'œuf, roses, blancs avec un œil cerné de noir de mouette rieuse ou piquetés comme des grives. Le pois chiche a l'air d'un joli bout de sein. Mais la fève, pauvre ! Elle est ridée, tannée, son vert est devenu marron. Elle a tout l'air de vieilles fesses. Cette sybarite grassouillette est devenue une vieille rombière.

Il ne faut pourtant pas s'y fier et la mépriser pour autant. C'est avec elle que l'on fit le cassoulet avant la découverte, avec l'Amérique, du haricot.

On fait longuement tremper le fruit sec pour pouvoir le dérober et on le cuisine avec du confit, de la saucisse. Les lobes charnus sont fins, plus goûteux que le haricot. Les Portugais, les Espagnols, les Arabes, le savent qui n'ont pas encore tout à fait adopté les nouveautés venues d'Amérique il y a trois siècles.

En hiver, vous essaierez cet étrange cassoulet, ce sera un rappel, en saison froide et noire, de la joie printanière des fèves.

Le civet blond de Pompignan

Lorsqu'on dit : « civet », on voit arriver, au milieu d'une tablée d'hommes où l'on s'est déjà échauffé de charcuteries et de vin épais, une cocotte de fonte culottée de fumée. On la découvre et alors même qu'on se recule pour n'être pas brûlé, il saute aux narines une odeur d'esprit de vin, d'aromates, de poivre. Un appétit puissant s'éveille quand, la vapeur dissipée, est révélée une sauce bouillonnante, grasse, sauvage, noire de sang, de foie et de vin rouge.

Bientôt le menton des hommes en dégoulinera car on mange le civet avec les doigts, à grands coups de mâchoires.

Mais dans le pays de Pompignan, à la retombée des Causses méridionaux, où les jardins ont déjà la douceur provençale par la précocité des pousses et des floraisons, où le regard s'abreuve à l'ordre des vignes, dans ce pays-là, le civet est un plat des dimanches en famille, tout blond et doré alors même qu'il intègre le foie.

Le lapin a beau être sauvage, vin blanc, oignon, ail, farine et feu brillant vont le domestiquer, le policer par le pouvoir des choses claires sur les choses sombres jusqu'à une douceur sans fadeur.

Louisette le préparait pour les siens « montés » de Sommières.

Dès le matin, elle faisait dorer dans la poêle son lapin coupé en morceaux, dans un peu de matière grasse et des lardons. La chair du lapin, en « revenant », prend une belle couleur de pain et croustille délicieusement. Quelques filaments s'échappent parfois, que la cuisinière saisit entre pouce et index et déguste dans le secret du fourneau.

Puis dans une cocotte de terre, en souriant parce que sa fille et ses petits-enfants venaient la voir, au son des cloches dominicales, elle coupait menu deux beaux oignons et les faisait dorer.

Louisette versait ensuite dans la poêle deux verres de vin blanc, un blanc de blanc des vignes alentour, à robe légèrement verte, ainsi qu'un peu d'eau, mélange biblique qui ôte l'agressivité du vin. Elle y mettait deux gousses d'ail piquées de clous de girofle et un bouquet garni, thym et laurier liés d'un bout de coton à repriser.

Elle ajoutait deux morceaux de zeste d'orange. La peau enlevée en un seul ruban et mise à sécher sur la barre de la cuisinière — la pièce en était embaumée — était conservée dans un des pots de la cheminée pour le vin chaud, les oreillettes et le fameux civet blond.

Elle versait alors le contenu de la poêle dans la cocotte, salait et poivrait avec la mesure habituelle et laissait cuire à feu doux.

Dans le bol elle écrasait le foie — un foie gros et rutilant de bête bien élevée — avec une cuillerée à soupe de vinaigre et une de farine. Elle mélangeait bien le tout en une pommade lisse, une crème si fine qu'on s'en serait passé sur le visage.

Un peu avant de servir, elle mettait les morceaux de lapin sur un plat chaud — elle s'amusait parfois à reconstituer le corps —, mêlait la crème fine au vin blanc, laissait épaissir. Chaque morceau était nappé de cette sauce courte, épaisse et dorée.

Entre-temps les enfants étaient arrivés.

« Les enfants de Louisette sont là », annonçait-on dans le village, « et ils ont apporté la bombe glacée ! » C'était un événement.

Oui, la fille de Louisette avait fait elle-même, la veille, la glace à la vanille.

Sommières, c'était la ville. On pouvait y acheter un quart de « pain de glace » translucide au cœur opaque. On le brisait comme du verre. On y mêlait du gros sel et on faisait tourner longtemps dans ce mélange, à la main, le moule en forme d'obus qui contenait la crème.

Plusieurs personnes se relayaient pour assurer l'opération qui durait deux bonnes heures.

Ainsi, tandis qu'à Pompignan se déroulait la magie de la chaleur et de sa dorure, à Sommières s'exerçait celle du froid cristallin. Et au repas se rencontraient ces deux magies contradictoires.

On emmaillotait comme un enfant de linges blancs le seau glacé et la précieuse « bombe ».

On avait mangé le civet blond. On sortait alors un plat de fête orné d'un napperon et à l'aide d'un linge chaud on démoulait la glace de sa bombe de métal.

La nappe blanche ornait la table. Les voisins s'extasiaient.

Là, tout près, à portée de regard, de mémoire et d'histoire, il y avait le Causse sauvage, sec et traversé d'eaux tumultueuses.

Mais à Pompignan on était déjà dans le doux pays bas, la rivière menue s'épaississait en été de mousses, il poussait sur ses bords des joncs et des roseaux. Les vignes assuraient l'ordre de l'espace et du temps.

En digérant, on regardait flotter dans la lumière un poudroiement qui annonçait la mer.

Beignets de fleurs d'acacia

Les trottoirs de mai s'ornent de blancheur : les communiantes passent, voile au vent, et les fleurs d'acacia, tombées en abondance, leur font un tapis d'un blanc un peu verdelet. Toutes les villes ont planté le robinier, si prolifique, que l'on désigne sous le nom d'acacia. Quel enfant n'a pas mangé les pistils des fleurs à la base sucrée ? Nous prenions en réserve dans nos poches, ramassées à poignées sur le ciment, ces fleurs que nous dépiautions dans la classe de mai, si chaude déjà que l'on fermait les volets à la clé.

Une ou deux fois dans le mois, ma mère acceptait de me faire des beignets. C'était toujours pour un goûter, le goûter, ce repas préféré de l'enfance. Elle n'aurait pas osé présenter cela en dessert. L'acacia, ce n'était pas une nourriture, seulement une fantaisie de gosse et elle me faisait cette concession : sacrifier farine, œuf et huile pour les beignets que je mendiais. C'était donc toujours pour un quatre heures et tant qu'elle y était ma mère faisait les beignets pour toutes mes copines de jeu. Comme les autres mères en faisaient autant, nous passions le mois à en manger. À la fin, on savait que c'était fini pour onze mois, fini par la force des floraisons naturelles. Seul le mois de mai prochain ramènerait les communiantes, les fleurs et les beignets.

Je cueillais, dépassant d'un terrain vague ou d'un jardin, une branche bien pourvue en grappes fleuries de fleurs bien épanouies sans être flétries. Ma mère préparait une pâte à frire fluide — trois cuillerées de farine, un œuf, un peu de lait, un peu d'eau, une pincée de sel. Elle prenait la grappe entière et la trempait. On aurait dit que les pétales n'avaient pas du tout retenu de pâte : tout semblait s'écouler, les fleurs mouillées devenaient pitoyables. Mais elle déposait la grappe dans la poêle pleine d'huile bouillante et tout se regonflait et dorait dans la minute. C'était presque magique, comme ces papiers pliés chinois qui deviennent des fleurs dans un bol d'eau. La grappe de fleurs sortait grésillante, ma mère la saupoudrait de sucre et avec ma sœur et mes copines, à tour de rôle, comme pour les crêpes, nous mangions les fleurs, laissant l'armature de la grappe. Le sucre de l'acacia, un peu miellé — l'odeur de l'arbre était enivrante —, se mêlait au sucre en poudre.

On en avait toujours trop peu. En général je portais à ma mère plus de fleurs qu'elle ne préparait de pâte.

Je voudrais insister pour que vous fassiez l'essai de cette friandise. N'oubliez pas de la servir brûlante de la friture et saupoudrée d'un sucre qui fond à la chaleur du beignet — « baignés », écrivait une femme dans son livre de cuisine ; et en effet un beignet n'est-il pas doublement baigné : dans la pâte à frire fraîche et l'huile bouillante ? Vous êtes loin d'imaginer le plaisir que vous donnerez à l'enfant auquel vous l'aurez offert, puis à l'adulte qu'il sera devenu. Pour toujours, à la vue de l'arbre, d'une marelle, d'un groupe d'enfants jouant dans les longs soirs du printemps, il montera dans son cœur et dans sa bouche une chose douce et forte. Il aura faim de beignets de fleurs d'acacia, de cet exceptionnel goûter de mai.

Des macaronades

Amusez-vous à faire vous-mêmes vos pâtes fraîches. Comme ça. Pour rire. Pour étonner vos convives. Surtout pour un repas où vous êtes peu nombreux.

Avec 300 grammes de farine, 5 grammes de sel, deux cuillerées à soupe d'huile et trois œufs entiers. Il faut travailler énergiquement et laisser reposer une bonne heure dans un linge mouillé. Si vous désirez une pâte plus jaune, au lieu de trois œufs entiers on mettra pour 200 grammes de farine six jaunes et deux blancs.

Après le repos légitime, pendant lequel s'est scellée l'union de la farine et de l'œuf, en un mélange fin et malléable, on étale, le plus mince possible, on farine copieusement et on pose la pâte sur un linge une heure, pour qu'elle sèche. Après quoi, roulée comme une feuille de tabac, on la coupe avec des ciseaux. Les tagliatelles sont prêtes. Il ne restera qu'à secouer leur trop de farine avant de les cuire à l'eau bouillante salée — une grande quantité : la pâte aime nager à l'aise.

La « macaronade » tient surtout à la sauce d'accompagnement de ce que les Italiens nomment au singulier : la pâte. Les Italiens d'Italie et de France, car il y a partout et surtout dans les villes méditerranéennes de « petites Italies » pittoresques, gardiennes des recettes, des chansons et de la nostalgie. Je vous préviens tout de suite : il faut être vraiment nul pour manquer un plat de pâtes, pour qu'il ne soit pas délectable, avec peu d'ingrédients et des manipulations simples.

Par où commencer ? Par la macaronade aux fruits de mer. De l'oignon roussit vivement dans une cocotte huilée. On ajoute des tomates concassées, fraîches ou en conserve, en abondance, et toujours pour corser les goûts une petite quantité de concentré — il est judicieux de le mettre dans la cocotte juste après l'oignon pour lui donner un petit air de friture. Ça le fait bon.

Faire ouvrir sur le feu : moules, clovisses, ténilles ou coques, ou tout coquillage marin. Varier autant que possible les coquillages. Sortez-les de la coquille et mettez-les directement dans la sauce. Et pour finir versez le jus qu'ils ont donné. Il est très salé, c'est pourquoi jusqu'ici je n'ai pas parlé d'assaisonnement. Ce sel marin suffira. Le jus que « rendent » les coquillages n'est pas exactement de l'eau de mer, mais de l'eau de mer passée par l'alchimie personnelle du mollusque.

Laissez cuire, laissez réduire. Longuement. Jusqu'à obtenir une sauce consistante dans laquelle il ne reste plus qu'à mettre un grain d'ail écrasé et la pâte comme on l'aime, « al dente » ou plus moelleuse. J'ai un faible pour la pâte un peu cuite sur laquelle la sauce ne glisse pas, mais qui au contraire prend la sauce.

À partir des fruits de mer, pour un repas de gala par exemple, il est possible de procéder autrement. Poêler vivement les palourdes déjà ouvertes ou les coquilles Saint-Jacques, ajouter de la crème, lier d'un soupçon — invisible — de farine, ajouter le jus de mer et verser la préparation sur la pâte cuite largement beurrée, égayée d'un grain d'ail écrasé et cru.

Pour une macaronade à la viande, le point de départ oignon-tomate est le même. La viande coupée en petits morceaux est frite et mêlée à la sauce tomate avec thym et laurier.

Mais ce n'est pas fini ! et loin de là ! La pâte est inépuisable, autant que la pomme de terre. Tant que

134

vous avez votre pâte étalée et non encore découpée, profitez-en pour faire un plat de lasagnes. Le secret des lasagnes réside en ceci : vous avez préparé deux casseroles de sauce. Une de sauce bolognaise — elle diffère des préparations aux fruits de mer ou à la viande en cela : au lieu de coquillages ou de viande en morceaux, on ajoute du bœuf haché, rôti dans l'huile. Donc, une casserole de sauce bolognaise et une de ce que j'appelle béchamel légère : un roux de peu de farine est mouillé de crème fraîche épaisse. Après on ajoute de l'eau. Quoi que vous puissiez en penser, crème fraîche plus eau n'égale pas lait. C'est bien plus onctueux et de goût différent.

Dans le fond de l'un de vos beaux plats à gratin en terre vernissée, mettez du râpé, une couche de lasagnes cuites à l'eau, de la sauce rouge, de la sauce blanche, du râpé — le râpé peut être du gruyère ou du cantal — et ainsi de suite jusqu'à la gorge du plat. Enfournez. Laissez gratiner.

Pour les cannellonis, des morceaux de pâte rectangulaires, cuits eux aussi sans excès dans l'eau bouillante, agrémentée d'une cuillerée d'huile, sont roulés en cylindre autour d'une farce classique à laquelle on a ajouté du vert — blettes ou vert de salade, bouilli et bien essoré. Puis l'alignement des cannellonis est noyé dans une sauce tomate, que je vous conseille d'entrelarder, mais avec modération, de la sauce légère à la crème indiquée plus haut. Une bonne couche de fromage, et au four ! Si vous faites construire votre maison, vous pouvez vous faire près de l'essentielle cheminée à grillades — à hauteur de cuisinière — un vrai four en demi-sphère en briques réfractaires, que vous chaufferez de braises du foyer. Un bon vieux four antique, seulement tout petit, comme il en existait dans les châteaux et que l'on distinguait du four à pain. De quoi cuire quelque oie, une tourte un peu grande. À ce volume où la chaleur se conserve longtemps avant de mourir très lentement, on peut confier le tripat, la daube, les gratins. Quand j'étais

135

enfant, le boulanger du quartier, pour une piécette, enfournait le macaroni au gratin préparé par ma mère. Ah! ce macaroni! Je le portais à la boulangerie dans le cabas, parsemé de virgules de beurre, grivelé de chapelure — de la bonne chapelure de pain grillé passé à la râpe. Et j'allais le chercher dans le même cabas quand tout le monde était déjà à table. Il était brûlant. Je sentais sa chaleur contre ma jambe. Il montait vers moi une odeur enivrante et une vision de paradis : le gratiné. Et pourtant, qu'y avait-il là de si extraordinaire ? Les macaronis bien cuits largement beurrés, en couches alternées avec le fromage et encore du beurre. Certes, ma mère avait une petite astuce, au fond du plat elle commençait par du râpé. Et le beurre fondait, coulait sur le fromage qui dorait, se collait au fond. Il fallait le déloger avec une fourchette utilisée comme un marteau piqueur. Mais quelle merveille. «Ils me mangeraient le plat!» disait-elle fièrement. Et en effet nous ne l'abandonnions que lorsqu'il était totalement récuré, lorsque nous l'avions frotté et refrotté avec des morceaux de pain.

Allons donc, allez vers la pâte. Tout lui est bon et elle est bonne à tout : aux champignons, à la truffe, au foie gras, comme au simple grain d'ail écrasé, aux câpres, à un fondu de poireaux, aux lardons.

Et le lendemain, quand il en reste, on fait une omelette.

Une orgie de jeunesse

Avec les petits pois, les fraises, les asperges — les vertes du Midi —, on comprend un peu cette liesse de nos ancêtres au retour annuel des légumes et des fruits, les fêtes avec lesquelles ils saluaient la verdure revenue, la fleur puis le fruit, eux qui devaient attendre les mouvements de la nature, eux qui vivaient sur des circuits très courts de distribution des produits et ne connaissaient pas tous nos forcings, cette abondance de tout en toute saison. On comprend cette habitude qu'ils avaient de faire un vœu à la première fraise revenue, à la première cerise, au premier abricot, au premier chasselas. Je le faisais encore dans mon enfance et comme j'étais désolée quand j'avais oublié de formuler mon vœu au moment même où je mangeais la nouveauté de l'an !

Mais il reste encore des légumes et des fruits qu'on n'a pas tout le temps à disposition. Asperges, fraises et petits pois en font partie. Il y a un mois environ pour s'en gaver. L'asperge : verte jusqu'au fond, turgescente, la section humide. Le petit pois : à peine créé et sucré. La fraise : odorante. On ne peut se dispenser de mettre le nez dessus.

L'asperge, je la taille comme un crayon du côté blanc, ainsi tout se mange. Bouillie dans l'eau salée — bouillante pour qu'elle se conserve bien verte — je l'aime encore tiède, telle quelle, sans vinaigrette, ni

137

mayonnaise. Si vous avez des chats, garez d'eux le plat où vous les avez déposées : ils sont friands de la jeune pousse tendre et charnue : le turion. Si vous les laissiez faire, ils ne vous laisseraient que le fond. Il m'arrive de garder l'eau de cuisson pour faire une soupe à l'œuf. Le parfum de l'asperge — très fort et qu'on va retrouver presque intact tout à l'heure dans l'urine — remplace celui de l'ail. Une poignée de vermicelles, le blanc épar-pillé en pluie qui devient vert dans le bouillon, l'œuf monté et toujours, ici et là, quelques débris de pointes. Cette soupe est un excellent diurétique.

En fin de saison, on trouve à vendre, en vrac, des asperges minces comme le petit doigt, dont je fais frire le bout tendre pour garnir une omelette. La pointe extrême peut se consommer crue dans du fromage blanc, battu avec de la crème et assaisonné, ou encore dans du caillé de chèvre. Les marchands de fromages de chèvre sont nombreux et vous saurez vite lequel vend du caillé et quand. Évidemment, si en février ou mars vous avez pu avoir des asperges sauvages, avec le caillé de chèvre, c'est délice et compagnie...

Pour le petit pois, n'hésitez pas, à l'étalage, à le goû-ter. Et n'achetez que si le grain est vraiment très sucré... On vous regardera de travers. Qu'importe ? Si vous vou-lez bien manger vous devrez vous résigner à quelques différends avec les commerçants.

Cuisinez-le avec un cœur de laitue, un ou deux oignons nouveaux et un peu de jambon sec, quelques carottes enfants. Dans son jus, à l'étouffée, dans la fonte gardienne des sucs et des vapeurs — car il faut craindre pour le petit pois un coup de feu — que préférez-vous ? Les jeunes fèves, pareillement préparées le mois dernier, ou le petit pois ? On hésite... Tous les deux, mon com-mandant !

Présentez les oignons restant de la botte, coupés en quatre dans le sens de la longueur, crus, avec une pointe de sel, comme un hors-d'œuvre. Ils piquent un peu la bouche, mais vous aurez la douceur sucrée du pois pour apaiser vos papilles et, au dessert, la jolie fraise. Et puis, l'oignon, comme on le sait depuis Dioscoride, est un facteur de santé et de longévité. Avec le bonheur, on ne connaît rien de meilleur que l'oignon pour fabriquer les centenaires. La cure d'oignons est aussi indiquée que celle de pissenlits ou de raisins, aussi efficace qu'une cure de minéraux. Il y aurait autant à dire sur l'oignon que sur l'ail. Coupé en deux et respiré, il peut arrêter net la crise de nerfs. Cuit au four et placé sous la plante des pieds — je sais, ce n'est pas très commode — il est bon pour les asthmatiques et les cardiaques, il est souverain contre la chute des cheveux et les taches de rousseur, mais il efface aussi les traces de doigts sur les portes, élimine les vers de bois, empêche les mouches de prendre les cuivres pour des Sanisette, ravive l'éclat des vernis, nettoie les vitres, les couteaux, les nickels, mieux que les produits de la droguerie, assure le maintien des étiquettes sur les boîtes en fer-blanc et surtout, l'oignon fait merveille dans l'espionnage. L'encre sympathique, invisible, mais qui réapparaît à la chaleur comme magiquement, n'est que du jus d'oignon.

Donc, en mai, mange autant d'oignons qu'il te plaît. Mon vieux livre de cuisine écrit : onion.

Abusons aussi de la fraise, si jolie avec sa collerette et ce pétiole fait exprès pour la saisir et la tremper dans le sucre fin. C'est ainsi que je la préfère : installée dans un compotier de porcelaine blanche à petits trous, pour qu'elle ne périsse pas, et volée au compotier à tout moment du jour, quand on passe et qu'elle rappelle sa présence rondelette et brillante par l'odeur dont elle remplit la pièce. Il est classique de la préparer dans un bon vin rouge sucré et de battre en son honneur un peu de crème. N'oublions pas le coulis de fraise : les fruits moulinés à la grille fine pour éliminer autant que possible ce qu'on appelle les grains et qui sont les carpelles du fruit, de l'eau, du sucre, et cuire jusqu'à la consistance de sirop. On en arrose les fraises crues, on accompagne le gâteau de Savoie en le présentant avec du coulis d'une part et de la crème anglaise de l'autre. On en badigeonne la tarte aux fraises...

La nature en mai est vert et rouge. Pour les Languedociens, l'explosion verte est de courte durée. Dès la fin du mois de juin le monde ici est blanc de chaleur, les herbes évanescentes dans la lumière, c'est pourquoi le vert nous fait rire et nous met en joie Dévorons-le à belles dents, comme nous dévorons la fraise et la cerise, emplissons-nous des rouges et des verts de mai.

JUIN

Après les premiers bains, un ragoût d'escoubilles ou quelque farcette seront les bienvenus. L'été nous tombe dessus, brusquement. On n'a envie que d'anchoïade, de jeunes légumes, de viandes grillées. Des poêlées de ténilles amènent sur la table l'odeur de la mer. Pichilines et clovisses se prêtent à la légèreté de l'air, aux vacances qui planent. L'« aïoli » aussi qui est communautaire et peut se manger froid. La maison regorge de fleurs. Dans les soirs les plus longs on peut marcher dans les villes crépusculaires après un repas léger d'asperges ou des premières salades de tomates. Le feu capable d'anéantir le mal est fêté dans le solstice. Sautez par-dessus la flamme et mangez l'ail passé au brasier de la Saint-Jean : c'est une garantie de bonheur et de santé.

Révisez π et construisez les petits pâtés de Béziers.

Pommes de terre et ragoût d'escoubilles

On ne saurait trop louer la pomme de terre : ce tubercule souterrain, bourré d'amidon, originaire des Indes et que Parmentier dut imposer à grands efforts. Les prêtres n'affirmaient-ils pas qu'il ne fallait point consommer cette nourriture diabolique — diabolique parce qu'elle venait du dessous de la terre ?

Et ce nom qu'elle reçut : pomme — alors qu'on le sait, elle n'est pas un fruit — ne dit-il pas qu'on lui soupçonna les mêmes vertus qu'à la pomme-en-l'air, fruit de l'immortalité, fruit de l'arbre de vie et de la connaissance du bien et du mal, fruit magique — elle révèle, quand on la coupe, une étoile à cinq branches —, nourriture merveilleuse de la tradition celtique, puisque celui qui y goûtait n'avait plus ni faim, ni soif.

Passée dans l'usage, la pomme de terre devint indispensable, véritablement magique. Lorsque j'en cuisine, un frisson de terreur me prend parfois : et s'il n'y avait pas la pomme de terre ? et comment faisaient-ils sans pommes de terre ? « Ils » : tous ceux qui vécurent « avant ». Quelle tristesse que leur soupe ! Où allaient-ils chercher le moelleux ? le farineux si léger, si blanc ?

Pour la plus simple, la plus primitive des préparations, nous disions : en robe de chambre au lieu de robe des champs, car le moelleux de la pomme de terre évoquait bien le lit. Ma mère les mettait, bien lavées, dans le four de la cuisinière, et je mangeais tout, même la peau brune, car contre cette peau il y avait du gratiné. Je me souviens du moment où d'un coup de couteau je la fendais en deux, ou une fumée brûlante s'échappait d'elle. Je salais. Je mangeais d'abord deux cuillerées puisées, telles quelles, au centre pour libérer l'espace du beurre. Puis je l'y posais et il fondait, prenait la consistance de l'huile. Repas de roi.

Maintenant, je les mets dans la cendre, où elles sont encore plus farineuses et souples puisqu'elles ont cuit à l'abri de l'air. Pour pouvoir toujours profiter de la peau, je les entoure de papier alu. Si la pomme de terre est bonne, c'est d'une simplicité succulente.

Mais si on n'a pas de braise, on les met dans l'eau bouillante salée, c'est aussi bon : pas trop d'eau pour qu'en fin de cuisson elle soit tout évaporée et que les pommes de terre aient un peu attaché au fond. Eau bouillante et salée, n'oubliez jamais cela pour la pomme de terre épluchée ou non. Si l'on veut conserver les sels minéraux qu'elle renferme c'est absolument nécessaire : ils se dilueraient dans l'eau froide et pure.

La « robe de chambre » peut s'accompagner d'une mayonnaise, ou de fromage blanc, bien battu avec de la crème, salé, poivré, persillé, aillé bien sûr si cela vous dit.

Pour la purée qui n'est pas aussi simple qu'on le croit, il faut préférer les pommes de terre non épluchées et même, si on veut une purée qui ait du corps et ne soit pas collante, il est conseillé, non seulement de ne pas les faire trop cuire, mais de les mettre dans un four chaud pour en faire évaporer l'eau. Après avoir passé rapidement au tamis, travaillez la purée bouillante au fouet. Mettez alors sel, beurre généreusement, et crème — au lieu de lait.

Ma mère ajoutait deux jaunes d'œufs et le blanc battu en neige. Et elle mettait à gratiner après avoir décoré le dessus de grandes raies avec une fourchette. C'était dans un plat émaillé, ébréché, qui lui servit cinquante ans. Ce plat des délices — elle y faisait le macaroni au gratin — je ne pouvais le voir sans saliver. La purée sortait du four enrobée d'une fine croûte délectable...

Mais à peine énonce-t-on une préparation qu'il vient à l'esprit une préparation « plus » meilleure. Vous n'avez pas le temps ? Coupez-les en gros carrés, couvrez-les, juste, d'eau salée, mettez un bouquet de thym et liez d'un œuf monté. Vous avez des pommes de terre bouillies de reste ? Passez-les à la poêle, dans la graisse d'oie, écrasez-les avec de l'oignon frit et rissolez une grosse galette rustique ; ou bien faites la salade avec une boîte de miettes de thon, un œuf dur, ail, oignon, persil. Cela, c'est le plat irremplaçable des pique-nique.

Vous voulez amuser des enfants ? Râpez-les, essuyez-les du mieux possible et faites frire dans une poêle, en paquet, dans une grande quantité d'huile. Cela s'emmêle comme un nid d'oiseau et craque sous la dent.

Avez-vous du lard ? rien n'est meilleur. Des artichauts jeunes ? rien n'est meilleur : artichauts et pommes de terre sont émincés et cuits vivement en sauteuse fermée.

Sur les petits marchés, j'achète souvent à un producteur ce qu'il appelle de la « grenaille », de toutes petites pommes de terre comme un œuf de pigeon, d'habitude rejetées puisqu'elles ne sont pas au calibre. Je les fais bouillir dans leur peau. Épluchées, on les rôtit sur toutes leurs faces. Ma mère — encore elle ! — les faisait « en nid d'abeilles », mais je vous en parlerai avec l'anchoïade.

Tant qu'il ne fait pas trop chaud, farcissez-les à l'ancienne. Épluchez des pommes de terre moyennes, bien calibrées, creusez leur flanc avec une petite cuillère de façon à faire une cavité. *Gardez les rognures.* Cet espace libéré, farcissez-le avec un farci classique. Faites frire côté farce, dans une poêle, après avoir légèrement fariné. Attention, cela a tendance à se défaire ! Chaque fois qu'une pomme de terre — côté farce — est bien rissolée, posez-la — côté pomme de terre au fond — dans une cocotte. Quand tout le fond est garni de patates bien rangées — vous avez pu y joindre quelques oignons — faites frire, sans couvrir, vivement. Ajoutez alors de l'eau — deux ou trois centimètres — et dans cette eau, par-ci, par-là, vos rognures de tout à l'heure en petits débris. Baissez le feu, couvrez jusqu'à cuisson. Veillez à ce que la sauce ne soit pas trop longue.

Avez-vous un poulet? ou toute autre volaille? eh bien! nous ferons le ragoût d'escoubilles. La tête. Le cou. Les ailerons. Les pattes. Le foie. Le gésier. On dit « escoubilles » parce que ça ne vaut guère mieux que d'être jeté. Pourtant, rien ne donnera meilleur goût à votre ragoût.

Faites frire tous ces bas morceaux de volaille. Les pattes ont été ébouillantées et débarrassées de leurs écailles. Elles feront « bon » par leur côté gélatineux, encore qu'il n'y ait pas grand-chose à manger. Ôtez les morceaux de volaille. Dans le jus faites frire un oignon. Ajoutez une tomate en tranches. Mouillez. Mettez quelques olives vertes dénoyautées, 50 grammes de cèpes secs retrempés dans l'eau chaude, un cœur de céleri, quelques carottes coupées en rondelles. Remettez les abattis. Laissez cuire et n'ajoutez les pommes de terre en carrés qu'au dernier moment. L'art de ce ragoût tient à la sauce : trop claire, c'est de l'aiguette, toute bue c'est du ciment. Le dosage : en fonction de l'âge de la cuisinière, de sa sagesse, de son flair. À surveiller donc.

Ah! mirifique, enthousiasmante pomme de terre, don des dieux bienveillants d'en dessous. Que j'aimerais, quand s'ouvrent deux fois l'an les portes solsticiales qui mènent au royaume des ombres, pénétrer dans la terre épaisse et voir ta naissance, que tu sois énorme ou corni-chonne, que tu sois idéalement rose, jaune ou blanche comme une vierge.

Ténilles, pichilines

C'est une fillette de mon âge qui m'apprit à trouver les ténilles dans le sable du bord de mer. La ténille — ou telline — est un coquillage de la grosseur et de la couleur d'une amande pelée qui malgré son très petit volume est si plein d'une chair délicieuse, blanche elle aussi et ornée d'une languette de corail, que son ramassage long et minutieux vaut vraiment la peine.

C'était, autrefois, au temps de mon enfance, sur une plage déserte, même aux grands moments de juillet et d'août. Cela paraît impossible aujourd'hui. Le coin n'avait pas d'autre nom que celui que nous lui avions donné : « le kilomètre sept », parce qu'on arrêtait la voiture à la borne qui annonçait la plus proche localité à sept kilomètres. Loin d'un côté comme de l'autre, on voyait bien quelques baigneurs, mais ils n'étaient que des silhouettes. On installait le campement pour la journée. Mon père lançait ses lignes et les calait. Je ramassais les ténilles, une à une, dans les bancs de sable. Le coquillage s'enfonce et rien ne signale sa présence, du moins le croyais-je avant de connaître l'astuce. Alors, à quatre pattes dans l'eau peu profonde, je fouillais le sable des doigts et les ramassais à tâtons. Jusqu'au jour où une fillette m'apprit que la ténille laisse dépasser, à fleur de sable, un brin d'herbe brune, minuscule. Pour voir l'herbette de la ténille, il fallait que la mer fût parfaitement immobile et

147

qu'aucune agitation ne vînt troubler le fond. Une mer d'huile. Cela arrivait souvent l'été et, le soir, nous avions un plein seau de récolte, de quoi garnir deux ou trois poêles.

Mais vous pourrez les préparer sans les cueillir, sans crapahuter à quatre pattes, sans non plus tirer avec une bricole le ténillier, ce râteau lourd muni d'un filet qui brise les épaules. Vous en trouverez sur les marchés. Ne dédaignez pas ces coquillages de prix modéré, plus charnus qu'il n'y paraît.

Nous, nous les mettions à dégorger pendant une nuit, mais je pense que ce n'est plus nécessaire.

Deux ou trois grosses pleines mains dans une poêle et à feu vif. Il faut remuer pour que toutes les ténilles puissent s'ouvrir. On voit les coquilles s'écarter comme des ailes et révéler le petit cœur orange. La chair remplit la coquille au contraire de la moule parfois ridiculement petite dans sa valve. Si les ténilles rendent trop de jus, en vider un peu. Ajouter ail, persil, et en dehors du feu, un œuf monté. C'est prêt. Gardez-vous bien de saler. L'œuf monté et son huile adouciront l'excès de sel marin.

Le plat se mange avec les doigts.

Mais la ténille est si charnue qu'il est possible de la sortir de sa coquille et de préparer un risotto avec le jus salé, ou de les ajouter à la sauce de la macaronade.

La pichiline, ou pageline, c'est un petit éventail rose, un peigne de Saint-Jacques en miniature. C'est une des coquilles préférées des enfants, quand ils en ramassent toute une moisson sur les plages, pour orner un pâté de sable ou un château. Tous les tons existent : du rose le plus vif au rose d'aube, au violacé léger. Vivant, le petit coquillage renferme une chair malheureusement toujours sableuse — le sable est retenu dans le feston froncé qui entoure le manteau. Alors, patiemment, sous un mince filet d'eau — prenez garde à ne détruire les goûts par des lavages intempestifs —, lavez le coquillage arraché à son éventail et mettez-le à égoutter. Puis cuisez-le dans l'huile chaude avec ail et persil. Poivrez sans scrupule.

Bien sûr, comme la ténille, la pichiline, ou pèlerine — à cause de saint Jacques — peut être ajoutée à un riz ou à des pâtes.

Ils sont précieux ces petits coquillages dans les sauces de fruits de mer, où chacun apporte son goût. Et puis ils sont jolis. L'éventail garde des années sa couleur intacte. Quant à la coquille de la ténille, roulée et reroulée par la vague, elle s'amincit, devient rose pâle et ressemble alors à quelque pétale de fleur marine. Un enfant que j'aime l'appelait « ongle de sirène ».

Les clovisses, cortège des épinards

Justement réputée pour la qualité de son goût, la palourde ornée de délicats chevrons gris vit dans les étangs côtiers où elle se trahit par deux trous inégaux. Pour la voir, toutefois, il faut avoir l'œil fin, et pour la saisir, des doigts qui ne craignent pas de s'écorcher en fouillant à l'endroit des siphons installés pour respirer — les deux trous : un gros, un petit. Peut-être est-ce pour cela qu'elle est si chère. La clovisse c'est la palourde du pauvre. Même ornement de la coquille, même couleur, goût très proche, mais taille naine. La clovisse est idéale pour la préparation des épinards, chargés de fer, toniques et laxatifs. On la fait ouvrir très rapidement, on la sort de sa coquille et on réserve le jus marin. Il va décanter, et c'est nécessaire parce qu'il est sableux. On l'utilisera pour mouiller un roux bref et l'ensemble sera amolli de crème. Les épinards en branches, bouillis dans l'eau salée, sont mis dans la sauce avec les clovisses. Croûtons et œufs mollets, si on veut. Encore un plat de roi, que l'on doit au jardin verdoyant et au menu fretin de la mer.

Petits pâtés de Béziers

Une querelle ancienne oppose Pézenas à Béziers pour l'origine des « petits pâtés », une pâtisserie sucrée-salée de forme tubulaire, semblable à un haut-de-forme en miniature. Qui, de Béziers ou de Pézenas, copia l'autre ? Moi qui suis biterroise, j'aurais tendance à soupçonner Pézenas, d'autant plus qu'ils nous soufflèrent carrément Molière. Je ne dis pas que Molière ne se faisait pas raser à Pézenas où on expose une fausse chaise de barbier, qu'il ne joua pas à la Grange des Prés, mais s'il fut si fidèle au Languedoc, c'est parce que Béziers possédait une tradition théâtrale réaliste, poétique, baroque. C'est la seule ville d'Europe à avoir conservé vingt-trois comédies jouées dans ses murs au XVIIe siècle. La cité s'y mettait en scène à travers les guerres, la famine, la soif. Il y eut sûrement des centaines de pièces de théâtre. Molière fut un fidèle spectateur. Il venait à Béziers, le jeudi de l'Ascension. Il comprit l'importance de ce théâtre et y puisa. Vous me direz : ça ne prouve rien pour les petits pâtés...

Laissons cela. Il y a autre chose. Un mystère plane sur l'origine de la recette. S'agit-il, venu à Pézenas ou à Béziers, d'un lord anglais qui l'aurait apportée au XVIIIe siècle ? On pourrait le croire à cause de la graisse de mouton qui entre dans la composition de la farce, comme dans le pudding. S'agit-il d'un émir arabe, à

151

cause, encore, du mouton et de l'alliance salé-sucré qu'on aime en Orient ? Mais on l'aime aussi en Angleterre et en Allemagne.

Pour moi, la recette nous vient du Maghreb et elle vint à cette époque où les terres d'oc, indépendantes, tournées vers la Méditerranée, accueillaient avec la poésie d'amour et la musique des luths l'hérésie dualiste, mais aussi les nouveautés de la médecine, de l'architecture et... de la cuisine.

En tout cas, le petit pâté, et c'est ce qui nous importe, arriva un jour et fut adopté à Béziers et Pézenas.

Parlons d'abord du contenant : le chapeau haut de forme qu'il faut fabriquer plusieurs jours à l'avance et conserver au frais.

Pour 28 à 30 pièces, vous ferez la pâte en deux fois. Versez à chaque fois un verre d'eau dans une casserole. Portez à ébullition. Baissez le feu et ajoutez en remuant 250 grammes de farine, 50 grammes de beurre et un peu de sel. Vous obtenez une pâte molle que vous faites cuire cinq minutes tout en remuant pour la dessécher un peu et laissez refroidir.

Étalez-la, point trop fine, vous comprendrez pourquoi. Découpez à l'emporte-pièce des ronds de 4 centimètres de diamètre. À partir de ces ronds et de rectangles de pâte, vous construirez de petites cheminées. Le rectangle, suivant la loi : $2\pi R$, aura en longueur 4 cm x 3,1416. On vous fait grâce des autres décimales. À propos, savez-vous que récemment un ordinateur a calculé π plus loin qu'aucun de ces fanatiques qui y avaient passé leur vie ? On nous racontait à l'école avec considération qu'au palais de la Découverte les fameuses décimales remplissaient en frise toute une salle. J'avoue que j'avais quelque malaise devant ce π qui ne voulait pas finir.

Mais revenons aux pâtés de Béziers. Nous en étions avec 3,1416 à la dimension du rectangle de pâte à découper. Disons avec la grossièreté des praticiens que 13 centimètres ça marche, et 6 centimètres de hauteur. Découpez à l'aide de cette petite roue qui fait de si jolies bordures

— qu'est-ce que j'ai eu envie d'être grande pour m'en servir ! Prévoyez deux ronds par rectangle puisqu'il faudra coiffer la cheminée obtenue. Avec de l'eau comme colle, façonnez un cylindre et toujours avec de l'eau fixez le fond rond. Les cheminées et leurs futurs calots partent, bien rangées, au frigo et y restent quelques jours pour y sécher et durcir.

Le jour de la fête préparez une farce avec 125 grammes de viande de mouton, 125 grammes de graisse, 350 grammes de cassonade, deux jaunes d'œufs, un peu de sel et un zeste de citron. Vous pourrez ajouter des fruits confits hachés. Si vous en mettez 100 grammes, vous ne mettrez plus que 250 grammes de cassonade. Mélangez tout cela. Remplissez vos petites bobines. Posez et soudez le couvercle dans lequel vous percerez trois trous, pas un de plus. Disposez sur une plaque beurrée et dorez au jaune d'œuf. Cela doit cuire trois quarts d'heure à thermostat 4.

Vous élaborerez vous-même votre mélange de farce puis, comme les pâtissiers de Béziers et de Pézenas, vous affirmerez d'un air important : «C'est un secret.» Vous pourrez ajouter : «de famille». Ça fait bien. Vous préciserez que vous avez juré à votre aïeule sur son lit de mort de ne le livrer qu'à la fin de votre vie et que votre famille tient la recette du lord anglais ou de l'émir arabe.

On mange le petit pâté brûlant en apéritif, avec un muscat glacé. Un petit pâté, un verre de muscat. Il fait chaud : on a soif. C'est l'apéritif : on a faim. Il y a des chances que la table vous reçoive — je vous la souhaite dehors et à l'ombre — éméché, c'est-à-dire vacillant et euphorique.

Anchoïade de jeunes légumes

Déjà, vous êtes allé chez ces marchands de salaisons chercher l'estoquefiche. Retournez-y lorsque vous voudrez faire l'anchoïade, vous y reviendrez encore pour la farine de pois chiches, celle de châtaigne, la morue séchée. Se lasse-t-on de l'odeur mêlée des cinq poivres — dont l'un est adorablement rose —, du colombo, du carvi, du cayenne, du safran, du curry, du paprika ? Des bassines d'olives à toutes les préparations du monde sont proposées : niçoises, tailladées, à l'escabèche, au fenouil, à l'oignon, vertes cassées à la menthe et au basilic, noires provençales, spéciales andalouses, cassées des Baux, picholines royales, lucques de l'Hérault, cocktail au poivron ou cocktail Casablanca au cumin, cassées à la crème d'anchois. Et sûrement j'en passe... On en a goûté quelques-unes, comme si on voulait acheter. On a picoré... Finalement on se fait servir des anchois au sel, que le marchand attrape avec la pince de bois et qu'il secoue un peu pour ne pas vous faire payer le gros sel au prix du poisson.

Que vous vouliez faire la sauce à l'anchois, la pizza, des allumettes ou une salade de pommes de terre, il n'y a qu'une marche à suivre : acheter les anchois en baril et les dessaler soi-même. Allongés à l'huile, vous les paieriez beaucoup plus cher et vous n'auriez pas le même résultat : ils sont souvent trop salés. Le point délicat est justement le dessalage convenable des filets. Trop trempés ils perdent toute espèce de corps. Pas assez, ils vous donnent soif tout le jour.

Renversez les anchois tels qu'on vous les a vendus dans un saladier plein d'eau. Sortez-les un par un, et sous un filet d'eau fraîche séparez les deux filets de l'arête centrale. Mettez tout de suite ces filets dans un autre saladier d'eau fraîche. Quand c'est terminé, changez les filets d'eau deux ou trois fois, et laissez-les tremper une dizaine de minutes entre les changements. À la fin goûtez, assurez-vous que la chair du poisson a gardé son goût tout en perdant son sel. Essorez en pressant dans les paumes et coupez en petits morceaux dans une casserole où vous ajoutez quelques gouttes de vinaigre.

Armé d'une cuillère de bois, tournez le mélange sur un feu vif jusqu'à ce que la chair se défasse. C'est très visible et instantané. C'est fini. Ôtez du feu et ajoutez une bonne huile, pas nécessairement d'olive, puisque l'anchois a un goût très prononcé. L'anchoïade est prête.

On la sert avec des bouquets de chou-fleur cru, des carottes crues ou cuites, des cœurs de salade, des radis, des tomates, des pommes de terre bouillies, du concombre et surtout des cœurs de céleri et même des branches vertes à condition qu'elles soient bien tendres.

Juin se prête à l'anchoïade de jeunes légumes facile à digérer, fraîche dans l'été commençant.

Préparez toujours trop de sauce. Le lendemain vous pourrez présenter une grillade de bœuf qui sera nappée d'anchoïade. Ou alors des pommes de terre « en nid d'abeilles ». Ce sont des pommes de terre moyennes, calibrées, qui ont frit dans une cocotte jusqu'à être toutes dorées. Elles se servent avec l'anchoïade. Où est le nid ? le rayon de ruche ? Peut-être dans ces pommes de terre bien alignées, semblables, rissolées à point. Qui est l'abeille, sinon la cuisinière avisée qui cuisine large pour pourvoir à demain ?

Célébration de l'ail

La chose la plus importante de cette pièce à tout faire qu'est la cuisine c'est certainement la tresse d'ail pendue dont on tire une à une les têtes, l'ail dont chaque « grain » est précieux.

Il est exposé, un peu comme une icône. De lui on attend, avant de l'utiliser pour la cuisine, la protection et la santé. On ne le sait plus peut-être mais on l'honore, on le vénère et une maison qui n'a point d'ail pendu est une maison qui a perdu toute religion. La cuisine est en effet le dernier lieu où subsistent — alors même que partout ailleurs ils sont morts — les rites et les catéchismes. Et l'ail en fait partie.

L'ail mêle sans cesse cuisine, médecine et magie. Au XIXᵉ siècle encore les ménagères en mâchaient un grain et le crachaient dans la soupe à l'ail. N'en doutons point : voilà pratiques de sorcières au-dessus de leurs chaudrons. En voulez-vous d'autres ? Les grains d'ail passés à la flamme du feu de Saint-Jean — feu de l'ail, puis feu de la terre, puis feu du soleil — préservaient des maladies. Ceux consommés le 1ᵉʳ mai donnaient vigueur virile. Une tête d'ail portée sur soi protège de... de tout, du mauvais œil, du mauvais sort, des vampires, des serpents et de la folie, dit Pline, des maladies sournoises qui rôdent. On retrouve là les vertus inconsciemment senties de la tresse d'ail pendue dans les maisons.

156

Dans tout le bassin méditerranéen on vénère l'ail, les Égyptiens en firent même une divinité. On lui accorde un tel crédit que le seul fait de prononcer le mot est une conjuration. Lorsque j'étais enfant, quand la maîtresse ordonnait, menaçante : tends les doigts ! et que nous devions les présenter en bouquet, si nous avions pris la précaution de les frotter à l'ail, nous affirmions ne rien sentir. Nous pensions même que la règle de la maîtresse allait se briser. Non seulement nous étions protégées mais défendues. C'était l'époque où les instituteurs avaient le droit de nous taper dessus. Temps révolu : les enfants d'aujourd'hui n'ont plus besoin de recourir aux vertus de l'ail. Ainsi se perdent les religions.

L'ail est essentiellement méditerranéen. Si quelqu'un vous dit qu'il ne l'aime pas, qu'il le « craint », que ça lui « reproche », c'est qu'il a cessé d'être du Sud et qu'il est déjà sur le modèle nordique.

Évidemment, un condiment aussi précieux ne pouvait qu'être ingéré. Il est présent partout dans la cuisine, et d'abord comme remède. L'ail est médecin, disons-nous. « L'alh te purifica, te santifica... » (l'ail te purifie, te sanctifie), « l'aiga bolida sauva la vida », disons-nous encore. Galien l'appelait « la thériaque des paysans ». Vais-je me lancer dans l'énumération de ses propriétés ? Ce serait trop long. Signalons les plus importantes : il est bon pour la digestion en général, les poumons, la circulation. Cardiotonique, stimulant général, vasodilatateur, dissolvant de l'acide urique, donc antigoutteux et antiarthritique, apéritif, vermifuge — on faisait porter aux enfants un chapelet d'aulx autour du cou —, idéal pour la gueule de bois, sous la forme d'« aiga bolida », et pour les soupes maigres du carême. Voilà pour l'usage interne. Quant à l'usage externe, connaissez-vous la moutarde du diable, ail pilé mêlé à la graisse, souveraine contre les tumeurs blanches, les cors, verrues et durillons, les piqûres d'insectes ? Et savez-vous qu'un cataplasme d'ail sur les reins active la venue des règles, qu'on appelle en occitan « flors de sang » ?

Quand je vous aurai dit que l'ail peut remplacer la colle, que dans le fruitier il préserve les fruits de la putréfaction et qu'on peut avec de l'ail percer le verre, je n'aurai fait qu'aborder à peine ses abondantes propriétés.

Restent encore les nombreuses préparations culinaires qui exigent de l'ail. Nous verrons en juillet les escargots à la mode d'Henriette. Mais allons d'abord au plus simple : l'ail cru écrasé dans la salade. L'ail frotté sur un pain rassis, lui-même frotté de tomate et arrosé d'huile d'olive. C'est un goût délicieux, un repas délicieux accompagné de charcuterie. J'allais dire hors-d'œuvre, mais comme après on n'a plus faim... Pour le matin, préparez-vous un déjeuner tonique : la veille au soir écrasez deux gousses d'ail, un peu de persil et quelques gouttes d'huile d'olive et faites-en le lendemain une tartine. Ah ! c'est moins distingué que la confiture « light » sur une biscotte accompagnée d'un thé sucré à l'aspartam ! mais cela réjouit les papilles et partant cela euphorise. Vous craignez que votre haleine sente l'ail ? D'abord, mieux vaut cette odeur que celle des mauvaises digestions, ensuite croquez un grain de genièvre et ne nous ennuyez plus.

En hiver, le soir préparez la soupe à l'œuf. Encore une fois « soupe », ça fait peuple. Potage, bouillon, consommé : voilà des mots à la mode ! Mais nous, qui sommes vieux jeu, aimons la soupe ; au chou, aux navets — délice ! —, aux poireaux, avec un jambon ou un lard légèrement rance — rien que des choses à faire tiquer les raffinés — et même du pain trempé, là, pour faire bien païsanâs. Aimons la soupe à l'œuf que l'on fait avec un litre d'eau, cinq ou six gousses d'ail, un brin de thym, et des pâtes, si décidément vous ne voulez pas de pain trempé. En fin de cuisson, prenez un œuf, séparez le blanc du jaune, jetez le blanc « en pluie » dans la soupe qui bout. Il doit s'éparpiller tel un carrelet, ce filet de pêche jeté à la main et qui se déployait comme une aile. Montez le jaune avec son volume d'huile d'olive et hors du feu délayez lentement pour ne point brousser le tout, dans la soupe brûlante. Et mangez ce repas complet : féculent, jaune et blanc d'œuf, matière grasse.

Avec l'aillet, en juin, préparez une omelette. Le plus délicat est de faire « fondre » l'ail pelé à feu si doux qu'il ne prenne pas couleur. D'ailleurs, il y a une astuce : le faire cuire avec la peau écailleuse dans laquelle il est bien protégé, le sortir comme on presse un tube de dentifrice, et là le mêler à l'œuf battu — et toujours une goutte de lait dans les omelettes.

Présentez la même purée d'ail — cuit d'abord non pelé, la pulpe étant sortie ensuite — avec une saucisse frite et son jus. C'est un vrai régal que l'on peut adoucir d'une blanche purée de pommes de terre.

Et bien sûr l'aïoli. Tout le monde connaît. Le principe est de servir l'ail pilé monté à l'huile — avec ou sans jaune d'œuf — avec toutes sortes de légumes crus et cuits, auxquels on ajoute de la morue pochée ou des escargots. Si vous vous trouvez en Provence, un jour d'été, allez goûter à un de ces aïolis monstres que des villages et même de petites villes organisent sur les places publiques, à l'ombre fraîche des platanes. On peut s'y trouver mille. Il suffit d'apporter son verre et son couvert, on s'assied n'importe où. Comme on est touriste, on n'a pu apporter son vin, on profite du vin des voisins généreusement offert — tout à l'heure pour le bon équilibre des relations on paiera le café et la goutte.

Vive l'ail, sans lequel je ne sais plus cuisiner. Je l'écrase — « le mortier sent l'ail », « lo mortièr sentís l'alhet », dit un proverbe —, je le coupe, je l'enfonce dans les gigots, je le bous, je le frotte sur les croûtons qui accompagnent la frisée, je le hache avec du persil et sans ce mélange vert et blanc, je vous le dis carrément, je refuserai de vous préparer des cèpes.

JUILLET

En se levant, à l'aube de préférence pour éviter les chaleurs terribles du zénith, on cueille et on conserve la cardouille des cromlechs.

En juillet « ni femme, ni chou », dit le proverbe. Il fait bien trop chaud. Alors, pourquoi pas la terrine de jeunes maquereaux dans leur gelée, ou la myrifique « cardouille » ? Beaucoup de choses en « ette » : farcettes, blettes, mélette, pascadettes, escargots à la mode d'Henriette.

Tout le monde ne peut connaître la spectaculaire « alhada » — aillade — du Causse-de-la-Selle, mais tout le mois tout le monde peut manger sur l'herbe, en groupe, plein de choses grillées, une grande poêle d'écrevisses au verjus ou de sépious.

Les écrevisses au verjus

Le plus grand mérite de l'écrevisse c'est de changer de couleur en cuisant, de passer du bronze à l'écarlate, et d'offrir cette transformation comme une plaisante magie. Lorsqu'on l'avait vue, une fois, une seule, pourpre dans le plat de service — avec, prises dans les pinces, de petites rondelles d'oignon translucide et jauni — on ne pouvait plus l'oublier. Et on ne doutait pas que la vraie nature rutilante des écrevisses existait déjà lorsqu'elles s'avançaient vers la rate pourrie dont on avait appâté la balance — au début on croyait que des feuilles grises du fond de l'eau se mouvaient lentement, d'une lenteur d'ailleurs trompeuse, puisque d'un coup de queue elles disparaissaient, par magie encore, comme des météores dans les trous des torrents. Elles étaient grises, comme ces princesses à la beauté enfouie par un sortilège et qui attendent le baiser du prince pour révéler cette beauté. Le révélateur, pour l'écrevisse, est le court-bouillon au gros sel, aromatisé d'ail, d'oignon, d'un bouquet garni, de beaucoup de poivre. À travers la vapeur qui sentait le jardin de curé — à cause du laurier — je guettais le moment où elles passeraient au rouge.

À table, souvent, mon père disait en riant : « Heureusement pour elles qu'elles ne sont pas de cette couleur au fond de l'eau », ou « C'est pour ça qu'elles sont dans des eaux très froides, parce que si c'était " de la pisse " on les cueillerait comme des cerises... » et je le croyais.

L'écrevisse invite pour cela à la plaisanterie. Je me souviens de celui qui en avait pêché pour la première fois et auquel mon père avait bien recommandé : « Au moins que ta femme fasse attention à la cuisson. Il faut les remuer tout le temps dès qu'on les a mises dans l'eau bouillante, pour qu'elles ne deviennent pas rouges. Si elles sont rouges, elles ne valent plus rien. » Et je revois cette femme arriver en courant au bout de la rue, les larmes aux yeux : « Madame Rouanet, elles sont toutes rouges ! Qu'est-ce que je vais prendre... »

Vous n'aurez sûrement pas la joie de les pêcher comme moi dans le ruisseau glacé de Lunet. La pêche n'est ouverte maintenant que quelques jours par an, les écrevisses ont presque déserté les torrents, les trous sous les souches d'arbre, à cause de l'avidité des hommes et des poisons invisibles et mortels répandus dans l'eau.

Mais si vous en trouvez dans un vivier, choisissez-en de petite taille que vous jetterez dans une grande poêle où aura chauffé de l'huile. Une grande poêle de fer, noire dehors et dedans, et pas une poêle « Tergal » comme dit ma cousine. Jetez-les, telles quelles, sans autre préparation, avec du sel et beaucoup de poivre gris. Quand elles seront bien rouges — elles deviennent toujours rouges, même élevées en prison — mêlez-y quelques poignées de raisin vert. Attendez que les grains éclatent. C'est prêt.

Il n'y a pas beaucoup à manger, mais c'est du bon et ça occupe longuement les lèvres et la langue.

Nous, nous gardions une des plus grosses pinces — sans la casser pour récupérer la douce chair blanche — pour que mon père puisse, preuves à l'appui, s'enorgueillir de ses pêches. Le pourpre y demeurait au fil des mois, à peine terni.

Les sardines

Dans les heures qui suivent la pêche, la sardine a une couleur unique d'argent liquide et miroitant, plaqué d'un bleu fragile de gorge de merle bleu. On appelle «sardine d'aube» celle qui est vendue dans la matinée et vient de la traîne du petit jour, par opposition à celle de la traîne du soir.

Tout est séduisant dans la sardine : cette couleur et ce prix toujours très bas, lié au fait qu'elle se déplace par bancs.

Mise en vrac dans des cagettes de bois blanc qu'elle argente de ses écailles, la sardine est un des rares poissons qu'on ne prend pas précautionneusement un à un pour la pesée, mais dont la poissonnière fait glisser le flot brillant, du bout des doigts, dans le plateau de la balance, qu'elle laisse toujours s'enfoncer généreusement.

Tout est ravissant : l'odeur saine du poisson frais, l'odeur tenace du poisson grillé qui reste longtemps aux mains car la sardine se mange toujours avec les doigts, et ce goût net, populaire, capable d'envahir la maison et toute la rue, capable de tenir tête sans faiblir à l'ail, à l'huile d'olive fruitée, à l'oignon violet.

Poissons «bon marché», les sardines pourvoyaient aux tables pauvres de la Saint-Blaise à la Sainte-Catherine, et on peut faire confiance à la tradition de la cuisine économique pour avoir su varier les recettes sans lasser le goût. Crue, grillée, en beignets, froide, brûlante ou tiède, la sardine est presque inépuisable.

Pour les griller, il n'y a rien d'autre à faire qu'à les disposer sur le gril, saupoudrées de sel. Ne pas laver, ne pas vider : la sardine est un poisson propre, nourri de plancton et vêtu d'une cotte serrée d'écailles qui s'ôtera après la cuisson, comme une mue croustillante révélant une chair onctueuse de poisson bleu. S'il en reste — c'est presque obligatoire, la notion d'abondance est liée à la sardine — on les pose dans un plat creux, on les recouvre d'oignon haché et on les arrose d'une vinaigrette aillée. Elles se consomment alors glacées.

Farcie ou en beignet, la sardine est alors un de ces tours de force de la cuisine inventive des pauvres.

Après avoir coupé la tête à partir des ouïes, on fend la chair le long de l'arête centrale qui s'enlève alors facilement. La sardine ouverte a la forme d'un triangle dont le sommet s'orne de la nageoire finale, simplette, offerte comme une main. Il faut se garder de l'enlever. Elle servira à saisir le poisson pour le plonger dans la pâte à beignets, elle servira pour le tenir au moment de manger. On s'émerveille de cette attention de la providence qui prévoit le découpage en tranches du melon, met les saponaires près de l'eau et au bout de la sardine cette queue pour que la cuisinière ne se brûle pas et pour que les convives puissent manger proprement.

Une fois ouverte, la sardine peut se manger crue, arrosée de citron et d'huile d'olive, salée et poivrée. Une heure de macération, pas plus.

On peut aussi la farcir d'une farce maigre où le pain est mouillé d'œuf et de jus de tomate, où l'ail et le persil abondent. On pose sur le triangle de la sardine ouverte cette farce rosée, on range dans un plat rond et on met au four. On admirera encore que la forme triangulaire se prête à l'agencement dans un cercle. Au four, la chair fournira assez de matière grasse pour oindre la farce, garder la chair moelleuse sous le doré. On la mangera chaude ou froide.

Les boulettes de sardine se préparent avec le poisson bouilli dont on défait alors facilement les filets que l'on écrase, que l'on farine et que l'on frit. Les boules se tiennent suffisamment pour être mijotées dans de la sauce tomate.

On fait souvent référence dans le Midi à la sardine. Elle fait partie du langage courant. On est « serré comme des sardines », on est « maigre comme une sardine du baril — une alencade —, on est « muet comme une sardine » ou en rang « comme des sardines ». On leur confie même les prières, à ces modestes médiatrices, car on aime les petits saints peu connus donc peu occupés, Jacquette, Jude, Vidian, Meen ou Natalène. Voici la formule :

Sans pieds, sans mains, sans genoux,
Sardinettes, priez pour nous.

La cardouille des cromlechs

Les Causses sont bleus. Les Causses sont près du ciel. L'horizon y est circulaire, le firmament demi-sphérique, l'air vif, le soleil cruel. Les hommes, depuis la préhistoire, se sont installés dans les gorges qui les sillonnent — car leur horizontalité est trompeuse. Ils ont orné les Causses de rondeurs : les lavagnes, ces yeux d'eau à la face du ciel, les cromlechs dont les menhirs disposés en cercle sont peut-être des pièges à dieux, peut-être des horloges, puisque les ombres portées des pierres dressées tournent avec le soleil.

Sur les Causses on trouve encore aujourd'hui d'antiques sorcières. Celle qui me fit l'honneur de son amitié, déchiffreuse de ruines, exploratrice des profondeurs d'en haut et d'en bas, a l'œil de l'aigle et la main de la fée. C'est elle qui me révéla cette autre rondeur des hautes terres : la carline acaule, que l'on appelle chardon, cardabelle, cardouille, carline à feuilles d'acanthe ou caméléon blanc, et que l'on mange, sèche ou fraîche, en légume ou en confiture.

Magnifiquement décorative, la cardabelle se cloue aux portes, se pend aux fenêtres, et elle est un excellent baromètre : le capitule s'ouvre ou se ferme suivant l'humidité de l'air.

« Le nom de carline vient, dit-on, de Charlemagne à qui un ange montra cette plante comme un bon remède

168

à une maladie qui régnait dans son armée», raconte un vieux dictionnaire *languedocien/françois* du XVIIIᵉ siècle. De quelle maladie souffrait donc cette armée? L'ouvrage ne le dit pas. Il ajoute : « On mange en sauce le cu de la fleur comme celui de l'artichaut et on en fait de bonne confiture. »

La plante est épineuse. Et pas qu'un peu. Aussi je vous conseille de n'aller à la cueillette que protégé de gants à débroussailler. Comme la plante est mûre en juillet, je vous conseille aussi de la cueillir à l'aube. Sur les Causses, le soleil est terrible et l'ombre inexistante. C'est ma sorcière qui m'enseigna cela. Et aussi de l'arracher du sol auquel elle est presque collée parce que sans tige, avec une petite houe.

Tant que vous serez en plein air, toujours muni de vos gants vous dégagerez le fond des feuilles armées de piquants. On peut consommer les cœurs, frais, avec un rôti, ou alors les débiter en lamelles et les faire sécher au soleil comme des cèpes. La conservation — à condition d'avoir réussi le séchage — est aussi bonne que celle du champignon. La cardouille en lamelles blanches peut passer l'année. On la réhydrate au moment de l'utiliser et dans un jus de rôti de veau, je ne vous dis pas quel étonnement vous attend. C'est tout bonnement prodigieux, tendre, avec un goût qui participe du cèpe et du fond d'artichaut, mais comme si tous deux avaient magnifié leurs possibilités, déjà immenses.

La confiture se fait avec les « culs » frais, réduits en petits morceaux et leur poids de sucre, cela est commun à toutes les confitures. Mais comme ce fond n'est pas naturellement sucré, la veille vous mettrez les morceaux au sucre pour mieux les imbiber.

Nulle part vous ne mangerez la carline. Nulle part vous ne pourrez en acheter, ni sèche, ni en confiture. Alors prenez-vous par la main un matin de juillet et hissez votre corps et votre âme sur les hauteurs les plus arides, ou tâchez de gagner l'amitié d'une sorcière

169

encore agile. Mais elles sont ombrageuses. Elles vous arrêteront de leur bâton fourchu et exigeront avec l'hommage le mot de passe, que je ne puis vous révéler.

Après, peut-être goûterez-vous à l'ineffable cardouille des cromlechs.

La spectaculaire aillade du Causse-de-la-Selle ou mangez dehors

L'Hérault, en amont de Saint-Guilhem-le-Désert, coule, vert, entre deux vertigineuses falaises, au flanc desquelles s'ouvrent des grottes. Le petit village du Causse-de-la-Selle est construit sur la hauteur, non loin de l'à-pic. Il y reste quelque deux cents habitants. Le jour de la fête locale qui se situe le dimanche avant le 14 juillet, une tradition surprenante réunit tous ces habitants en un pique-nique géant : l'« aillade ».

Deux jours avant les agapes, la jeunesse du village se met à braconner le poisson blanc de la rivière, sur une portion que depuis la nuit des temps la communauté considère comme sienne. On réserve le poisson vivant dans des comportes, le poisson mort au froid. Le matin de la fête, carrément, tout le village investit les bords de l'eau — on descend par de petits chemins pierreux impraticables autrement qu'à pied. Si quelque touriste est égaré là, on le fait fuir. L'Hérault, sur un kilomètre environ, appartient aux gens du Causse. Et là, au grand jour, la pêche continue et tout est permis. Le filet, la ligne, la main, le masque, les palmes et le trident, la bouteille pour les plus petits. À mesure, le poisson est centralisé à l'endroit du pique-nique, un bord sableux où les peupliers blancs ont semé leur soie. Les femmes trient et commencent à installer les tables, à déballer les provisions. En effet, seuls le pastis et l'aillade seront collectifs.

171

Restent les accompagnements, les desserts et les libations. On jacasse, on pèle des oignons, on taille des tomates et à chaque moment on trie le poisson qui arrive pour l'ajouter à l'énorme bassine pleine, entreposée à l'ombre, recouverte de branches feuillues. Il y a de tout, du poisson le plus fin au poisson le plus ordinaire. Que c'est beau cette variété! Des anguilles, des barbeaux — des ordinaires et des truités —, des brèmes, des cabots, mais aussi des brochets et des truites, des carpes et le merveilleux sandre.

Dans un coin, sur un feu de bois roulé, une grosse marmite de la cantine scolaire, assez vaste pour contenir tout le poisson, est en train de préparer un bouillon à base d'ail, de tomates et de serpolet frais qu'on vient de cueillir sur les pentes et qu'on a jeté à poignées dans l'eau. Le serpolet des poètes à odeur fine de citron.

Bientôt ce sera l'heure de manger. Les pêcheurs se serrent des tables. Il commence à faire une chaleur suffocante au fond de cette gorge où l'eau qui court n'est même pas fraîche tant elle est chauffée depuis des jours par le soleil qui tombe, vertical. L'apéritif coule à flots, glacé, dans les gosiers — anis de contrebande et carthagène. On hume les senteurs du bouillon, où l'on vient de déposer le poisson coupé en tronçons. Ce qui cuit est senti comme un festin et chacun attend avec impatience d'avoir son assiette remplie, tout en se calant avec quelque salade de haricots verts ou de pommes de terre et quelques charcuteries — sauvages parfois, car la garrigue autour du village est riche en sangliers.

Quand le moment est venu, on fait la queue avec son assiette et on vous octroie une large part d'aillade. Chaque famille, chaque groupe a sa manière de pomper la sauce : qui du riz, qui des patates, qui simplement du pain. On mange de tous les doigts, tandis que montent la chaleur et la soif. Tous, ici, sont viticulteurs et au dessert ils échangeront leurs vins sucrés, des boissons contondantes dont les plus inoffensives font 17 degrés.

J'y fus invitée. C'est un œe mes souvenirs les plus vifs de canicule et d'ivresse. Je vous jure que pour se hausser le soir vers le plateau, le long du petit sentier pierreux, c'est dur.

Mais retenez ceci : le plaisir de manger ensemble. Et n'hésitez pas, dès fin juin où les jours sont longs et déjà chauds, à organiser des repas collectifs au bord des eaux : mer ou rivière. Toutefois, je vous conseillerai de choisir le repas du soir. D'abord, parce que vous jouirez seul de la plage, ensuite pour la température. Une certaine fraîcheur ne manque pas de tomber le soir, auprès des ondes, et le repas n'en sera que meilleur. Vous n'aurez pas l'aillade, d'accord. Mais que diriez-vous de belles tranches de thon ? Au contraire de ce que l'on pourrait croire, le gril ne les rend pas sèches mais les conserve onctueuses. Cela sera le plat collectif Avec une grille de légumes que vous allez redécouvrir à la braise : les tomates, les aubergines coupées en deux, salées, les poivrons entiers — des rouges, plus charnus. Laissez bien cuire aubergines et poivrons. À la tomate, qui se mange crue, il suffira d'avoir pris le feu en surface.

Pour le reste du repas, vous pourrez faire comme au Causse-de-la-Selle : des vins mis à rafraîchir dans le courant de la rivière ou la vaguelette du bord de mer, et autant de mets qu'il faudra pour attendre le lever de la lune.

Terrine de vairadèls

On appelle « vairadèl » le jeune maquereau, aussi vert et bleu que son père. Comme pour la sardine, la splendeur du coloris dit assez son état de fraîcheur.

Choisir et trier des « vairadèls » — ils ont une douzaine de centimètres. Leur garder la tête. Faire cuire, assez longuement, un court-bouillon corsé au picpoul, riche en oignons émincés et rondelles de carottes. Ajoutez quelques fines lamelles de citron et laissez-le bien réduire. Puis pochez-y quelques minutes seulement les maquereaux.

Versez le tout dans une terrine. Le bouillon doit tout juste recouvrir les poissons. Laissez-y girofle et laurier.

Au froid, cette terrine va prendre en gelée.

En juillet, on aime les plats frais. Avec les tricots nous avons laissé de côté les sauces lourdes, les mets mijotés. Sous la langue il nous vient d'acides désirs de vinaigrette. Profitons-en, nous retrouverons assez vite la cuisine du froid. Songez qu'il n'y a jamais plus de deux mois de grosses chaleurs. Les treilles où bourdonnent les abeilles, les tables dressées sous les arbres, la lumière de feu du jour, à la lisière de l'ombre, la rue où fond le goudron, là, derrière la véranda, invitent au basilic, à l'estragon, au persil cru.

La mélette

Argentée la sardine, certes. Mais un petit poisson, plus mince qu'un doigt de bébé, est encore plus argenté qu'elle, vraiment vif-argent et sans reflets bleutés. On l'appelle d'ailleurs l'argentin. C'est la mélette, ou esprot, ou blanquette, ou harenguet, vendue à poignées. Plus fragile qu'aucun autre poisson, elle va rarement au-delà de trente-six heures après la pêche. Ensuite elle mollit et pâlit. Il ne reste plus au commerçant qu'à trouver un ignorant.

Mais quand elle brille de toute sa fraîcheur, quel argent de bijou elle laisse aux doigts qui l'ont maniée ! Quelle odeur divine elle répand ! Elle n'est pas chère et d'ailleurs elle « fait du chemin », comme le haricot vert très fin. On n'en a qu'une livre, on croit en avoir un kilo.

Inutile de trier, c'est tout entier que ce jeune poisson bleu sera mis dans la friture. Pour fariner un poisson voici un truc. Dans un sac en plastique ou en papier, mettez vos poissons et de la farine, avec modération. Tenez le sac clos et secouez. La peau humide du poisson ne prend que la farine nécessaire, l'autre reste au fond du sac. Jetez par poignées dans l'huile chaude. C'est cuit en un clin d'œil. On ramasse à l'écumoire et on sale dans le plat de service. C'est à manger dans l'instant, tandis que dore une autre poêlée.

Autrefois, quand on avait aidé à tirer la traîne, les pêcheurs de la côte donnaient de la mélette. Il leur arrivait même de ne pas prendre la peine de la ramasser sur le bord où elle frétillait et s'ensablait, disparue à peine sortie de l'eau.

Après les tempêtes d'équinoxe, les vagues jettent quelquefois des mélettes sur le bord. On voit ces éclairs qui brillent et bougent encore. Il est possible, alors, d'en ramasser assez pour s'en régaler. Mais lavons-les bien à l'eau de mer pour les débarrasser de leur sable.

Une friture de mélette : je ne saurais rien vous conseiller de meilleur pour un de ces apéritifs dînatoires plus solides qu'un vrai repas.

Le plein de tomates

Sans même un grain de sel, la tomate un peu verte, mangée « à la main » ouvre fraîchement ces repas des jours de canicule. Mais coupée en rondelles, en salade, aromatisée de menthe fraîche, c'est bien aussi. « À la menthe, l'amour augmente », dit le populaire. La menthe est si excitante qu'un simple sirop à l'eau peut donner des insomnies.

La tomate a dans le cœur une croix perlée, semblable à celle des comtes de Toulouse. Pourtant, à la grande époque des Raymond, elle n'était pas encore venue des Andes, ni baptisée tomate en francisant le mot mexicain « tomatto ». On la connut d'abord sous le nom de pomme d'or et de pomme d'amour, que lui gardèrent les Provençaux. Les peuples du Midi l'adoptèrent d'emblée, mais ceux du Nord la considérèrent jusqu'à la Révolution comme un poison. Seulement, quand les Marseillais « montèrent » à Paris et qu'ils réclamèrent « des tomates ! des tomates ! » avec vigueur, on finit par s'en procurer. Il fallut toutefois longtemps encore avant qu'au nord de la Loire on consentît à les manger crues, en salade, « à l'italienne » disait-on.

Ce goût aigrelet qui fait son charme, sa chair juteuse, en font un fruit apéritif et rafraîchissant. Elle est bonne aux gens bilieux, irrités et constipés. Et elle peut servir de matière première aux bricoleurs économes, puisque avec les rameaux et les feuilles on peut teinter les parquets et les pavés poreux.

Ce que nous appelons « tomate farcie », avec la farce classique à la saucisse — dans laquelle je vous conseille toutefois de mettre beaucoup de pain et peu de viande — et que nous aimons, bien dorée et confite au four, n'est pas ce que les vieux livres de cuisine désignent sous ce nom. Pour faire l'ancienne tomate farcie, il faut fendre la peau de tomates bien mûres et les vider de leur chair. Ce qui a été récupéré est cuisiné avec oignon, ail, persil, très petits lardons, réduit et épaissi de mie de pain, de beurre et d'un ou deux jaunes d'œufs. Avec cette délicieuse farce, on remplit les peaux de façon à « tromper l'œil » et à leur redonner leur rondeur. Puis on cuit vivement dessous et dessus. Tu parles d'un boulot !

En juillet où la tomate abonde, on la consomme cuite ou crue, froide ou chaude. À la provençale, on met à confire des demi-tomates dans une poêle. Au dernier moment, quand le jus qu'elles ont rendu a diminué, on pose sur les moitiés ail, persil et pain rassis, émietté de la paume de la main. Cela absorbe le jus restant, colle un peu au fond de la poêle et peut s'accompagner d'œufs.

Comme arrive en même temps sur le marché l'oignon rebondi, le bel oignon vêtu de soie comme un prince, préparons donc un « touril », soupe à base seulement d'oignons frits et de tomates rissolées mouillés d'eau juste de quoi les baigner, et épaissie si l'on veut d'une poignée de vermicelles ou de croûtons. Toutefois cela n'est point nécessaire si on a été généreux en légumes... C'est une soupe d'été où j'ajoute parfois quelques rognures de poulet grattées contre la carcasse et hachées.

Le tourisme nous a fait découvrir le « gaspacho », si simple à faire, avec des tomates passées, de la crème, de petits dés de concombre, du persil, de l'ail, de l'huile d'olive et un assaisonnement solide de sel et de poivre. C'est fou ce que la tomate, si goûteuse sans sel, demande de sel une fois qu'on a commencé à la saler — est-ce que je me fais bien comprendre ?

Un dernier mot sur elle : si vous avez un jardin, amusez-vous à greffer un pied de tomate sur un plant de pomme de terre. Vous aurez la surprise d'une double récolte : sous terre, les tubercules ; en l'air, la pomme d'amour.

Pascadettes et farcettes

Si je mets farcettes avec pascadettes c'est uniquement à cause de la rime et parce que ces deux préparations constituent des plats rapides à grignoter en avant-repas, à servir pour des apéritifs originaux où l'on consommera des vins rouges ou blancs et qui seront si copieux qu'on n'aura plus faim.

C'est sept heures. Il a fait si chaud! Vous débouchez le vin frais. Et puis vous poêlez quelques pascadettes, de petites crêpes rondes, épaisses, aillées et persillées que vous coupez en quatre et servez tièdes. Comme ça, au coup d'œil, de la farine, des œufs, de l'eau et du lait, sans même laisser reposer, avec l'ail écrasé et le persil coupé au couteau, un bon poivre. C'est fait en un tournemain — la cuisinière a pris soin de mettre ses invités dans la cuisine pour être à la fois dans la conversation et à la queue de la poêle.

D'être là, au milieu des réflexions enthousiastes de vos convives — voués, vous le savez, à la cacahuète salée et aux Chipsters —, soulevée d'ardeur, vous tournez rapidement une pâte à beignets et y trempez une rondelle de tomate, une semelle d'aubergine, de l'oignon, de la viande en fines, fines tranches. L'admiration autour de vous ne connaît plus de bornes et pour achever ce qui, décidément, est devenu un repas, vous prenez cette frisée au fond de votre réfrigérateur, trop verte, et vous blanchissez rapidement les feuilles que vous prenez ensuite par petits paquets. Au centre vous avez mis un bout de saucisse fraîche gros comme une noisette, vous passez dans l'œuf battu. Et dans l'huile. Ce sont les farcettes. Et comme dessert, des tranches de pommes, de poires, trempées dans la pâte à beignets — vous n'en aviez plus ? faites-en d'autre — cuites et saupoudrées de sucre fin.

Croyez-moi, c'est une soirée réussie. La cuisine ouverte sur le soir d'été, un peu fumeuse de friture, devient ce lieu d'où on réorganise le monde. L'esprit s'élance hors du corps rassasié vers le firmament pur où brillent les astres.

Les escargots d'Henriette à la mode de Pinet

Henriette de Pinet était menue comme un merle et avait l'œil d'un bleu de porcelaine bleue, étonnant dans son visage brun aux cheveux tirés en un petit chignon maigre et strict, étonnant dans tout ce noir dont elle était vêtue. Devenue Clément par son mariage, elle travaillait à la vigne, nourrissait volailles, lapins et porcs, cultivait un jardin dont elle était fière. Vaillante, infatigable, du ramassage des bûches au plus froid de l'hiver à la vendange sous le cagnard de septembre qui, ici, sait être cruel, Henriette ajoutait à tous ces mérites celui d'être une fine cuisinière. Elle connaissait l'art du perdreau — rôti ou à l'étouffée suivant la dureté d'une certaine articulation —, de la caille, mais aussi, grâce à la proximité de la mer, celui, si difficile dans sa simplicité, de la cuisson exacte du poisson.

Comme tous les villageois des pays de vigne, elle n'allait pas au travail sans un sac pendu à sa ceinture où elle glissait les escargots endormis de sécheresse, collés au cep, leur ouverture operculée de bave séchée, ou bien ceux qui pointaient les cornes à la moindre averse et que l'on cueillait sur les herbes des talus.

Oh ! les hommes ne manquaient pas de rire de cette chasse, d'ironiser sur ce gibier qui ne pouvait fuir en courant, mais les femmes souriaient dans leur moustache et continuaient à enfourner les escargots dans le sac de toile ou, les jours de pluie, dans le panier à salade. Elles savaient quels festins réservent les « petits-gris » des vignes, bien préparés. Elles savaient aussi que l'humanité, depuis des temps anciens, doit plus au ramassage sans gloire de l'escargot qu'au gros gibier. Il valait mieux compter sur la cueillette et les petites proies immobiles que sur l'improbable rôti de bison. Henriette et ses compagnes laissaient aux hommes la place publique, l'imprécation, le sanglier, « la » lièvre, et traquaient imperturbablement l'escargot.

La recette d'Henriette, vous vous en lécherez les doigts. D'abord elle avait trouvé, la coquine, que le jeûne au thym, s'il parfumait le mollusque et le débarrassait de toute amertume, avait l'inconvénient de le faire maigrir. Parfumé, certes, mais maigrounel. Alors, outre le thym, elle donnait à ses escargots des poignées de farine et des croûtons. S'il faisait trop sec, elle les arrosait pour leur faire croire à la pluie et les inciter à manger. Au bout de quelques semaines ils étaient gras comme des oies et exquis jusqu'au bout de leur artistique enroulement. Car vous le savez, j'espère, la fin de la spirale brune qui se loge au fond de la coquille, ce ne sont pas du tout les excréments mais le foie. Si vous ne le mangez pas vous perdez le morceau le plus fin. Encore un « sot-l'y-laisse ». Vous doutez ? Prenez un livre de zoologie et, de grâce, ne jetez plus l'extrémité du petit-gris, ni celle du bourgogne, ni celle des escargots marins.

Le jour où vous décidez de faire le « cagarolat », allez à votre cage et comptez. C'est l'usage de compter les escargots. Tant par convive. Un compte rond, toujours. Cinquante pour un mangeur moyen. Cent pour un amateur vrai. « Il mange un cent d'escargots », précisait-on en désignant certaines personnalités villageoises d'autrefois. Un de ces vignerons au gros estomac, au teint fleuri, dont on parlait avec considération parce qu'il descendait à jeun l'eau-de-vie dans un verre à moutarde, aux repas ordinaires le litre de rouge... aux repas de fête n'avait « ni mettes ni bournes, car s'arrêtait de manger quand le ventre lui tirait et de boire quand le liège de ses pantoufles enflait en hauteur d'un demi-pied[1] ». Peut-être mouraient-ils plus jeunes que nous, en tout cas mieux. «Qu'y a-t-il aujourd'hui pour midi?» demanda l'oncle Joseph à sa femme en s'éveillant. L'honnêteté m'oblige à avouer que j'ignore ce qu'elle a répondu. Mais la chronique familiale m'assure que sa dernière parole fut pour s'enquérir du menu. Il mourut dans l'instant d'un arrêt cardiaque. On disait de lui que c'était « un bon vivant », cela signifiait qu'il buvait sec et que le derrière de la lièvre ou un cent d'escargots ne lui faisaient pas peur.

Lorsque vous aurez compté les escargots dans une grande bassine, saupoudrez-les de gros sel et de vinaigre pour les réveiller et les faire baver. L'opération est fascinante. Les escargots se mettent à bouger et bavent avec une telle énergie qu'il faut bien cinq rinçages pour les débarrasser de leur bave.

Comme Henriette on les met dans le court-bouillon froid, bien poivré, orné d'un oignon piqué, d'un gros bouquet de thym en fleur tenu d'un fil, de quatre ou cinq têtes d'ail, entières. Ils cuisent deux heures. Les escargots restent dans le bouillon, ils seront réchauffés et égouttés au moment d'être servis avec la sauce fraîche.

Lorsque les gousses ayant bouilli sont froides on exprime la pulpe d'ail, on mêle deux jaunes d'œufs crus et on monte le tout à l'huile. On obtient ainsi une sorte de mayonnaise liquide, verdelette, légère.

Lorsque c'était la saison, la préparation différait un peu, la pulpe d'ail était mêlée à une vingtaine de noix concassées et les escargots égouttés, mis à cuire, rapide-ment, avec cette sauce, dans une cocotte.

Un plat d'escargots c'est une, deux fois peut-être, dans l'année. Ce retour très espacé faisait des escargots d'Henriette un plat exceptionnel dont on parlait à l'avance et longtemps après.

1. Rabelais, *Gargantua*.

Il est possible de passer les escargots dans une sauce où l'on écrase des amandes, où l'on pile des anchois et de l'ail.

On peut aussi préparer une sauce tomate courte avec de l'oignon, du lard, du chorizo et du jambon de pays coupés menu et deux œufs durs. Cette recette est dite « à l'espagnole ».

Pour sortir les escargots de leur coquille on a cueilli, dans les haies des parcs et des domaines, les longues épines du févier d'Amérique qui vont mieux que les fourchettes. Et en souvenir d'Henriette, buvons, au repas, avec les escargots, du picpoul bien frais de Pinet.

Une sieste sera nécessaire. Quand vous en émergerez, un peu lourd, faites « saussole » : trempez un gâteau sec dans un vin sucré rouge ou rosé. C'est ainsi qu'adultes et enfants « faisaient quatre heures » dans les villages du Languedoc, sous les micocouliers aérés, après avoir sombré dans le sommeil sans rêve des âmes innocentes.

Le « cagarolat » est un des plats que les hommes mangeaient volontiers dans ces réunions où seuls, loin du regard des femmes, ils pouvaient agir à leur guise. C'était au « maset », à la « baraquette », dans un « grangeot » de vigne pour un repas de chasseurs. En tout cas, loin de la ville ou du village. Eux-mêmes cuisinaient, de manière rudimentaire le plus souvent, avec des ustensiles eux-mêmes rudimentaires. La cuisson au gril, à la broche étaient privilégiées. Les escargots, posés sur un grillage à petits trous — c'était idéal pour les maintenir en place —, étaient arrosés de lard enflammé. Comme les hommes n'avaient pas pris la peine de les faire baver, ils bavaient abondamment sous l'effet de la chaleur et du sel, un mucus vert qui dégoulinait sur leurs coquilles. Ils émettaient même une sorte de sifflement. Mon père disait : « Ils pleurent. » Attention ! ne soyez pas dégoûté, c'est tout à fait délicieux. Un peu rustique, mais succulent.

L'escargot a un défaut, il est flatulent. Vers le soir, quand on parlait autour de la table, les premiers pets commençaient à sortir, sous les rires des convives. Alors, un des dîneurs se renversait sur sa chaise, et avec son briquet, mettait le feu, entre ses jambes écartées, à cet air des matières organiques qui s'enflammait comme un feu follet. N'est-ce pas un bon truc pour transformer un inconvénient en talent de société ?

AOÛT

Ne manquez pas, après avoir assisté à une corrida, de goûter la grillade de taureau. Imperceptiblement, vous allez sentir avec quelque nostalgie le raccourcissement des jours. Mais août a quelques nuits d'une tiédeur de four.

Vous aurez ce soir-là mangé au bord d'une rivière et peut-être pêché une petite friture de poissons, ou investi la plage, après le départ des baigneurs, pour déguster une grille de sardines avec du pain frais — qui est tiède — et du vin frais — qui est glacé. C'est un repas inoubliable, surtout si on y ajoute du raisin muscat ou chasselas, accompagné d'une tartine arrosée d'huile et saupoudrée de sel.

Après les premiers orages d'août, on sait que l'été a basculé, même s'il nous réserve de brûlantes surprises. On apprécie la soupe de poisson, les premiers haricots à écosser, les jeunes pigeons. Dans les jardins, l'aubergine, ou «vit de l'âne», déploie ses fastes épiscopaux. Tout cela console de la fin de l'été.

Le vit de l'âne

Au potager, l'aubergine fleurit en une délicate fleur étoilée, bleu vif. En juin-juillet, il en sort un long fruit démesuré. La manière dont l'aubergine, satinée et gonflée, pend entre les feuilles, sa couleur violette, la font ressembler au sexe déployé d'un âne entier. C'est ce qui lui valut son nom occitan de «viet d'ase»: vit ou sexe d'âne. La ressemblance s'arrête là, dans cet aspect triomphant de bonne santé.

Qu'elle soit d'un mauve épiscopal, étincelant, qu'elle soit noire, c'est-à-dire violet très foncé, qu'elle soit d'un parme doux, plus près du rose que du bleu, ou bien blanche, l'aubergine a un goût si prononcé qu'on peut la faire passer pour du cèpe. Il n'y a pas loin, vraiment, de la queue du champignon à la chair de l'aubergine. Des malins s'y sont trompés.

Le mot vient du catalan «alberginia», issu de l'arabe «al badinjan», lui-même emprunté au persan. L'étymologie, on le voit, contient avec le cheminement du légume l'histoire de l'expansion arabe dans le bassin méditerranéen. Les Arabes partirent et l'aubergine resta partout où il fait assez chaud pour elle.

La règle générale, pour profiter de cette chair parfumée, est de la faire dégorger au sel quelques heures, puis de l'éponger avant de la cuisiner. Ainsi apprêtée, elle ne consommera pas beaucoup d'huile, sinon, elle en absorbe autant qu'une éponge.

Les seules préparations qui se passent de cette mise au sel sont les beignets — il suffit de tremper les tranches fines que l'on vient juste de couper dans cette pâte à frire légère, à peine déposée en mince pellicule, et de les mettre dans l'huile très chaude — les beignets donc et l'aubergine au four, cuite dans sa peau. Quand elle est bien ramollie, on retire la chair avec une cuillère et on l'écrase avec de l'ail et de l'huile d'olive crue. On obtient une pâte à étendre, froide ou chaude, sur du pain grillé. Entrée diététique s'il en est, qui ne signifie pas pour autant indigence. L'aubergine s'y défend toute seule et on peut apprécier son goût naturel gardé intact par la cuisson à l'étuvée. À la limite, si on le désirait, il serait possible de n'ajouter au légume qu'un assaisonnement sel-poivre-thym émietté.

Toutes les autres préparations nécessitent ce passage dans le sel — encore un de ces repos actifs de la cuisine pendant lequel le sel attire hors du légume une grande part de l'eau qu'il contient.

On pèle ou non. Comme on veut. Le cuir de l'aubergine garde sa belle couleur, le conserver est un ornement. Mais il faut alors la savonner. Ce nettoyage est considérablement érotique.

Qu'on l'épluche ou non, avant de répandre le sel, on débite l'aubergine en carrés, rondelles, ou semelles.

En carrés, elle est destinée à la « chichoumeye » ou « chichoumet ». Une fois qu'elle a bien pris couleur dans une cocotte, on l'enlève, on fait frire dans la même huile un gros oignon, non plus un oignon doux mais un oignon vigoureux, on ajoute des tomates concassées très mûres, puis les aubergines déjà rissolées, une pincée de thym, de l'ail coupé et on laisse mijoter à petit feu jusqu'à ce qu'il n'y ait plus d'eau et que le mélange ait la consistance d'une purée. Laquelle se mange froide, avec du jambon de pays en tranches fines, ou chaude avec des œufs frits.

Tâchez d'avoir un reste de chichoumeye — une tasse — dont vous garnirez une omelette.

Certains aiment ajouter un poivron à leur purée d'aubergines et de tomates. Je me méfie de son goût envahissant. Je préfère, et de loin, le cuire au four, enlever la mince peau qui le plastifie, le découper en lanières et le couvrir d'huile d'olive aillée. La préparation est assez minutieuse, car il faut ôter toutes les graines et enlever la peau parfois par morceaux minuscules, mais le résultat est à la hauteur. C'est en Catalogne que j'ai découvert le poivron rouge grillé servi comme je viens de vous le raconter. Je m'en régalai jusqu'à ce que je découvre dans l'arrière-cuisine une aïeule toute noire, attachée au nettoyage. Attachée véritablement, rivée à sa chaise dans l'arrière-cuisine. Chaque fois que je passais, je la trouvais penchée sur les fruits rouges, comme condamnée à un travail interminable par quelque maléfice. J'avoue que cela m'avait un peu ôté l'envie de manger en hors-d'œuvre le poivron confit.

Mais ce qui est esclavage lorsqu'il s'agit de cuisiner pour une clientèle, est simple petit effort en famille...

Les aubergines coupées en longues tranches ou en rondelles le plus minces possible, frites une à une, sont accommodées d'une sauce blanche légère — une cuillerée de farine, de la crème fraîche, de l'eau, une idée d'ail. Ou bien plongées dans une sauce tomate. Elles sont dites alors «en semelles». Ou encore couvertes d'un hachis de jambon cru, d'ail, de persil et de chapelure. Cette préparation serait trop salée si on ne rinçait et n'épongeait les légumes après leur passage dans le sel.

En sauce blanche ou rouge, mettons-les à gratiner. Pour éviter que le gratin n'attache, beurrez le plat, puis faites circuler une cuillerée de chapelure sur le fond et les côtés ; on crée ainsi une pellicule antiadhésive.

Mais c'est farcie, je crois, que j'aime le plus l'aubergine. Août offre des soirs longs et déjà frais. À partir du 15, des orages éclatent et on mesure tout d'un coup le raccourcissement des jours. Jusque-là on ne l'avait pas touché du doigt.

Poêlez des moitiés d'aubergines mises au sel, au centre desquelles on a peu creusé. On aura pris soin de réserver cette chair. Du veau haché et les cœurs d'aubergines émiettés sont rapidement passés à la poêle. On y mêle des champignons de Paris, moulinés et roussis. Le tout est saupoudré d'une cuillerée de farine et arrosé de lait. La farce est complétée par un jaune d'œuf, de l'ail et du persil. On en garnit les aubergines que l'on dispose dans un plat arrosé d'huile, en les serrant au maximum car elles vont considérablement réduire. On enfourne. La cuisson est idéale lorsque la farce est toute dorée et l'aubergine caramélisée, sans, bien sûr, être brûlée.

Je voudrais profiter de l'occasion pour réhabiliter le champignon de Paris. Venu sur couche, il est aussi bon que le rosé des prés, à condition de le choisir bien ferme, cueilli de frais. On en trouve de toutes tailles, des petits presque sphériques, pas encore ouverts, jusqu'aux gros au large chapeau. C'est en conserve qu'il est très inférieur au champignon sauvage, mais acheté comme un légume, il peut remplacer l'improbable agaric champêtre.

N'hésitez pas à l'utiliser, à condition de bien nettoyer son pied sableux. Il se marie magnifiquement à toute viande et à l'aubergine qui pend entre ses larges feuilles cotonneuses, sertie comme un bijou par des sépales soudés et griffus.

La grillade de taureau de combat, libations et feu rituel

Songez avant tout que le taureau de combat vit quatre ou cinq ans dans d'immenses pâturages, beau et libre comme au jour de la création ; songez qu'il reste vierge et qu'il meurt glorieusement, en quelques minutes. Admettez donc que, pour sa vie comme pour sa mort, il est bien mieux partagé que beaucoup d'êtres humains et que la plupart des bêtes destinées à notre nourriture : poules ébecquées, cochons en stalags, veaux dans leur cercueil de bois. Que vaut-il mieux : l'arène, l'abattoir ou l'hôpital, un tuyau dans chacun de vos trous ? Arrêtez donc de vous scandaliser de la corrida et portez votre indignation sur les élevages de poules.

Vous voilà presque prêt à manger le taureau mariné, l'âme sereine. Parachevez votre paix intérieure en allant un jour à la corrida, même sans rien y connaître. Pour la lumière de six heures du soir, les ombres longues, les cris et les couleurs de la foule, la bête superbe foudroyée par ce petit coléoptère tout doré qui ne marche pas mais danse ; le matador.

Dès le lendemain d'une corrida, plusieurs boucheries de la ville annoncent : Vente de taureau. L'affichette est toujours faite à la main car c'est trop original pour figurer sur les grands tableaux imprimés. Le boucher écrit sur une ardoise ou un grand papier blanc :

*« Vente de toro
ou de taureau. »*

et il ajoute toujours une précision. «Véritable toro de corrida» (véritable est souligné), «Toro de combat tué à la corrida du 12». Il précise pour les amateurs : «toro, Victorino Martin ou Miura» et quand il taillera votre morceau il vous rappellera comme la «faena» était belle.

S'il est un peu poète il écrira :

Toro, tendre comme de la rosée.

Ne lésinez pas, achetez-en une belle tranche épaisse. Faites-la mariner un moment — elle ne doit pas tremper, vous la retournerez souvent — dans trois verres d'un bon saint-chinian aromatisé d'un gros oignon doux de Lézignan, de laurier, thym et poivre.

Ne salez pas. Vous salerez seulement dans le plat de service quand le taureau aura cuit vivement — grillée la surface, rouge le cœur — sur une forte braise de sarments de vigne.

Autrefois, dans la Grèce antique, avant de sacrifier le bœuf — il était obligatoire de le tuer avec une lame — on versait du vin sur son front. Et lorsqu'on avait brûlé pour Zeus la graisse fine et quelques pièces de choix, les fidèles mangeaient le reste.

Tout est donc réuni : la lame, le vin, le feu, pour que cette viande exceptionnelle servie sur votre table soit une consommation rituelle.

La part du Dieu est restée dans l'arène : du sang et quelque oreille, à la tranche nacrée, que le matador brandit au-dessus d'un blanc sourire triomphant, dans son visage mat de Méditerranéen, tandis que pleuvent les chapeaux, les souliers et les fleurs jetés par les femmes.

Fritures au bord de l'eau

On ne s'installe au bord de la rivière que lorsque l'ombre a envahi la vallée. Le soir est rose, le silence si parfait qu'on entend les hirondelles en chasse frôler l'eau de leur bec.

Les enfants pêchent. Quand on lève les yeux, on les voit immobiles, reflétés par la surface. Des ronds en expansion partent de leurs chevilles pour se perdre dans les contours de la rivière. Les bouchons rouges dérivent imperceptiblement. Les cannes sont des roseaux fins, et les hameçons de 20 de minuscules crochets presque invisibles. Les petits poissons ferrés sont posés sur des poignées d'herbes, dans un panier qui sent la mousse et le pré.

Que pêchent-ils ? Le vairon d'abord, premier poisson que l'on prend lorsqu'on commence à pêcher. Quelque loche barbue. De petits goujons, des cabots. Un barbeau enfant. Des poissons d'une dizaine de centimètres. Tous succulents en friture.

J'ai emporté une poêle, de l'huile, les assaisonnements et un récipient pour tourner vivement une pâte à frire simplifiée, à base seulement de farine, d'un œuf et d'eau. Cela pour faire un plat plus copieux : la pêche n'est pas toujours assurée. Je me souviens que quand je battais la pâte à Laroque, le bruit de la fourchette dans la paix du soir résonnait si fort qu'on me faisait signe de loin d'arrêter pour ne pas effrayer le poisson.

Avec les galets de rivière, je construisais un cercle assez étroit pour y poser ma poêle. J'en garnissais l'intérieur de bois menu trouvé au bord de l'eau. Tout était d'une douceur exquise : le bonheur et la faim qu'augmentait la fraîcheur du soir. Puis je coupais dans le pain de larges tranches qui serviraient d'assiettes.

Le soir gagnait la vallée et j'appelais les hommes. Tout le monde arrivait avec les paniers odorants. Pour trier de si petits poissons, il suffit d'appuyer sur leur ventre pour faire sortir les entrailles.

Je les trempais dans la pâte et les mettais dans l'huile, où ils doublaient de volume. Le pain les recevait, brûlants. Ils y laissaient leur graisse.

Et le ciel noircissait.

Pour compléter une pêche médiocre on prend un rond de saucisse en réserve. Mais si on a choisi un beau soir immobile, il est bien rare que l'on soit bredouille.

L'été peut vous mener au bord de la rivière, mais aussi bien à la mer. Vous trouverez chez les poissonniers de la friture — jol ou blennie — ou des seiches pas plus grosses que le pouce, ou encore des encornets comme le petit doigt. Ils auront été nettoyés à l'avance et là, comme la quantité est suffisante, on se contente de fariner avant de faire cuire, sans tremper dans la pâte à beignets.

Près des embouchures, mon père pêchait l'ablette, un peu plus grosse que le vairon, et des plies — ou flets — si petites qu'il les appelait des médailles. Mais ces fritures ne valaient pas celle, unique, de cuisses de grenouilles.

Comme je trouve jolies les grenouilles ! leurs beaux yeux en cercles d'or, leurs narines minuscules, les petites mains qu'elles posent gentiment, ouvertes, bien à plat, et leurs longues jambes qui travaillent en souplesse pour faire filer le corps à travers l'eau.

Aurais-je aujourd'hui le courage de les assommer contre une pierre comme je le faisais avec ma mère et ma sœur, de les partager en deux au bas du dos, de déchausser leurs pattes arrière de la peau caoutchou-

teuse qui protège la chair la plus fine du monde ? Peut-
être que non ; il n'y en a plus autant qu'autrefois.

Mais ces soirs où ma mère avait fait suivre la grande
poêle, la bouteille d'huile et dans un sachet l'ail et le persil, tandis que nous mâchonnions les os cartilagineux, il
montait autour de nous un tel concert épais de chants de
grenouilles que dans le crépuscule d'été, nous étions
sans remords comme au paradis terrestre.

Jeunes pigeons encore en duvet

Dès que le pigeon vole, il va se nourrir de n'importe quoi et faire du muscle. Donc maigrir et durcir.

Celui qui est encore au nid — à la limite de ce moment où il déploiera ses ailes — est plus gros que ses parents. Il est gras, il a employé toute son énergie à picorer le grain qu'on ne lui mesure pas. Entre les plumes dépassent encore des brins de duvet. C'est le moment idéal pour le manger.

La viande du pigeon doit garder son sang, il faut donc qu'il meure étouffé. Ce qui se fait d'une seule main, en serrant sous les ailes de part et d'autre du bréchet. Raymonde, à qui je les achète, en prend un dans chaque main et par discrétion, tout en continuant à me parler, les cache derrière son dos. C'est bientôt fait. Elle me les tend : leur cou est incliné et leur œil voilé.

À moi de plumer et vider. Je ne le regrette jamais. Quel étonnement cette graisse visible sous la peau, étoffant un peu le gracile squelette, ourlant tout l'intérieur! Comme les gésiers paraissent gros! et les foies! comme ils brillent, et semblent démesurés! Je les réserve. Et je flambe à la flamme du gaz les plumes qui peuvent être restées. Et je coupe le bec d'un coup de ciseaux et j'ôte les pattes rouges.

Cet intérieur propre où il m'arrive de trouver des grains de blé échappés au jabot crevé, je le sale et le poivre et j'y remets les gésiers nettoyés. Il faut les brider comme il convient, la tête sous l'aile. Ne la coupez surtout pas! Dans le commerce on achète le pigeon plumé jusqu'au cou et le travail minutieux du plumage de la tête risque de décourager les paresseux.

Des bardes de lard gras en fines tranches entourent l'oiseau.

Préparez avec les foies et du genièvre écrasé une pâte dont vous garnirez des croûtons frits.

Tout est prêt. Une demi-heure en tout de cuisson dans la cocotte de fonte sera suffisante. Ce serait une catastrophe de faire trop cuire cette viande si jeune, si fondante, qui doit rester saignante.

Dans le fond du plat mettez un peu d'huile, un peu de lard, quelques grains de genièvre. Faites dorer les oiseaux sur toutes leurs faces, puis modérez le feu et, toutes les cinq minutes, tournez-les sur un côté ou l'autre, sur le ventre ou le dos. Sortez-les, fendez-les en deux avec une grande coutelle — le plus gros des couteaux de cuisine, en occitan, est féminin — et remettez-les dans la cocotte du côté saignant quelques minutes. Posez-les sur un plat chaud. Prenez les croûtons et placez-les du côté du foie haché dans le jus de cuisson. Deux minutes. Disposez artistiquement et arrosez les moitiés de pigeons du jus restant. Ne déglacez pas, ça aurait un goût d'aiguette.

Et maintenant mangez avec les doigts et les dents. Il ne s'agit pas de se contenter des filets. Allez chercher dans tous les coins les bouts de viande, sucez vigoureusement. La tête : coupée en deux et chaque moitié croquée. Oh! cette cervelle qui se répand. On pense au Cyclope dévorant les compagnons d'Ulysse : « Ces petits hommes dans leur cuirasse, on dirait des noix dans leur coque! »

Ne laissez dans votre assiette que les os les plus durs, et encore bien nettoyés! Il m'arrive de regarder certaines assiettes avec colère et convoitise. Parfois je demande que l'on me donne un cou, une tête et ce bas de l'échine qui se laisse écraser sous la dent.

Lorsque je dis : j'aime les pigeons, tout vient à moi dans la même bouchée : la douceur de leur roucoulement aux corniches des toits, l'ombre de leur vol qui se déploie et se ferme et, submergeant l'odeur des chaumes sur lesquels pèse l'orage, celle du lard rôti et des baies sucrées du genièvre.

Haricots à écosser

Hourra quand arrivent les haricots frais à écosser, bien rebondis dans leur robe jaune !

C'est justement l'époque où j'arrive au talon de mon jambon. J'ai mis de côté la couenne en prévision des premiers cocos. Comme elle est très dure et encore cendreuse, il va falloir la faire cuire à part, autant de temps qu'il lui faudra pour devenir bien souple.

Dans de l'eau froide : du thym en fleur, une feuille de laurier, un oignon piqué, les couennes déjà cuites en lamelles et des morceaux de jambon, les plus durs de ce talon. Et les haricots. Il convient de doser l'eau pour avoir, en fin de cuisson, le moins de jus possible... mais du jus encore. Ne salez pas, on verra à la fin, le jambon l'est suffisamment.

Laissez cuire, jusqu'à ce que la graine s'écrase entre la langue et le palais — la bouche, c'est le palais de Dame Tartine ! Servez arrosé d'huile d'olive, saupoudré de persil haché, le jambon coupé en petits morceaux.

Cela peut être un bon accompagnement pour les jeunes pigeons. Ou un plat unique du soir.

Ces haricots frais annoncent les « monjetadas » de l'hiver, de même que les fèves fraîches annonçaient les sèches. L'un comme l'autre sont des prémices. Ils passent, fugaces, dans l'année culinaire, comme un avertissement des prochaines saisons.

201

Soupe de poissons

Évidemment, l'idéal serait que vous pêchiez vous-même les poissons de votre soupe, à la palangrotte, un matin, quand la mer est aussi immatérielle que le ciel. La pêche serait peut-être médiocre. Qu'importe? La soupe est toujours exquise. Une grosse poignée de poissons variés est suffisante. Deux, trois serrans qu'on nomme ici sarrans, un maquereau, une petite dorade. Peut-être aurez-vous une aiguille, l'orphie longue comme un serpent, dont la chair est annoncée « peu comestible »? une chair pourtant délicate, blanche, autour de l'arête centrale somptueusement émeraude, du même émeraude que les écailles. Cela suffit bien.

J'ai eu la chance d'avoir près de moi, pendant de longues années d'éternité heureuse, trois petits dauphins imprudents armés d'une simple fouëne. Ils connaissaient tous les trous de rochers. Ils ramenaient des belles-mères, épineuses mais ornées d'un point bleu, des girelles, des rascasses, vrais monstres de dix centimètres hérissés comme des dragons chinois — leurs épines sont aussi venimeuses que celle de la vive —, quatre crabes enragés, une étrille, quelques oursins dont j'utiliserais le corail. Après le 15 août, quand les touristes avaient déserté la côte, il leur arrivait même de harponner un petit loup, un rouget. De cela seulement, souvent, je leur faisais la soupe.

Quand chez le poissonnier j'achète une livre de poissons pour la soupe, une grande tendresse m'habite. Je revois les petits visages rire derrière le masque de plongée et la main me tendre hors de l'eau un poisson frétillant.

Je choisis le poisson le plus varié possible, je le trie et coupe chaque pièce en deux ou trois morceaux. Les crabes sont fendus en deux. Le tout est jeté dans une cocotte où j'ai fait chauffer deux cuillerées à soupe d'huile. Sur feu vif, je laisse cuire en remuant de temps en temps. Le poisson devient une vraie bouillie. C'est ce qu'il faut. Puis j'ajoute un poireau, une tomate, une feuille de blette, une carotte, un oignon émincé. Je remue encore. Ensuite, je répands un peu de concentré de tomate : un O majuscule sur la surface. Je tourne, mouille d'eau et laisse cuire un bon quart d'heure, après avoir grossièrement assaisonné : sel-poivre-thym.

Après, je passe louche après louche, en recueillant sous la grille fine de la passoire le plus de pulpe possible. Je presse fortement jusqu'à ce que je voie apparaître les épines dans les trous. Là, je vide et nettoie la passoire. Lorsque tout est passé, en général on a une soupe épaisse. On affine l'assaisonnement, on ajoute un peu d'eau.

Je pose, entières, les languettes rouges des oursins. La soupe est prête. On la sert avec un plat de croûtons, un aïoli au piment doux et du râpé pour les amateurs. Quelques croûtons dans son assiette, chacun tartiné d'aïoli et la soupe par-dessus. Ce que j'aime dans la soupe de poissons, outre le si doux souvenir des pêches enfantines, c'est qu'elle n'a jamais le même goût. La différence dans le choix de poissons, la présence ou l'absence de tel ou tel légume — quand il y a beaucoup de poissons, je les supprime carrément — font qu'elle se pare toujours d'une variante surprenante.

Après trois assiettées on est rassasié.

Après ce plat unique et copieux, servez tout blond, le premier chasselas.

Un engrenage de délices

Ce soir où vous n'avez pas envie de cuisiner, qu'un engrenage de délices vous entraîne.

Choisissez, en abondance, du beau raisin : du dattier, du muscat blanc ou noir, du chasselas bien sûr, de l'œillade qui éclate fraîche dans la bouche.

Allez à la recherche d'un bon pain de la dernière fournée, tout juste froid.

Munissez-vous chez un fromager-affineur d'un roquefort beurré — je demande à l'éprouver entre le pouce et l'index. Certains l'aiment très bleu, le blanc un peu jaune, d'autres plus blanc. Ça se discute. Arrangez-vous pour qu'il puisse passer plusieurs heures hors de tout froid, à la température ambiante. Si le roquefort n'est pas parfait, choisissez une tome de Savoie, un « laguiole » à grosse croûte crevassée, un saint-marcellin crémeux, un chèvre « à cœur ». Le choix ne manque pas ; en tout cas que ce soit un fromage un peu fort et gras.

Attablez-vous. Il n'y aura même pas de vaisselle, juste la lame du couteau à essuyer. Un rouge parfumé a été mis à rafraîchir.

On peut commencer. Mais on ignore où on s'arrêtera... Il reste toujours entre les mains ou du fromage, ou du pain, ou un grappillon. Alors on se ressert de ce qui manque. Pour réactiver les goûts on boit une lampée. Mais bientôt une autre composante vient à manquer.

On ne peut avoir une meilleure expérience de l'éternité de bonheur. Mais on est sur terre où tout est limité et on ne va jamais que jusqu'à plus faim et plus soif, jusqu'à avoir bu tout le vin et raflé toutes les miettes.

SEPTEMBRE

Qui, ce mois-ci, naît sans père et porte chapeau ? On avance à grands pas dans une lumière qui blesse le cœur de douceur.

Bien des choses vont nous aider à entrer en saison incertaine : la daube de pies, les œufs pochés à l'oseille et au vin, les cahiers neufs, la trousse, le cartable, tout ce que nous regardons avec une douce nostalgie, les dernières framboises et le caillé de chèvre. Préparons le tomata pour toute l'année, cueillons les amandes de vigne, les réserves sont réjouissantes. La cure de raisin est conseillée : il est souverain pour les poumons, les intestins, les reins et en conséquence pour le caractère et l'apothéose. La sauce de l'homme pauvre, c'est l'adieu à la tomate. Resteront celles qui mûrissent dans les maisons, ne connaissent que le soleil des radiateurs et sont mangées avec recueillement. Commencez avec la figue et la mûre votre réserve de confitures sauvages.

La sauce de l'homme pauvre

En ces temps où les violences diverses du ciel amènent sur le marché des tomates blessées, à rien ne coûte
ou presque, je vous propose la « sauce de l'homme
pauvre ».

Vous la cuisinerez pour un soir gris et aigre, un des
premiers de l'hiver où on aime la maison, la lumière et
les nourritures chaudes.

Coupez les tomates en gros quartiers, sans épépiner.
D'une tomate abîmée, vous ne pourrez parfois récupérer
que le tiers ou le cinquième. Faites-le ! Préparez un plein
saladier de morceaux. C'est un peu long, mais n'oubliez
pas que les travaux qui occupent les doigts libèrent la
pensée. Nous y revenons souvent.

Mettez un peu d'huile à chauffer dans une casserole
et faites-y frire un oignon coupé fin. Attention, l'oignon
frit ne doit jamais devenir brun foncé, seulement un peu
roux.

Posez un moulin à légumes sur la casserole et moulinez les quartiers de tomate. Thym, sel et poivre. Une
bonne quantité d'ail. Répandez du persil haché. Remuez
et laissez cuire longuement à tout petit feu. La purée de
tomates doit réduire, sans jamais attacher. Elle doit perdre
son goût de « frais ».

Tout cela vous avez pu le faire le matin ou plusieurs
heures avant. Au moment du repas, préparez des croû-

tons frits dans l'huile. Puis dans votre sauce, mise à feu doux, vous casserez autant d'œufs qu'il y a de convives et même un ou deux de plus. Vous tournerez jusqu'à ce qu'ils soient «pris», sans trop : le mélange doit rester moelleux.

Vous servirez bouillant, garni avec les croûtons.

Il arrivait autrefois, dans l'Aveyron d'où vient cette recette, que l'homme pauvre ait trouvé quelques oronges. Il les faisait frire et les servait avec la sauce. Pour l'œil, le jaune d'or de l'oronge et le rouge de la tomate sont un mariage d'amour. Quant à l'harmonie des goûts, œuf bouilli dans la sauce, contrepoint de l'ail, du thym, du persil, et au centre l'oronge, champignon de César, ce n'est pas un mariage, c'est un chœur de séraphins.

Mais tout le monde n'est pas aussi riche de choses sans prix que l'homme pauvre et, telle quelle, sans champignons, la sauce est un plat délicieux, peu onéreux, complet, qui a en plus le mérite de laisser la casserole brillante comme une pièce neuve.

Mûres des buissons

Septembre, octobre, novembre, commençons nos confitures de fruits sauvages, les inachetables, celles qu'on ne trouve nulle part, même à prix d'or. Ne vous laissez pas prendre à l'étiquette « mûres » des pots industriels. Il s'agit de mûres cultivées. Aucune économie de marché ne saurait assumer tant d'heures perdues. Dans le genre activité pas rentable du tout, les confitures que je vous propose, on ne fait pas mieux. L'économie soit, mais la joie se mesure-t-elle au prix horaire ? Quelques secondes durent parfois les éblouissements de l'amour. Jaufre Rudel chanta toute sa vie dans ses poèmes une femme qu'il vit et serra dans ses bras quelques instants avant sa mort. Doit-on dire que ce ne fut pas un amour rentable ?

Bien vite sera achevé le pot de mûres qui furent si longues à cueillir. Mais nous le faisons pour le pur bonheur et nous ne payons que de nous-mêmes. Il y a mieux que la mûre d'ailleurs. Vous verrez, le gratte-cul ! Que diriez-vous aussi de la baie de l'alkékenge, appelée aussi cerise d'hiver ? Une seule perle rouge dans une lanterne sèche en dentelle qui en contiendrait bien vingt ? Quand on a dépouillé toute une plate-bande de coquerets on peut espérer avoir un bol de baies. Mais y a-t-il rien de plus joli que l'ancien calice gonflé en vessie sèche, rouge d'abord, puis réduite au réseau des nervures dans laquelle brille le fruit unique comme une flamme ? Rien de plus joli et de plus utile que l'amour-en-cage, réserve de vitamine C.

N'hésitez pas à ne faire que quelques pots de ces confitures et pratiquez le troc. Moi qui sais l'azerolier, j'échange avec celui qui a accès aux myrtilles, aux fraises des bois. Je négocie la prunelle contre la purée de marrons, la vraie, à la vanille naturelle. On consomme moins de confitures qu'autrefois et d'ailleurs on est toujours étonné : on a plus de pots que prévu à cause de la présence du sucre qui double le poids des fruits.

Les confitures « rares » sont précieuses dans l'hiver. Ces pêches d'une race disparue, minuscules et parfumées à l'excès qui poussent à un vieil arbre dans un verger évanoui... les fraises sauvages, les framboises du sousbois, velues et fragiles au point de ne supporter aucun contact sans saigner...

Lors de la cueillette, il est difficile parfois de se retenir de picorer... pas pour tous les fruits. Certains plaisent par leur couleur rouge mais sont peu sucrés comme l'azerole, curieux mais granuleux comme l'arbouse ou carrément immangeables comme le gratte-cul et la prunelle. Ils font tous des confitures surprenantes à l'œil, surprenantes au goût. L'étiquette soigneusement rédigée ajoute la poésie : « Fraises des bois du Merdelou », « Pêches de la vigne de l'oncle », « Églantines des collines ».

On aura vingt-cinq à trente pots divers, c'est assez. En septembre, commençons la réserve par la figue et la mûre de buisson.

La figue sera choisie, cou tordu. C'est ainsi qu'elle annonce sa maturité : en se penchant sur sa courte base. On la gardera entière.

Pour toutes confitures, deux règles. La première c'est : poids égal de sucre et de fruits. La deuxième : peu de cuisson, mais assez.

On cuit les figues cinq minutes dans un sirop de sucre. On les retire du sirop et le temps de tout laisser refroidir — sirop et fruits. On recommence : les fruits sont remis cinq minutes dans le sirop chaud. Ainsi trois fois. La figue alors est comme confite. On la mangera avec du fromage blanc battu ou du caillé. C'est Byzance.

Aux buissons modestes du bord des chemins, dans la lumière oblique septembrale, ramassez une à une les mûres qui tachent indélébilement les habits et longuement les doigts. N'oubliez pas de protéger l'osier de votre panier. Si vous n'êtes pas seul à cueillir la mûre, et je vous conseille de ne pas l'être car le ramassage est fastidieux, vous entendez les voix résonner dans l'air toujours un peu brumeux du mois. Par-ci, par-là, mettez près des mûres mûres un grain encore rouge qui aidera à les faire prendre en gelée.

À la maison, après avoir lavé vos mains violettes et poisseuses, mettez les fruits à éclater sur le feu, avec très peu d'eau. Tournez, touillez, écrasez, agitez. Puis passez à la grille fine, louche après louche, en gardant un peu de pulpe, assez peu pour éviter l'arrière-goût amer qui viendrait des graines écrasées. Videz le moulin des déchets, nettoyez-le sommairement et continuez, de louche en louche, jusqu'à épuisement des fruits. Mesurez alors le jus pâteux obtenu, ajoutez une quantité égale de sucre, cuisez un petit quart d'heure.

La confiture de mûres est liquide, mais je n'aime pas la gélifier avec des pectines, elles modifient par trop le goût. Je me contente des quelques fruits verts qui aident un peu à prendre.

C'est un des goûts les plus subtils de tous les arômes sucrés de la nature. Et la couleur ! Presque noire, dans le pot, la voilà qui devient, étalée, d'un beau violet pourpre.

L'étiquette précise : « Mûres du chemin de la Capelière » et le contenu est enrichi des buissons transparents déjà, du soleil presque chu à quatre heures, de l'été finissant. C'est tout cela qu'on étalera dans cinq mois sur sa crêpe.

La daube de pies

L'espèce des pies n'est pas en voie de disparition. Il y en a partout. Au matin, ces claquements comme des castagnettes de bois, ce sont elles. Le moindre jardin, et elles sont là, au centre même de la ville, plus rusées que les chats. Vous pourrez observer qu'elles crient tous les jours, non pas à la même heure, mais à la même quantité de lumière, qu'elles suivent les mêmes itinéraires, deux par deux, se posant sur les mêmes rebords de toits, sur les mêmes murs, sur le même arbre.

Il les faudrait jeunes, ce que vous reconnaîtrez à la blancheur de leur blanc et à la mollesse de leur bec. Mais à la rigueur, pour une daube, ce n'est pas très grave. Si leur bec est trop dur vous n'aurez qu'à les faire cuire plus de temps.

Ne les plumez pas, mais pelez-les. La peau de pie est aussi récalcitrante une fois cuite qu'une vieille chambre à air. Vous pouvez vérifier au passage si, comme dit le populaire, elles ont autant de plumes blanches que de plumes noires.

Videz-les et réservez les foies pour la sauce. Coupez les pies en deux et à partir de là procédez comme pour une daube ordinaire.

Roussir des lardons, un gros oignon, les moitiés de pies. Retirez tout. Farinez parcimonieusement, car il ne s'agit que d'épaissir un peu la sauce. Mouillez de vin rouge et d'eau, dans les proportions habituelles. Remettez pies, lardons, oignons, ajoutez trois ou quatre gousses d'ail dans leur robe, du thym, du laurier, un clou de girofle — « ce roi couronné venu d'Orient » —, du poivre et du sel gris — gris le poivre, gris le sel.

Laissez cuire longuement, à petit feu. Un quart d'heure avant la fin, moulinez les foies dans la sauce.

Lorsque vous servirez, faites deviner à vos invités ce qu'ils mangent. Avant qu'ils disent « Des pies ! » vous aurez entendu nommer tous les oiseaux de l'arche de Noé.

Le tomata de l'année
et la nécessaire soudure

J'ai été bien surprise de ne pas trouver dans les encyclopédies françaises ce mot de tomata, si connu dans le Midi, et qui tombe à chaque coin de conversation culinaire. Bien sûr, c'est un mot occitan adapté en français, « toumatat » devient tomata. En français, on dirait « tomatée ». Il s'agit de pulpe concentrée de tomate mise en réserve pour les mois d'hiver.

Conserver la tomate indispensable aux ragoûts et aux pâtes est chose simple et connue depuis longtemps, bien avant le bocal de verre mis à stériliser, bien avant le congélateur.

Il est temps que j'avoue mon mépris des congélateurs. Outre qu'ils évoquent la morgue, la viande en sort comme une éponge, les légumes y durcissent et y perdent du goût. Je connais des éleveurs, des propriétaires de fabuleux jardins qui ne mangent plus que du congelé. Ils ont accumulé des réserves et se forcent : « Il faut finir ceci, cela, le reste. » Il n'y a plus de place sur leur table pour la denrée fraîche. Une pitié. Et puis on craint les pannes de courant, les neiges profondes, les orages. On n'arrête pas de craindre pour ses réserves.

Le tomata, lui, ne craint rien ; le jambon non plus, ni la saucisse dans l'huile ou le confit dans son pot, ou la réserve des confitures, ou le cèpe sec. Le ciel peut bien crever en déluge.

Achetez des tomates au moment où s'achèvent les chaleurs. Elles sont petites, parfois touchées et on les paie bien peu. Enlevez grossièrement les graines, passez à la moulinette pour éliminer la peau. Inutile d'assaisonner. Puisqu'on se servira du tomata pour une préparation, n'est-il pas plus astucieux d'utiliser au dernier moment les herbes fraîches ?

La purée obtenue est mise sur le feu dans une grande bassine. On fait du tomata avec au moins dix kilos de fruits, car il faut arriver jusqu'aux premières tomates, c'est-à-dire juillet au mieux. On fait cuire jusqu'à ce que toute l'eau soit évaporée.

Quand le tomata est refroidi, bien refroidi, sinon vos bouteilles éclateraient, on va ajouter de l'acide salicylique à raison d'un gramme par kilo de pulpe. Acide orthohydroxybenzoïque — quel joli mot, plus beau qu'anticonstitutionnellement et Nabuchodonosor ! C'est un nain plus fort qu'un géant. Un contre mille il arrête les fermentations. On l'achète chez le pharmacien, dans de petits papiers pliés qui contiennent 5 grammes de poudre blanche. Pour bien mêler à une pleine bassine de tomata, on conseille de délayer la poudre dans un bol avec de la purée et de verser le contenu du bol dans la bassine. Puis de remuer abondamment pour que l'acide pénètre partout.

Vous versez le tomata dans des bouteilles bien nettoyées, vous remplissez le goulot d'huile et bouchez. La réserve est prête et ne craint pas les spasmes du ciel. Elle ne craint que de s'épuiser avant la date. Mais la cuisinière avisée arrive toujours à faire la soudure, c'est-à-dire à coudre l'an à l'an.

Œufs pochés à l'oseille et au vin

Pour quatre œufs de bonne race, mettez dans une poêle huilée une poignée de lardons avec leur couenne, un oignon émincé et quand c'est doré, trois poignées d'oseille grossièrement hachée, saupoudrée — un nuage — de farine. L'oseille peut être du jardin ou être de l'agret sauvage.

Lorsque l'oseille a changé de couleur — elle est passée du vert vif au bronze — mouillez de trois verres de vin et d'un peu d'eau. Assaisonnez et laissez cuire, couvert, une heure environ.

Au moment de servir, pochez les œufs dans l'eau d'abord, deux minutes dans une eau non salée pour qu'ils ne s'éparpillent point, dans le vin pour finir. Au sortir de l'eau on les rince et on les ébarbe. Vous avez par ailleurs fait frire beaucoup de croûtons avec lesquels vous crèverez un blanc devenu d'un joli violet, libérant un jaune lumineux qui ne doit pas être du tout dur, mais entièrement liquide, dont la couleur comme la consistance se marient délicieusement à la sauce virée au rouge sombre.

Il naît sans père et porte chapeau

Mis à part le champignon de couche — dont j'ai fait le juste éloge — et l'insipide pleurote en forme d'huître qu'il est arrivé à élever, l'homme auquel pourtant rien n'est impossible n'arrive pas à produire les champignons les plus prisés. Le cèpe, si vénéré que dans certains endroits le mot de champignon le désigne exclusivement. L'oronge des Césars, dont on voit de loin le chapeau d'un orange de potiron, le meilleur de tous les champignons crus. La girolle imputrescible. Les trompettes de la mort, en rangs serrés, comme des colchiques du diable. Les grisets qu'il faut consommer dans les heures qui suivent la cueillette. Le mousseron dont il y a de tels tapis qu'il faut s'armer d'une paire de ciseaux pour couper le chapeau. Le pied-de-mouton aux fragiles aiguilles, au surprenant parfum de parfumerie. Le pleurote, le vrai. L'oreillette des Causses qui pousse sous le givre. La coulemelle, ou saint-michel, dont le grand parapluie se réduit à rien dans la poêle, mais dont l'odeur et le goût ont été décuplés. Le « roubillou », sang du Christ, aux bords retroussés exprès pour retenir quelques gouttes d'huile quand on le fait griller. La crête-de-coq, vrai corail des forêts. La piboulade en touffe sur les souches de peuplier. La morille, sans commentaire.

Que n'a-t-on pas fait pour essayer de comprendre comment le champignon venait au monde et pour recréer les conditions naturelles dans l'espoir de le voir réapparaître ! Mon père enterra à demi, dans un coin de son jardin, une souche de peuplier. La recette était compliquée. Il fallait creuser, reboucher, arroser. Mais il n'y eut jamais la moindre piboulade.

Non, pour l'heure encore, les champignons sont un don des dieux, un mystère plane sur le pourquoi et le comment de leur naissance. Alors une magie pseudo-scientifique s'en mêle. On pèse les nuages, on mesure la pluie, la température de la terre, on sépare les adrets des ubacs, on se souvient de la saison passée — notez que les hommes croient toujours à un jeu de compensations : quand l'hiver est très froid ils pensent qu'ils auront un été caniculaire, quand il n'a pas plu de longtemps qu'il y aura des inondations, quand une année il n'y a pas eu de champignons qu'ils sortiront en masse l'année suivante. On affirme que le champignon naît « sans père » et dans l'instant. Tel affirme : « Je passe : rien, je me retourne, il y en avait un qui venait juste de sortir. » Les histoires de champignonneurs sont aussi mythiques que celles des chasseurs et pêcheurs.

Ramener un panier plein au soir d'une journée occupée à courir les bois, ou même acheter ce qui a poussé sans l'artifice de l'homme, est une joie automnale des plus précieuses. Plus précieuse encore d'être rare et toujours incertaine. Il y a des années exceptionnelles dont on garde en mémoire le millésime comme pour le vin.

Il s'établit toujours une hiérarchie entre les espèces, mais comme les champignons ne sortent pas tous en même temps, le point de comparaison est loin et, quand il est isolé, on apprécie le champignon jugé le plus médiocre.

Qu'est-ce qui est meilleur ? Le plat sur la table, l'omelette, le veau aux girolles, la tourte garnie de cèpes ou de trompettes en sauce à la crème, ou le matin mouillé, le rose des lamelles sous le chapeau de velours blanc du rosé des prés ? Le lactaire nouveau-né qui glisse gluant au creux de la main ? Le sang étrange qui coule à son pied ?

Le bruit des pas d'un autre champignonneur dans les branches? Le silence, le cri des merles et des geais, loin, loin, quand on s'enfonce dans les châtaigneraies?

Le champignon, ce n'est pas une nourriture, c'est une communion avec le grand mystère élémentaire du végétal, sous la forme d'un végétal quasi magique qui ne fleurit ni ne porte graine.

Du gibier

En automne le gibier est le pendant du champignon.
Encore que l'homme, pour le gibier, ait réussi à le produire artificiellement... Faisans, perdreaux, cailles, lièvres
s'élèvent maintenant comme des petits poulets, et aussi
truites, saumons, loups.

Toutefois, en septembre et octobre, certains bou-
chers pendent du gibier qui affiche ses blessures san-
glantes. On trouve jusqu'à des sangliers entiers. La
bécasse, les grives, les cailles des blés sont achetables et
vous auriez bien tort de vous priver, une ou deux fois
dans la saison, d'une vraie viande sauvage. Faites le calcul, ce n'est pas plus cher qu'autre chose. D'ailleurs, il y a
en cuisine un principe simple. Quelque chose a-t-il coûté
un peu plus que prévu, le lendemain faites bonne chère
avec peu d'argent, c'est possible. Il est totalement inutile
de manger de la viande quotidiennement. C'est même
dangereux et une bonne journée végétarienne rétablit les
équilibres salutaires. Du pain ou du riz, complets, de la
salade cuite, la betterave laxative, le chou cru : votre foie
est reposé et votre budget assaini.

Je trouve le faisan à la vérité un peu sec — mais quel
goût et quel plumage ; le sanglier en daube embaume la
sauvagine ; un poêlon de grives emmaillotées de lard, ça
n'est pas loin du paradis ; un lapin de campagne détaillé
en cuisses, tête coupée en deux, cage thoracique, trois

morceaux de râble et pattes avant, frit avec une poignée de grains d'ail non pelés, un bouquet de thym et une tomate coupée en quatre, c'est mets de seigneur. Mais le perdreau? Est-il possible de séparer le goût des coloris du plumage, de ce bleu fugitif de la gorge où on épuise son regard, des pattes rouges, de l'œil voilé de bleu, du plomb qu'il garde quelque part, entouré d'un petit caillot de sang, et de la rencontre faite dans les vignes de septembre d'une compagnie qui piète entre les souches ou traverse une route isolée, lentement, et se lève dans un bruit de tonnerre? Le perdreau vole bas et mal. Il part comme un bolide, mais se pose un peu plus loin. On appelle cela une « remise ». Si on a le courage de le poursuivre, au bout de quatre ou cinq remises, épuisé, il ne peut même plus s'envoler, il court et on peut le rejoindre. C'est ainsi qu'autrefois, dans les vignes où les perdreaux étaient nombreux, les enfants les chassaient au bâton. Il fallait certes être bon à la course, mais n'étaient-ils pas infatigables ces petits Languedociens maigres comme des sauterelles, légers dans leurs espadrilles?

Lorsqu'on achètera, dans les marchés d'automne, un de ces oiseaux, on le préparera exactement comme le pigeon. Alors on dégustera la lumière de septembre, d'or frais et diffus, le froid des matins et les chaleurs encore estivales du zénith, les odeurs de moût répandues, les souches dépouillées où ne pendent que les grappillons qui continuent à mûrir et commencent à confire. C'est tout cela le perdreau : l'automne inouï du Languedoc, plus doux et somptueux que le printemps.

OCTOBRE

La Palice l'eût dit : quand une chose finit, une autre commence. À chacun des « quatre-temps » — ces trois jours aux entrées de saisons où l'Église dans sa sagesse conseillait le jeûne et l'abstinence —, à chacun des quatre-temps, on rit d'un côté et on pleure de l'autre. On quitte certaines fêtes culinaires pour d'autres.

Avec le froid revenu pas à pas, la nourriture pourra être plus pesante et plus calorique, les repas plus longs dans les maisons fermées pour plusieurs mois à l'air extérieur. Invitez une femme dont c'est la fête et cuisinez-lui cette attention délicate : le morceau de la reine.

Pour réjouir l'automne et l'hiver, Dieu créa le chou. Peut-être quelqu'un aura-t-il tué le lièvre et vous ferez alors le saupiquet. Continuez, en invitant les vôtres à la cueillette, les confitures sauvages avec la gelée d'azeroles. Salez une queue de porc ou une oreille et inaugurez par des lentilles la consommation hivernale des légumes secs. Pendez le soleil au grenier. Chut ! Dans l'or des feuilles commence l'état de dormance de la nature.

La gelée d'azeroles

L'azerolier est une rosacée arbustive voisine de l'aubépine, abondant dans nos régions, aimant les talus des vignes, les bordures ensoleillées de bois.

Comme l'aubépine, il a une feuille lobée et fleurit en blanc au mois de mai. Le fruit arrive à maturité au mois de septembre-octobre. Il est plus gros que celui de l'aubépine, atteint parfois la taille d'une petite prune d'un beau rouge vif. On l'appelle ici « bouteillou » ou « pommette ». Il a un double noyau de bois dur, une chair acide, blanche, parfois un peu verdelette.

Les années à fruits, une sur deux habituellement, il y a une telle abondance qu'ils sont répandus au pied de l'arbre, en une tache écarlate qu'on voit de loin et qui étonne dans les matins gris et pluvieux d'automne. On dirait que l'arbre porte une ombre rouge.

Ramassez un plein panier de fruits. C'est vrai qu'on dirait de petites pommes ! Ça pique les doigts. L'arbre est épineux. Aussi, secouez-le plutôt que de ramasser les fruits sur les branches.

Pendant que vous faites la cueillette, laissez-vous pénétrer de la lumière et de la douceur de l'automne.

Je connais, au pied d'Ensérune, un azerolier grand comme un chêne qui fait les plus gros fruits de la région. Si c'est là que vous allez vous approvisionner, songez que près de vous, là, dans le musée en haut de la colline, on trouve dans les urnes funéraires, mêlées à ces poignées de cendres qui furent des cœurs d'homme, des perles de verre bleu et des débris de coupes attiques, brisées selon les rites — où sont dessinées d'une fine pointe des «Ménades nues se désaltérant». Avec cette pensée, votre cueillette sera plus riche, vos fruits meilleurs, votre gelée plus délectable. J'en connais un autre au bord de l'étang de Caspetang. Au moment où les fruits sont mûrs, une lueur violette rêve dans le plumet des roseaux et le goût garde en mémoire le silence de l'eau et les cris des oiseaux aquatiques.

Rentré chez vous, lavez les fruits, mettez-les dans un chaudron de cuivre. Recouvrez-les d'eau, juste ce qu'il faut, et faites-les cuire une demi-heure environ, le temps qu'ils éclatent. Aidez à l'éclatement en écrasant les fruits avec une fourchette et une écumoire.

Passez ensuite à travers une toile les fruits et l'eau dans laquelle ils ont cuit et pressez le linge pour exprimer le jus, sans trop toutefois. Plus vous aurez de pulpe, moins votre gelée sera limpide.

Mesurez en litres le liquide obtenu. Ajoutez autant de kilos de sucre (3 litres, 3 kilos par exemple) et mettez à cuire le jus sucré jusqu'au moment où la gelée «prend». Elle ne doit pas être molle, mais bien solide. Pas trop cuite malgré tout, sinon vous perdriez la couleur unique de la gelée : un ambre un peu rouge, transparent comme le verre, la couleur du coucou des cerisiers, si vous voulez. Et quel goût! juste ce qu'il faut d'acidité, un parfum net et fort.

N'oubliez pas de recouvrir les pots d'un papier cristal, que vous nouerez d'un bout de coton ou de laine : c'est plus joli que l'élastique.

Nettoyez le chaudron, alignez les pots dans votre cuisine. Toute votre maison sent la friandise.

Le saupiquet

C'est une sauce pour accompagner le lièvre ou le lapin sauvage, mais aussi le lapin domestique au goût moins prononcé que celui de garenne, mais qui a l'avantage d'être plus gras.

Il faut le sang de la bête. Pour un lapin domestique c'est facile. Un lièvre ou un lapin de garenne ont toujours un peu de sang dans la cage thoracique. On le réserve. On réserve aussi le foie. Dans une casserole, on met de l'oignon piquant haché menu et de l'ail écrasé, deux ou trois grosses poignées. On couvre d'huile et on met sur un feu menu, de façon qu'oignons et aulx ne soient pas du tout roussis mais fondus. On ajoute thym et vinaigre. Juste avant de servir on met dans la casserole le foie pilé et le sang. Un tour de chaleur, c'est fini. Le foie trop cuit devient caoutchouteux. Cela se sert avec le rôti, qu'il soit à la casserole ou à la broche. L'assaisonnement est en fonction de celui de la viande. Il ne sera peut-être même pas nécessaire.

Dans l'Aveyron, on réserve le saupiquet au lièvre, orgueil des chasses, que l'on nomme au féminin. On l'étend jusqu'au lapin. Cela ne va jamais plus loin. Pourtant on ne voit pas pourquoi un poulet rôti ne serait pas servi avec le saupiquet? ou un rôti de porc, en utilisant un foie de volaille pour la sauce? Cette purée d'oignon et d'ail, épaisse, est un légume un peu court mais original.

Quand le lièvre est à la broche, une grande tartine frottée d'ail est préparée et mise dans la lèchefrite. Elle reçoit les jus de la viande et le lard fondu du « capucin ». C'est un entonnoir de fer que l'on met à rougir au feu. On y glisse du lard gras coupé en carrés. Du petit orifice sortent alors des gouttes de lard enflammé. C'est une manière de cuire, de oindre et de dorer la viande. Toute viande à la broche gagne à recevoir la bénédiction du capucin.

Porcelet « étoffé » à l'occitane

Il est difficile de se procurer l'agneau ou le chevreau. Comme on élève la brebis et la chèvre pour le lait, on leur enlève leurs enfantelets qui passent dans les quarante-huit heures au biberon et aux nourritures évanescentes, à base de granulés. Mais le petit porc est nourri à la mamelle. Quand il pèse sept à huit kilos, on le sèvre, on le châtre et il part grossir dans les élevages. Son destin alors est une autre histoire.

Achetons-le juste avant la castration, tout rose et rebondi. À condition d'avoir un peu de patience, je vous promets un de ces délices dont on se souvient longtemps.

Saignez-le d'abord. Il n'est pas comme l'agneau qui se laisse immoler. Il gigote et couine : c'est la vie. Gardez le sang et mêlez-le de vinaigre pour qu'il ne caille pas. Vous en préparerez le lendemain de petits boudins.

Videz le porcelet. Gardez : le foie, le cœur, les rognons à part. Gardez aussi les boyaux du gros intestin. Nous en reparlerons pour les boudins. Retroussez vos manches et préparez-vous à une bonne suée.

Pour commencer, armé de lames pointues, de vrais rasoirs, il faut couper la tête, ôter l'échine et les côtes et ne laisser que les os des pattes. Salez intérieurement et poudrez des quatre épices qui sont girofle, muscade, poivre noir et gingembre.

Nous allons maintenant nous occuper de la farce. Escalopez — le joli mot — le foie du porcelet et un poids égal de foie de veau, salez, poivrez et faites saisir vivement les escalopes dans l'huile. Réservez. Faites revenir dans la même huile le cœur, les rognons et quelques ris de veau dégorgés, blanchis, rafraîchis et détaillés eux aussi en escalopes.

Égouttez le tout. Réservez avec le foie.

Dans le plat à sauter où les morceaux ont cuit, rajoutez de la matière grasse et faites cuire des oignons finement hachés, quelques échalotes «de même» et des champignons émincés. Ajoutez de l'ail. Mouillez de vin blanc sec, faites réduire. Mouillez encore de bouillon, quatre décilitres environ où vous mettez des couennes cuites, coupées en tout petits morceaux et 100 grammes d'olives vertes dénoyautées et blanchies. Remettez dans cette sauce les articles réservés. Remuez, chauffez sans bouillir. Laissez refroidir. Puis vous ajouterez un volume égal de chair à saucisse, quatre œufs entiers, du persil et du cognac. Vous travaillerez bien le mélange et rectifierez son assaisonnement.

La veille du jour où le porcelet doit être cuit, on le farcit du mélange. On coud, on bride et on fait mariner dans un mélange d'huile et de cognac avec carottes, oignons, ail écrasé, persil, thym, laurier en poudre et poivre. Comme le cochonnet ne trempe pas dans la marinade, on le retourne et on l'asperge.

Et voilà un porcelet «étoffé»!

Il s'agit maintenant de le cuire à la broche. Les légumes de la marinade, augmentés d'autres oignons et carottes entières sont mis à rissoler sur le feu, puis mouillés de vin blanc qu'on laisse réduire. Lorsque le porcelet approche du terme de la cuisson — elle doit durer environ deux heures et demie — dans la lèchefrite on met les légumes. Ils vont déglacer le jus tombé et s'en oindre.

Le porcelet croustillant est dressé entier dans un premier temps pour le plaisir de l'œil, puis découpé et servi avec les légumes, des crépinettes et de petits boudins frits.

On se croirait transporté dans le *Satiricon*.

232

Les boudins, on peut les préparer avec le sang mis de côté, ou les acheter si on trouve que le travail a été déjà assez gigantesque. La tête du porc est mise à bouillir dans une eau aromatisée. Puis la viande, langue, joues et cou, est grossièrement hachée, poêlée. On y mêle un peu de pain trempé et du sang de façon à obtenir un mélange très mou. On n'utilise d'ailleurs pas tout le sang.

Pendant que certains s'occupent de la farce, les autres nettoient le gros intestin, le débarrassent des matières, le retournent comme une chaussette, le savonnent, passent de l'eau dedans, dehors, puis encore dedans et dehors, jusqu'à l'avoir blanc et sans odeur.

Les morceaux sont remplis de la farce, attachés de ficelle à chaque extrémité. Ils se présentent comme des bombes flasques, peu remplies et sont plongés dans de l'eau frémissante et parfumée, celle par exemple du bouillon où a cuit la tête. Sans bouillir ils pocheront longuement, suivant leur épaisseur, peut-être une heure, peut-être plus. Après on les égouttera et on les posera sur un linge où ils refroidiront.

Voici comment on peut régler l'emploi du temps de cette cuisine exceptionnelle.

Jour un : tuage, échinage, nettoyage des boyaux, cuisson et démolition de la tête. Préparation de la farce à boudins. Cuisson des boudins. La viande une fois froide est mise au réfrigérateur.

Jour deux : préparation de la farce, farcissage, couture. Installation de la marinade.

Jour trois : le festin.

Un festin, je vous l'ai dit, digne des Romains. Avez-vous mangé la « porcheta » à Nice, à Assise, tiède encore dans du pain frais ?

Si vous voulez marquer une fête un peu rare d'un plat qui soit aussi rare qu'elle — noces d'or, baptême ou sortie solennelle d'un «Traité de cuisine courtoise» — alors lancez-vous. Vous allez découvrir le plaisir de travailler à plusieurs, l'enthousiasme qui accompagne la création des chefs-d'œuvre et le bonheur d'une préparation longue, répandue dans l'air trois jours avant la fête.

Le petit monde et les moinettes

On craint le vent coulis sous les portes ? Voici que commence le temps des légumes secs. La fraîcheur ravive l'appétit et aide à brûler les aliments. Le désir nous vient de nourritures solides et chaudes. Pois chiches, fèves, haricots (cocos, lingots, soissons, rouges), lentilles, voilà de quoi nous remplir agréablement l'estomac. À la limite de la lourdeur, certes, mais c'est signe de satiété.

Si j'ai toujours aimé les lentilles, c'est parce qu'on les appelait « le petit monde » et qu'on les disait pleines de fer. Je les posais sur le rebord de l'assiette : rondes et brunes elles étaient bien des planètes et j'avalais avec elles toute la force du minéral.

Une queue de porc, une oreille, un museau frais, salés quelques jours dans une pièce fraîche — on tourne et on retourne trois fois par jour en salant encore — vont donner toute leur saveur au petit monde. La viande salée est très différente de la viande fraîche. Elle acquiert du corps et un goût qui n'est pas seulement celui du sel. Elle subit une transformation qualitative.

Faites cuire ces salaisons à part, elles perdront leur excès de sel. Dans une cocotte mettez des lentilles, trois fois leur volume d'eau, quelques grains d'ail épluchés, l'oreille et — ou — la queue. Menez la cuisson doucement jusqu'à ce que les lentilles soient cuites, l'eau évaporée et que les légumes commencent à griller. Ajoutez une tasse de bouillon de cuisson de la queue. Servez.

On peut aussi à volonté, une fois que les lentilles sont cuites, les servir au beurre, avec un jus, avec seulement quelques lardons frits, ou une salade.

On appelle « monjetat » en occitan le haricot sec et « monjetat » le plat que l'on prépare avec de la saucisse et du lard maigre, ou de la côte de mouton. On désigne par cassoulet un plat plus riche qui se cuisine avec du confit d'oie. Pourquoi « monjetas », petites religieuses, moinettes ? Faut-il revenir à la gousse, à son extrémité pointue comme un voile blanc de religieuse ? Car on appelait « monjas » les religieuses en blanc, et « morgas » celles vêtues de noir.

Le haricot doit se faire tremper, comme la fève sèche, pendant quelques heures. Après il est cuit à l'eau froide avec des couennes et un bouquet garni, de l'ail épluché, plus un morceau de lard maigre.

Des viandes diverses sont mises à rissoler : saucisses, cervelas, mouton. On leur ajoute de l'oignon, de l'ail, un bouquet garni, de la purée de tomates. Puis on mêle à cette viande en sauce les haricots presque cuits. Ils achèvent leur cuisson dans la sauce. Elle doit être assez abondante pour achever la cuisson des graines et ne pas craindre de se dessécher dans le four.

Dans tout ce qui se cuisine avec les salaisons, soyez mesuré pour le sel. Pour le poivre moulu de frais, on peut avoir la main généreuse.

Un « monjetat », comme un cassoulet, peut se préparer à l'avance et se faire mijoter au four. Lorsqu'une pellicule gratinée se forme à la surface, on l'enfouit. On l'enfouit jusqu'à cinq fois. Au bout de la cuisson, on doit avoir des haricots moelleux mais non écrasés, dans une sauce brun rougeâtre.

L'énorme soissons, après avoir été trempé, se cuisine avec des « figatelles », ou des saucisses de foie comme on les aime en pays tarnais et toulousain.

Tous les haricots, comme les lentilles et les fèves, peuvent s'accommoder de peu. D'un os de jambon encore un peu viandu, d'une saucisse trop sèche, d'un saucisson très dur.

Plats modestes par leur rusticité, même quand les haricots sont préparés au confit d'oie ou de canard, c'est avec eux que j'aime renouer avec la cuisine du froid.

Le morceau de la reine

Le groupe de garçonnets s'éparpillait en criant : «Nous avons mangé la chair d'une bête vivante !»

Que peut-on manger d'un animal alors qu'il court encore? Qu'est-ce qui est digéré depuis longtemps alors que la bête est toujours en vie?

Les testicules que l'on enlève aux mâles. Ces glandes, lorsqu'elles sont jeunes, sont exquises. On donnait traditionnellement celles des porcs — rouges et de la taille d'une olive — aux petits garçons sur un morceau de pain.

Celles de veau, chez les tripiers, se vendent sous le nom de rognons blancs. La finesse de leur goût les fait nommer faux ris. Les mâles sont châtrés pour que leur viande soit plus grasse, qu'elle perde du goût, pour qu'ils perdent cette agressivité — on avait des bœufs forts et doux, des moutons, des cochons à engraisser, des chapons dodus, des dindons —, cette force physique qui les jette dans l'action.

Les meilleurs testicules sont ceux du coq, blancs et lisses comme s'ils portaient une coquille, de la taille d'un œuf de pigeon. On les appelle «amourettes» par ironie, puisque après l'opération il n'y aura plus d'amour[1].

1. On appelle aussi amourette la moelle épinière des animaux.

Pourquoi n'offririez-vous pas, pour faire honneur à une invitée, en petite sauce poulette ou en sauce râpure, les « amourettes » du coq mêlées à la crête et aux barbillons ?

Voulez-vous savoir comment on les enlève ? C'était un travail confié aux femmes en Lauragais. Elles fendaient la peau d'un coup de rasoir, au-dessus de l'anus, entre le croupion et le cloaque. Elles enfonçaient deux doigts — l'index et le majeur — trempés dans l'eau-de-vie, suivaient la colonne vertébrale, allaient au-delà des reins, saisissaient les testicules à tâtons, puis tiraient. L'opération était très douloureuse. Le coq, dans les mains de la femme, tout d'un coup semblait mort. Les yeux mi-clos, il respirait à peine. C'est la parade des oiseaux quand ils ont trop mal.

On recousait avec une grosse aiguille et du fil au chinois et sur la couture on mettait une pommade à base de charbon de bois.

Puis on coupait la crête et les barbillons et on cautérisait au fer rouge. Pourquoi cette ablation puisque la crête régressait obligatoirement avec la disparition des glandes sexuelles ? C'est vrai, c'est un bon morceau, mais ne peut-on penser qu'il fallait marquer par un signe supplémentaire que ces coqs n'étaient plus des mâles ?

On produit moins de chapons qu'autrefois mais ceux qui sont sur le marché subissent l'opération, obligatoirement faite à la main.

Testicules et crêtes, plat de choix, morceaux de reine. C'est de cela qu'était garnie la fameuse bouchée « à la reine ».

Si vous passez dans un pays où l'on fabrique le chapon, tâchez de vous procurer des testicules, ou à défaut, prenez ceux de veau. Des crêtes et des barbillons, vous pourrez en trouver : un volailler vous gardera assez de têtes pour les mêler à vos faux ou vrais ris. Vous les ferez sauter rapidement dans de la matière grasse, saupoudrerez de râpure qui est de la chapelure de pain, mettrez ail, persil et une pointe de vinaigre.

Peut-on rien offrir à une femme de plus succulent ?

Le chou de Madeleine

Le troisième jour, Dieu créa le chou et il s'émerveilla lui-même de le trouver si bien plié : cœur dans cœur, dans cœur, dans cœur, jusqu'au point central d'où tout s'ordonne, recelant entre ses feuilles les gouttes d'eau les plus rondes et les plus brillantes du monde.

Lorsqu'il sort de la pépinière, le plant de chou est formé de deux petits cœurs verts réunis à leur pointe d'une minuscule racine. Quand il a grandi, qu'il est presque prêt à être consommé, mettez-vous au bord d'un champ de choux un jour d'hiver et de grand vent. Regardez la légère brume bleutée qui se marie au vert, puis fermez les yeux et écoutez au ras du sol. Vous entendrez une petite musique comparable à celle de l'archet sur les cordes : ce sont les feuilles jouant sur elles-mêmes.

Comme le chou a soif quand il vente, on dit qu'il ressemble à l'amoureux. Il fut longtemps le symbole du cœur altéré lorsque, la nuit du 1er mai, les jeunes gens allaient suspendre de verts messages aux portes des jeunes filles.

Savez-vous pourquoi on dit que les enfants naissent dans les choux ? Regardez la boule compacte de la pomme, les feuilles serrées et tendues. Regardez une photo d'accouchement au moment où la tête apparaît à peine et pèse de tout son poids sur le périnée. Vous serez frappé par la ressemblance.

Qu'il soit milanais, frisé, pointu, capucin, rouge, qu'il soit cru ou cuit, mangé ou posé en emplâtre, le chou est un légume miracle. Il vient à bout des plaies, des furoncles, de toutes les maladies de la peau ; il protège les muqueuses, il arrête les hémorragies. On aurait plus vite fait d'énumérer ce qu'il ne peut pas guérir. C'est lui qui, d'après Pline, garda la santé aux Romains.

Les Chinois, qui ne sont pas bêtes, le consomment depuis cinquante siècles, et les chats, qui savent tout, sont amateurs de chou.

Essayez ce soir le «chou de Madeleine». Prenez les feuilles les unes après les autres, même celles de l'extérieur, à condition d'enlever la côte. Roulez-les comme des feuilles de tabac et assis à votre table — ça va être long —, avec un grand couteau, sur votre planche à découper en bois, taillez-les en très fines lamelles. Mettez-les, à mesure, dans une cocotte en fonte. Vous aurez tout le temps de voir comme le chou est bien plié, de voir les gouttes d'eau dont je vous parlais, glisser sans laisser de trace sur le limbe, de vous étonner de ne pas les recevoir en perles de verre au creux de votre main.

Quand vous aurez terminé, vous aurez une pleine cocotte de fine dentelle de feuilles. N'ayez crainte : cela va tellement diminuer qu'il n'y a jamais assez du «chou de Madeleine».

Salez, poivrez, faites tomber un filet d'huile — en forme de 8 pour la joliesse du geste. Débitez deux grandes tranches de jambon cru en lamelles, comme le chou.

Mélangez à la cuillère de bois et mettez à feu doux, doux, doux, bien couvert. Cela va cuire deux heures environ. De temps en temps, faites tomber sur le chou la vapeur accumulée sous le couvercle — c'est aussi un joli geste et fort utile. Le chou ne doit pas dorer, il doit impérativement être fondu dans son propre jus. Donc cette eau accumulée sous le couvercle a une importance capitale.

Un peu avant le repas, découvrez et laissez évaporer le jus si le chou en a rendu beaucoup. Mélangez deux œufs aux lamelles maintenant confites.

241

Ainsi cuit, à l'étouffée, le chou est débarrassé de son unique inconvénient qui est d'être un peu indigeste pour les estomacs délicats.

Mais nous sommes loin d'en avoir fini avec lui!

Farcissons-le, voulez-vous? C'est sûrement à mon éducation que je dois mon amour des farces. La lignée des femmes dont je suis l'aboutissement, pauvres, inventives, porteuses de la longue tradition des astuces pour cuisiner aux moindres frais mais bien, farcissait tout et le plus inattendu : la sardine, l'artichaut, le bonnet de la pieuvre. Avec du pain et du lait, de l'ail et du persil, une très petite quantité de viande — on m'envoyait chez le boucher acheter 100 grammes de saucisse fraîche; et quand ma mère mettait de la saucisse rôtie que l'on consommerait avec une purée, elle en réservait une douzaine de centimètres —, une très petite quantité de viande donc et un œuf — pas toujours, car l'œuf a tendance à durcir les farces et il faut en user avec parcimonie, bien mêlé à du pain moelleux — on obtenait un mélange qui donnait l'illusion de consommer de la viande. Ce résultat, dont le goût était infiniment supérieur aux ingrédients, m'est toujours apparu comme un symbole. Celui de la capacité à synthétiser des éléments épars, à les unir en une chose différente, nouvelle, le plus souvent succulente. Et je crois qu'écrire est une «bonne farce». Qu'on la fasse avec des matières sans défaut : un bon pain au levain, un morceau de porc irréprochable, une émotion authentique, ou avec des matières contestables : un œuf de poule en camp de concentration, du cochon frelaté, du pain industriel, de la psychologie au rabais, un cœur sec, si on cuisine bien, le résultat peut être très bon, améliorer le point de départ, masquer la médiocrité des ingrédients, ou porter leur authenticité au pinacle. Mais revenons au chou que nous allons farcir.

Prenons d'abord la formule : chou entier.

Un beau chou bien pommé est le point de départ. Le plonger tel quel dans l'eau bouillante salée et le faire blanchir, assez pour le ramollir, pas assez pour le défaire — la cuisine nous enseigne la mesure exacte. Après l'avoir sorti et posé dans l'égouttoir, on cure du côté du trognon avec un couteau bien pointu pour l'enlever au mieux, sans toutefois défaire les feuilles. Puis écarter les feuilles jusqu'au cœur. Ainsi ouvert, comme une fleur, on va le refermer en emprisonnant une petite épaisseur de farce et en rabattant amoureusement une série de feuilles, ainsi de suite jusqu'à la reconstitution sphérique du chou. Vous avez bien compris : de fines pellicules de farce alternent du centre à la périphérie, avec de fines pellicules de feuilles. Ainsi reconstitué, on peut le nouer d'un coton, mais pour ma part, je préfère le mettre dans une cocotte de terre à sa taille où il ne puisse s'évaser. J'ai pris soin de garnir le fond d'une bonne épaisseur de couennes, gras dessus, sur lesquelles je pose le chou. Couvrir et mettre la cocotte dans le four. La cuisson à feu modéré est assez longue. Il faut veiller à la fermeture de la cocotte. L'ensemble ne doit pas être desséché mais moelleux. Le lait trempant le pain y aide bien.

Si quelque chose attache au fond du récipient de cuisson, ce sera les couennes et non le chou. C'est d'ailleurs ce qui arrive le plus souvent et on ne les sert pas. On ne sert que le chou. Lorsqu'on coupe des parts, le feuilletage apparaît faisant alterner le vert et le rose. C'est ravissant.

Un jour de grand repas, on peut lui préférer la formule « en croûte ». Vous poserez votre chou entier farci sur une abaisse de pâte brisée point trop grande. Un cercle de pâte recouvrira la sphère succulente et viendra se souder aux bords de l'abaisse avec un peu d'eau et d'art — que votre couture rabattue soit festonnée par exemple, soulignée d'un galon plat. Sans blague. Un ruban de pâte hachuré avec le dos d'un couteau, ça « définit » la circonférence de manière esthétique. Puis dorez avec un jaune d'œuf allongé d'un peu de lait. Dorez avec votre pinceau à dorer. Puis d'une pointe émoussée pour ne point trouer la sphère dessinez dans la

243

pâte des ronds et des lignes en épines. Moi, je mets au sommet un petit cercle de pâte orné d'une baie de genièvre, et à partir de là je décore d'écailles, comme si c'était un artichaut.

Préférez-vous les boulettes de chou? Les feuilles alors sont détachées crues et blanchies, puis enroulées autour d'une boule de farci. Les feuilles du centre, déjà creuses, plus solides que les feuilles de l'extérieur, se prêtent au premier enroulement. Là il est nécessaire de nouer d'un coton. On achève de cuire dans une sauce tomate.

Mais le chou, médicinal et culinaire, peut aussi se manger simplement bouilli avec un morceau de petit salé ou une bonne huile d'olive, se manger cru en salade — surtout son cœur blanc. Et surtout en soupe. Si l'on prend soin d'enlever ses grosses côtes, le limbe des feuilles fond littéralement et se mêle à la pomme de terre choisie bien farineuse. La blanche de Beauvais par exemple qui s'écrase et transforme l'eau de cuisson en un onctueux laitage.

À la fin du mois : la gelée d'arbouses

Un arbre se répand à profusion dans les chemins d'automne de la garrigue : l'arbousier, dit encore l'arbre à fraises à cause de son fruit rutilant et grenu. Comme tous les fruitiers sauvages, il donne des fruits un an sur deux. Mais dans l'immensité de la garrigue, on trouve toujours un arbousier croulant sous une récolte d'un beau rouge orangé. Le feuillage est dru, persistant et singulièrement brillant, et sur les branches coexistent, avec les fruits mûrs, les fleurs pour l'an prochain : un muguet suspendu. Le bouquet du mois, fait de vigne rouge ou jaune et d'une branche d'arbousier, resplendit dans la maison.

De cette petite bille farineuse, à goût de banane, à odeur douce de fleur d'oranger et de ciguë, on tire de la gelée — la recette est exactement la même que pour celle d'azeroles. Mais on fabrique aussi, avec les fruits écrasés, une « pâte de coings » rustique — je disais ça sans rire. Les minuscules protubérances triangulaires qui couvrent l'« arbanole » rendent cette pâte un peu difficile à manger quand on n'a pas une excellente dentition. Mais à la fois farineuse et acidulée, elle plaît au goût. De plus, le feuillage de l'arbre, riche en tanin, est fortement astringent. L'infusion, comme le fruit, constitue un excellent antiseptique des voies urinaires.

En Grèce, les rameaux et les feuilles servent encore au tannage des cuirs.

Le fraisier en arbre est prolifique. Les fruits ramassés à pleines mains sur les chemins peuvent facilement remplir une barrique. On extrait alors de l'arbouse une de ces eaux-de-vie utilisées en Languedoc pour le nettoyage des plaies, les frictions régénératrices et toute espèce de flambage culinaire.

NOVEMBRE

Toussaint inaugure le mois des nuits longues. Les raies sourient chez le poissonnier de leur sourire mystérieux. Souvent, en Languedoc, on bénéficie de trois printemps : celui des morts, celui de la Saint-Martin, celui de la Saint-André. Avec les premières noix, encore humides, découvrez le carde, variation artistique de l'artichaut. Goûtez vos confitures sauvages avec le millassou et ajoutez à votre collection originale : la gelée de prunelles et l'onctueuse purée de gratte-cul. Avec une vieille poule ou une jeune vierge ne manquez pas la sanquette. Dans les châtaigneraies somptueuses, ramassez ce qu'il faut pour un gâteau aux châtaignes. Un matin on se réveille dans le gel cristallin et parfois dans la plaine on a la surprise — à marquer d'une pierre évidemment blanche — de quelques poignées de neige.

Poule vieille et jeune vierge

C'est avec une vraie poule en fin de ponte que se fait la poule au pot. Trois heures de cuisson lui seront nécessaires et au bout de ce temps elle ne sera pas démolie. Ce qu'on vend pour poule à bouillir, qui vient des élevages industriels, est en fait une poule d'un an seulement, abattue avant la première mue, dont la viande ne « tient » pas, se désarticule lamentablement dans le court-bouillon.

Tâchez donc d'obtenir (d'une fermière à l'ancienne) une poule de quatre ans ou plus, ferme, voire récalcitrante. Tuez-la et faites la sanquette. Dans le fond d'une assiette creuse mettez un peu de pain rassis, émietté, du lard coupé en lamelles très fines, de l'ail, du persil, salez et poivrez. C'est ce qu'on appelle une sanquette bien « ferrée ».

Préparez-vous à tuer la poule. Poule ou poulet, pigeon ou lapin, agneau, ayez le courage de vous y mettre. C'est le seul moyen de déguster quelques volailles ou viandes authentiques. Au bout de quelques expériences, vous deviendrez aussi doué que moi : j'envoie les poulets « ad patres » avec maestria ! J'enfonce une lame tranchante exactement où me le montra la cousine et le sang chaud coule sur le pain préparé. Il y en a juste de quoi le mouiller — avec le temps vous apprendrez les mesures : « On voit à peu près ce que les choses demandent, le jugement en décide aisément et un peu d'usage y rend les gens habiles », dit joliment *Le Cuisinier instruit* de 1758.

Plumer une volaille, et surtout une poule, n'est rien de démesuré. Cela se pratique à chaud. C'est un moment d'observation merveilleuse, comme tout triage. J'y ai appris, bien avant l'école, l'ouïe de tous les oiseaux si bien protégée, leur œil, la disposition des rémiges — et d'autres fois le manteau de la moule, le bouton-pression de la seiche, la longueur des tentacules et toutes ces choses inutiles et indispensables qui sont des moyens de s'ancrer dans les plantes et les bêtes. À tâtons j'ai dégagé les entrailles fumantes, réservé le foie et le gésier, débarrassé le cou de l'œsophage et découvert contre l'ossature du dos les « petits œufs », non pondus, réduits au jaune, que toute poule contient. Il faut soigneusement les mettre de côté, ils serviront pour la farce dont la poule sera remplie, faite de pain, du foie haché, de la viande du gésier, d'une noix de chair à saucisse, de l'ail et du persil inévitables, d'assaisonnement que l'on peut prévoir assez relevé.

Cousue sur sa farce, ficelée, la vieille poule est confiée à un court-bouillon, je dirai « complet » : oignon, girofle, laurier, thym, poireaux, céleri, carottes, navets, sel de mer et même une tomate. Clore le récipient et cuire sans limitation.

Dans l'Aveyron, lorsque la poule est tout attendrie, trois heures après, parfois plus, on la sort, on la barde et on la met au four comme un poulet. Cette viande à la fois bouillie et rôtie est succulente. Le « bouillon de viande » est encore, de nos jours, pour les Aveyronnais, la soupe de fête et de force, celle, exceptionnelle, qui contenait les arômes et les bienfaits de l'animal : on l'offrait aux accouchées pour les reconstituer.

Mais on sert le plus souvent la poule bouillie découpée, le farci à part en tranches — il n'y en a pas trop et tout le monde l'aime —, les légumes égouttés, du riz cuit dans le bouillon, et aussi une jatte de ce bouillon pour imbiber les légumes écrasés. Plat complet, réjouissant, facile et économique, la poule au pot a toutes les qualités. Une variante sert les beaux morceaux, porte-cuisse, filets et filets mignons, dans une sauce poulette préparée avec le bouillon, et à un autre repas les bas morceaux, carcasses, pilons, avec les légumes et le farci.

Une fois dans l'hiver au moins, offrez-vous une poule au pot.

À l'autre bout de la vie de la poule, du côté de la jeunesse, existe la jeune vierge, à la limite de la puberté.

Mon ami Jean-Pierre prend des petites poules blanches dans les élevages, à quelques semaines. Quand il les met dans son verger, qu'elles ont la terre et l'herbe sous les pattes, des pommes à picorer et de l'eau à boire dans de vrais abreuvoirs, elles sont à la fois effrayées et incapables de s'en tirer seules. Mais les pommes, les vers, le ciel du Lauragais, la cabane de planches où elles passent la nuit, ont vite fait de les rendre à nouveau à leurs instincts d'animaux sociaux, coureurs et gratteurs.

À quatorze semaines, finie la plaisanterie du retour à la nature. Vous ne croyez tout de même pas que Jean-Pierre a quitté la physique nucléaire pour délivrer les poules de leur esclavage ? Non, c'est pour faire métier de l'oie grasse, du canard et de cette fameuse poularde. À quatorze semaines donc, retour dans la cage. Là, bien installées, sans bouger, elles vont être engraissées pendant trois semaines, quatre fois par jour, de... riz au lait. Dans le demi-jour de la grange, abandonnées à la somnolence des individus trop bien nourris, elles grossissent et blanchissent. À quoi pensent-elles ? à la prochaine ration de riz au lait ? C'est vrai qu'il embaume : on en mangerait.

Elles seront tuées avant d'être matures, avant dix-huit à vingt semaines. Sacrifiées encore vierges, leur viande est blanche ! tendre ! un rêve.

Je ne puis vous donner l'adresse. Mais sachez qu'elle est dans ces pages, disséminée comme un jeu de piste de l'enfance : ici le lieu, ailleurs le nom de la propriété, ailleurs un autre indice. Avec un peu de finesse vous la trouverez. Jean-Pierre et sa femme sont merveilleux à fréquenter. Ils savent tout sur les plantes. On respire dans leur jardin le tabac blanc et le datura. On leur achète des magrets bien poivrés, chacun dans un petit sac de toile.

Avec la jeune vierge, on fait aussi la sanquette, un sang lui-même virginal. Il n'y a pas d'idée plus séduisante que celle de consommer, bouillie, pochée ou rôtie, cette chair immature, blanche comme lait, et fondante à plaisir.

Le sourire des raies

Les aquariums, en plus des espèces exotiques, offrent maintenant, à portée de l'œil, la plupart des poissons comestibles que l'on ne connaîtrait pas vivants sans cela. Dans ces galeries sombres, aux murs desquelles s'ouvrent des parallélépipèdes lumineux et déformants, on peut voir le poulpe, fuyant comme une eau, la seiche et son volant en forme, et la raie. Posée à plat sur un fond où elle disparaît à la vue, elle ne laisse dépasser que des yeux et des évents qui bouleversent le sable de minuscules tourbillons. Quand elle pulse, verticale, en forme de losange, propulsée par ses nageoires pectorales hypertrophiées qu'elle agite comme des ailes, elle révèle sa face ventrale, surprenante, d'une pâleur de peau qui ne voit pas le soleil.

La bouche de ce carnassier est une adorable bouche féminine à lèvre supérieure renflée, à la fois souriante et triste. Les narines sur la face ventrale ressemblent à des yeux ; les trous des branchies dessinent des joues, si bien que lorsqu'elle se redresse, on a en face de soi un visage aux paupières tombantes, un visage de femme qui porterait le capulet pyrénéen, un visage où le sourire est proche des larmes.

Si on réfléchit scientifiquement, on sait bien que ce n'est pas du tout une face lunaire posée en face de la nôtre, puisque les yeux sont situés sur la face dorsale

— la raie ne voit d'ailleurs pas les proies qu'elle mange, poissons ou coquillages que ses dents broient comme des meules —, mais on ne peut se défendre de l'impression. Quand, chez le poissonnier, vous retournerez la raie entière et pour la première fois rencontrerez ce sourire, vous ne pourrez vous défendre d'un étrange malaise.

Il existe des raies géantes pouvant mesurer plusieurs mètres d'envergure. Je me souviens d'une manta que les badauds venaient voir dans le port de La Nouvelle et qui battait l'eau comme un oiseau immense. Comment, en découvrant ce visage qui, de plus, souriait de façon inquiétante, plus gros qu'un visage humain, les hommes d'autrefois n'auraient-ils pas cru à l'existence de femmes-poissons ?

Achetez la raie entière pour profiter de ces lèvres aux coins retroussés, toute seule dans votre cuisine, comme on commet une indiscrétion. Vous séparerez les deux ailerons dont vous ôterez la peau grise. Vos doigts seront râpés comme par du papier émeri. Mais il y a en outre plusieurs raisons culinaires pour acheter la raie entière. Comme l'œil est sur la face dorsale, profondément enfoncé dans les orbites, vous ne pouvez juger par lui de la fraîcheur du poisson. C'est un cas unique : la fraîcheur de la raie se voit à sa peau. Elle est couverte d'un enduit visqueux qui se reforme pendant dix heures encore après la mort. Essuyez un bout de raie et si la peau refabrique sa glaire c'est qu'elle est ultra-fraîche. Votre nez aussi peut intervenir. Dès que la chair est passée, la raie sent l'ammoniaque.

Une autre raison : le foie est réputé à juste titre, ainsi que la tête, peu copieuse mais riche en belles joues où l'on récupère gros comme une noisette de chair juteuse.

Des raies, il en existe de bien des sortes : raie cendrée, raie miraillet — petit miroir —, raie ronde, raie cornue, et même torpille, cette raie qui vous envoie une vraie décharge électrique — les pêcheurs s'amusent à y attraper les nigauds. Mais celle que l'on consomme est la raie bouclée, dont la taille varie de quinze à trente centimètres pour les plus courantes.

On fait cuire les ailerons, les foies et le reste dans une eau salée acidulée de vinaigre. Dès que l'eau a repris le boul, on éteint tout et le poisson achève lentement de pocher. Puis on le sort avec l'écumoire. On le sert ainsi bouilli avec une sauce quelconque : beurre fondu, beurre frais agrémenté d'herbes vertes diverses, de la ciboulette au persil, sauce à la moutarde, vinaigrette, sauce aux câpres ; ou alors épongée et frite dans de l'huile ; au beurre noir, ou encore au beurre noisette.

C'est un poisson cartilagineux dont l'armature intérieure, au milieu d'une chair bien rangée en longs feuillets, s'organise en un bel éventail. Les déchets, sur le bord de l'assiette, sont ornés d'articulations délicates. Autant le visage est poignant, autant l'ossature est rigolote. Pour moi, je croque tout : les petits os du pied de porc, le blanc d'ivoire de l'oreille, les cartilages de la raie.

Si vous avez des restes, posez-les avec un peu de bouillon dans un plat : ils prendront en une gelée claire que l'on doit aux cartilages.

Quant au foie, n'oubliez pas de retirer son fiel qui a le gros désavantage d'être ramifié. Traquez-le partout. Mieux vaut perdre un morceau de foie que de le rendre immangeable.

Sur la plage, vous rencontrerez les œufs de la raie, ce sont de petites boîtes quadrangulaires aux coins terminés en pointe, faites d'une matière cornée. Le nom qu'on leur donne va vous les faire reconnaître, presque noirs sur les sables tout propres de l'hiver : on les appelle oreillers des mers.

Gâteau aux châtaignes

Pour vous former l'œil et l'esprit avant de déguster cette subtile friandise qu'est le gâteau aux châtaignes, je vous propose de vous promener un de ces jours au-dessus de Colombières-sur-Orb, en direction du refuge de la Fage. Vous y verrez des murettes de pierres appareillées retenant la terre, offrant jusqu'en haut de la montagne des bandes de terrain où poussent les châtaigniers. Le chemin qui monte est dallé, parfois large comme une voie romaine, parfois réduit à des « laissas » surplombant le vide. Des escaliers royaux aident à grimper des abrupts un peu durs. Vous verrez les « secadous », ces petites maisons sans fenêtre où la châtaigne devenait châtaignon. C'est aussi beau que Machu Picchu.

Il fut un temps pas très lointain où ces châtaigneraies en étages étaient propres comme des jardins et en novembre, lorsqu'on châtaignait, on trouvait facilement les fruits sur un sol bien tenu, presque une pelouse.

La châtaigne était au centre de la vie domestique. Elle était consommée bouillie ou grillée ou en soupe au moment des châtaignons, on en faisait même de la farine et surtout elle engraissait le porc — cet autre centre du monde — son lard rosé, sa chair succulente.

Nous nous contenterons aujourd'hui d'en faire un dessert, un surplus, un mets pour gens surnourris.

Achetez un kilo de châtaignes. Je ne saurais trop insister pour vous convaincre de fréquenter le marché du vendredi place David-d'Angers. Il est plein de produits délicieux et de gens adorables. Pour les châtaignes, je vous signale un marchand qui se tient en face du bureau de tabac. Il vend plein de petites choses dans de toutes petites corbeilles. Vous ne pouvez pas vous tromper : il est en tout point remarquable. Regardez ses mains et sa figure. Eh quoi ! ne soyez pas rebutés : la châtaigne est protégée par une double peau.

Commencez par enlever la première de ces peaux. Je vous conseille de vous assurer le concours de tous les gens de la famille que vous pourrez serrer. Ça va être long et mettre dans l'évier tout un fourbi de vaisselle. Mais éplucher ensemble des châtaignes peut être un bon moment de conversation.

Mettez-les à cuire dans une grande quantité d'eau légèrement salée et laissez cuire presque un peu trop, jusqu'à ce que la deuxième peau se soulève. On doit pouvoir l'enlever facilement.

Égouttez. Rassemblez à nouveau votre monde et pelez les fruits en essayant de ne pas vous brûler les doigts. Mettez-les à mesure dans un moulin à légumes, grille moyenne. Passez. Préparez un bain-marie. Mettez 100 grammes de beurre, deux ou trois cuillerées de crème fraîche, trois barres de chocolat à cuire et du sucre, plus ou moins suivant que la châtaigne est moins ou plus sucrée. Remuez : le mélange doit être bien fondu et satiné. Versez-le dans votre purée de châtaignes. Mélangez bien. Vous avez une pâte compacte. Garnissez-en, en tassant bien, un moule à flan.

Laissez au froid quelques heures. Démoulez en trempant le fond du moule dans l'eau chaude quelques instants. Garnissez de demi-noix pour l'harmonie du beige et du brun.

Vous avez un gâteau dont le goût est particulièrement délicat. Dans le concert de cette pâte, aucun ingrédient ne chante plus haut que l'autre. Ni le chocolat, ni le

257

beurre, ni la châtaigne, ni la crème ne dominent. Chacun joue subtilement. Tous se mêlent et pèsent de force égale pour fondre entre la langue et le palais avec une fraîcheur de source.

Carde aux noix et — ou — à l'anchois

Cette espèce de céleri grisâtre aux grosses côtes toujours quelque peu rouillées : le cardon, fait partie du « gros souper » précédant les treize desserts de Noël. Très présent sur les marchés de Provence, il faut ici le débusquer aux étalages des marchands de fruits et légumes et si on n'est pas averti de son excellence, rien dans sa mine n'invite à le cuisiner.

Le triage du carde est particulièrement fastidieux. Chaque côte doit être pelée, débarrassée de toute feuille — même au cœur où elles paraissent innocentes. Tout morceau creux doit être écarté. Que de déchets ! un gros cardon : un petit plat. Et les doigts dans un état ! c'est pire que le salsifis. Vers le centre, ce pied assez laid révèle un cœur velu, d'un gris argenté, d'une douceur de velours. Les côtes coupées en tronçons sont mises à bouillir. À la cuisson il apparaît de petits filaments émeraude du plus bel effet.

Après avoir épongé les morceaux, on les farine, on les fait frire et on les réserve. Dans la poêle on met des noix en morceaux et de l'anchois pilé. On peut supprimer l'anchois et le remplacer par de l'ail et du persil. Les côtes, remises un instant dans la poêle, prennent un peu la sauce.

Le résultat est tout simplement prodigieux. On s'en lèche les babines. Car le carde est un artichaut, une variation — en hauteur — de l'artichaut. J'en prépare une ou deux fois dans le peu de temps où les marchés offrent ce délicieux légume méconnu. Et chaque hiver je me dis : «Si ce n'est pas aussi fameux que dans ton souvenir, tu arrêtes de trier ce sacré carde !» Mais c'est à la hauteur de la mémoire et Dieu sait s'il faut être compétitif pour égaler cette faculté en nous qui grossit le réel et peut l'élever au rang de mythe.

Le millassou et les confitures sauvages

Vite, les dernières confitures rares. Il fait froid. Il a gelé sur les fruits restés aux branches. Il est temps. N'attendons pas que tout soit grillé.

Sur les églantiers, les fruits rouge vif sont mûrs maintenant. Leur nom scientifique est « cynorhodon », mais gratte-cul est plus intéressant. Il nous rappelle que, d'abord, le fruit servait aux écoliers pour faire des farces. Quand on avait pu glisser dans le tricot du voisin les poils de l'intérieur du fruit, on était sûr de le voir se gratter désespérément. Le mieux était d'introduire le petit supplice le matin ou au début de l'après-midi, la victime souffrait jusqu'au soir.

C'est à Pline que nous devons ce nom de rose des chiens, car il affirmait qu'elle guérissait les morsures des chiens enragés.

Connaissez-vous la galle qui parfois comme une éponge rousse de la grosseur d'une petite pomme garnit les branches ? On l'appelle bédégar. Cueillez-la. L'odeur étonnante, de pêche et de rose, à faire vaciller, augmente de jour en jour et peut embaumer les maisons. Un an, parfois plus, elle subsiste.

Du fruit on tire une confiture antiscorbutique, antirachitique, fortifiante, d'un bel orange sombre et étonnamment farineuse pour venir d'un fruit qui ne contient presque pas de chair.

Dans un grand récipient, on met les fruits, on les recouvre d'eau — elle doit dépasser d'une largeur de main. Il faut cuire longuement, une heure et demie, et recharger en eau quatre ou cinq fois en cours de cuisson. À la fin de la cuisson, le fruit défait a la consistance d'une pâte très molle.

Passer une première fois, à la grille moyenne — celle de la soupe. Passer louche après louche, et chaque fois vider le moulin et le nettoyer. C'est procéder un peu comme pour la mûre, mais le nettoyage doit être plus minutieux à cause du poil à gratter que le double moulinage tend à éliminer.

Car cette purée, il va falloir la repasser à la grille fine cette fois, en procédant de la même manière, c'est-à-dire avec le nettoyage périodique du moulin. La purée, encore épaissie, est alors pesée. On lui adjoint son poids de sucre. Le mélange repose vingt-quatre heures. La cuisson se fait à petit feu. Quand la confiture fait « pout, pout », on laisse dix minutes encore à cuire, à l'extrême ralenti.

À quelques jours de là, le temps d'oublier les ustensiles dégoulinants de crème poisseuse, passons à la prunelle.

Malheur à qui se fait piquer par l'« épine noire » ! Vénéneuse, je dirais même venimeuse, comme un vilain insecte. Et le buisson : infranchissable, pire que la ronce.

Au printemps, « épine blanche » et « épine noire », de loin en loin, ornent la garrigue de leurs buées légères. L'été, le fruit déjà violet, recouvert d'une pruine, paraît mûr. Mais il faudra attendre les premiers froids pour le cueillir.

Si on a la curiosité de goûter à la prunelle, véritable petite prune, l'âpreté du fruit suffoque. On a l'impression d'avoir la langue en papier émeri. C'est l'équivalent gustatif de l'agressivité des épines.

Se fierait-on à cette apparence que l'on ne ferait rien avec cette baie modeste. D'autant plus que la cueillette est un supplice presque aussi déplaisant que la récolte du genièvre.

Mais la gelée que l'on obtient enchante par sa saveur aigrelette et surtout par sa couleur mauve. La plupart des confitures tournent autour des jaunes et des rouges — parfois un peu violacés. Mais une confiture bleue ! Ce n'est pas son moindre charme. D'ailleurs, dans toute la cuisine, avons-nous tant de mets bleus ? L'aubergine ? — encore la pèle-t-on. Certains cèpes ? on se méfie, même si on les sait non seulement comestibles mais encore parmi les meilleurs. On se méfie du bleu dans la nourriture, il faut se rendre à l'évidence. On ne l'avale que pénétré d'une terreur sacrée. Le Cointreau bleu me fascine dans le verre, je me le fais servir et je le regarde. Je tremble en mangeant le cèpe bleuissant. Le bleu est si immatériel que peut-être a-t-on peur de s'abolir en lui où se noient les formes, les sons et les mouvements.

On sortira un pot de prunelles dans les grandes occasions : le millassou, les crêpes et le rôti de porc ou de sanglier. Le ramassage est si fastidieux, le fruit si petit et l'arbuste si peu garni que l'on a toujours trop peu de cette confiture.

Près de la viande craquante à l'extérieur et juteuse au-dedans, près du millas d'or et sur la crêpe ocre, la gelée transparente et bleue plaît d'abord esthétiquement à l'œil puis à la bouche.

Pour obtenir la gelée de prunelles, procéder exactement comme pour celle d'azeroles.

Maintenant qu'on a épuisé les plaisirs du raisin, on peut avec ces confitures rares déguster le « millassou ».

Les Italiens l'appellent « polenta », c'est la bouillie de maïs jaune, une simple bouillie à l'eau, salée. Ici, on la trouve sur les marchés sous le nom de millas ou millassou, en rectangles de trois doigts et d'un bon centimètre d'épaisseur. On la fait cuire dans l'huile, jusqu'à l'entourer d'une pellicule croustillante toute dorée. On la mange brûlante avec les confitures sauvages : un peu de mûre violette, l'azerole d'ambre, la purée orange du gratte-cul, la prunelle comme du verre bleu.

DÉCEMBRE

Malgré les longs automnes et les printemps répétés, les arbres ont fini par être défeuillés. Sur le ciel clair des couchants, tôt dans l'après-midi, branches, branchettes, brindilles, brindillons découpent leurs dérivations de plus en plus menues. Chaque arbre ressemble au réseau nerveux ou veineux de l'homme. On sort du four la tarte aux amandes de vigne, ronde et dorée, car il faut, dans les jours froids, des soleils culinaires. Il est nécessaire de suppléer au refroidissement de l'astre. Ce n'est pas pour rien que l'orange est là, que le kaki rayonne sur l'arbre nu, que le cœur brûle de joie. Tout ce qu'on mange est baigné de fête. Elle éclate dans la maison entière, près de la crèche, des pendeloques de faux givre, de la neige en coton. Pendant ce mois de bonheur et de vie casanière, ce qui est épais, chaud, emmitouflé, va plaire : l'estoufat, le poisson en croûte. Le blé de la Sainte-Barbe est une prairie en miniature et les noix magiques sont prêtes à être offertes. Consommez avec l'esprit et le cœur. Refusez l'entrée de vous-même à tout ce qui est amer et petit. Cuisinez large pour le partage impromptu. Ainsi l'année s'achève sur ce qui nous fait riches : la prodigalité.

La tarte aux amandes de vigne

Il neige sur le rebord septentrional du Causse, le vent du Nord souffle à débaner les chèvres. Bientôt les montagnes qui bordent notre plaine à vignes blanchiront sous la neige et le gel comme des fruits givrés. Il nous fond déjà dessus une lumière de verre, agile et glaciale.

Les vignes sont nues maintenant. Les amandiers sur les talus aussi, mais sur les branches noires on voit encore des fruits de l'an dernier. Les pies le savent, qui tireront tout l'hiver sur cette réserve. Longtemps encore, au pied de l'arbre, on trouvera des amandes dans l'herbe sèche. Ou bien, soyez l'ami d'un de ces instituteurs, comme on n'en fait plus, qui restaient de la sortie de l'école normale à la retraite dans le même village, devenaient des institutions au même titre que l'église et finissaient dans la peau d'un historien, d'un jardinier, d'un viticulteur, d'un archéologue. L'un que je connais révéla un étonnant village fortifié du néolithique, un autre releva des menhirs, l'autre cultive des amandiers de fruits à coque fine, un plaisir pour le triage. Il a aussi des ruches, des asperges inégalables, du miel. C'est pourquoi je consomme plusieurs dizaines de kilos d'amandes dans l'année et pratique le caramel, la nougatine et la praline.

Pour savoir si une amande est pleine, vous pouvez la secouer près de votre oreille : vous entendrez l'amande jouer dans sa coque de bois. Je me souviens de l'enfant aimé qui avait inventé ce test. C'était, comme maintenant, au cœur de l'hiver, ses oreilles étaient froides et douces comme celles des lièvres, et quand il avait reconnu le bruit du fruit, il cassait l'amande entre deux pierres, de ses minuscules mains glacées, et la mangeait pensivement, comme les écureuils.

Quand il en trouvait une double — ô ces jumelles si bien accordées creux et bosses, comme deux corps amoureux — nous jouions à « philippine » ou à « est-ce qu'on s'entend bien ? » Voilà comment : chacun mange son amande, puis on se tient par le petit doigt. On compte 1, 2, 3 et à trois on crie un chiffre de 1 à 10. Si c'est le même qu'on crie, alors, on s'entend rudement bien (on peut tricher facilement).

Jouez aussi, tout en décortiquant une livre d'amandes à coque fine. Réservez-en une poignée. Pilez les autres grossièrement. Mélangez morceaux et poudre d'amandes avec un volume égal de sucre et un volume égal de crème fraîche. Remuez bien pour obtenir un mélange crémeux.

Il y a quelques heures vous avez fait votre pâte feuilletée. Coupez-la en deux morceaux. L'un sera étalé pour être le dessous de la tarte, dans lequel on verse le mélange crème-sucre-amandes. Laissez-le dépasser largement du moule. L'autre servira pour le dessus.

Vous souderez d'un peu d'eau fraîche le fond du couvercle. Entre les deux, vous aurez réparti régulièrement la crème aux amandes.

Décorez alors le dessus. Faites de petites encoches de la pointe d'une paire de ciseaux — les trous seront ouverts. De la pointe d'un couteau émoussé — juste d'un trait, sans trouer — dessinez feuilles et fleurs, dessinez le ciel, l'arche de Noé, un jardin potager, le fond de la mer, écrivez un poème ou « Je vous aime ». Laissez parler votre imagination.

Puis battez vigoureusement un jaune d'œuf et deux cuillerées de lait. Badigeonnez-en votre chef-d'œuvre. Il a l'air de s'effacer... Erreur ! La cuisson, en soulevant la pâte, va le recréer, le restituer doré et croustillant.

Quant à l'intérieur, une fois cuit, il tient de la nougatine, du caramel, du bonbon maison.

Quand un mets était particulièrement succulent, mon père déclarait : « On dirait qu'un lapin te lèche l'âme. »

Essayez. C'est tout à fait ça.

La terrine de merles

Outre qu'il est très joli — mâle très noir ou merlette gris foncé — le merle a une chair fine et parfumée.

Vous en trouverez aux halles. Quand j'étais enfant, ils étaient liés pour moi aux soirs de chasse. Mon père sortait de sa gibecière de pleines poignées d'oiseaux qu'il jetait sur la table. Avec ma mère et ma sœur c'étaient alors d'interminables séances de plumage. Bientôt, au milieu de la table, montait un gros tas de plumes et ce n'était pas le moment de rire ou d'éternuer. Ma mère était sévère sur la qualité du travail ; il n'aurait pas fallu arracher la peau de la tête pour avoir plus vite fini ! Au contraire, on devait ôter entre le pouce et l'index toutes les petites plumes. Ensuite on passait les oiseaux à la flamme du gaz pour enlever les derniers duvets. Très vite, pour ne pas fondre la graisse fine. Dans la maison, ça embaumait la corne brûlée. Ma mère se chargeait de vider les oiseaux d'un doigt habile. Il sortait de leur ventre ouvert une délicieuse odeur de sauvage. Elle réservait les petits foies rutilants. Plus tard, elle les écraserait avec du beurre et du genièvre et en tartinerait des croûtons frits. Nous enveloppions les oiseaux, la tête sous l'aile, dans une fine tranche de lard et nous nouions le tout d'un fil. Ils cuisaient dans une grande cocotte. Depuis ce temps-là je sais que le merle est aussi bon que la grive.

Vous pouvez, si vous le voulez, les manger ainsi, mais aussi bien confectionner une terrine de fête, un pâté exceptionnel plié dans sa crépine et au centre duquel on trouvera les filets intacts.

Pour la chair à pâté, mêlez de la viande maigre de porc hachée aux foies, cœurs, poumons, cervelles des merles auxquels vous aurez ajouté tous les petits bouts de chair récupérables sur la carcasse. Les filets, eux, vous les gardez entiers. À ce mélange vous ajouterez un peu moins de son poids en lard frais. Vous salerez et poivrerez au goût et noierez dans la farce quelques grains de genièvre. Vous pourrez ajouter un peu d'eau-de-vie de marc, très peu.

Après avoir fait tremper un bout de crépine dans l'eau chaude vous en tapisserez votre terrine. Une couche de farce. Vos filets installés salés et poivrés. Une autre couche de farce. Recouvrez de la « toile ». Dans le four, vous mettrez votre terrine couverte, le derrière dans l'eau. Ne faites pas trop cuire pour le moelleux.

C'est une entrée tout en finesse que vous mangerez avec un pain qui la mérite.

C'est le genre de mets qui se déguste, qui se mâche longuement dans la bouche, en oubliant que le merle est un des oiseaux les plus abondants de nos jardins publics, que son beau bec jaune brille dans les feuillages sombres, que, sans crainte, il s'approche de vous et vous regarde en penchant la tête, qu'il rit facilement et niche innocemment à hauteur d'homme.

Tous les plaisirs de la table sont un peu cruels et celui-là particulièrement, je l'avoue, mais je garde de mon enfance et du carnier de mon père le goût sauvage du gibier, l'envie de tuer la bête, de la manger avec les doigts, de sentir craquer sous mes dents les os menus. Désirs liés peut-être au besoin ancestral de la chasse, et plus loin encore au droit originel de dominer la terre.

Les noix magiques

Préparons Noël.

Ouvrez des noix en tâchant de ne pas briser les coquilles. Le fruit ne nous intéresse pas. Gardez-le tout de même. Vous en ferez toujours quelque chose, un bocal de figues et de noix à la liqueur, par exemple, ou vous les mettrez à confire dans du miel, ou les garderez pour des salades.

De la pointe du couteau, nettoyez un peu l'intérieur de la coque. Vous avez libéré l'espace. Logez-y ce que vous voulez : un petit mot gentil de bonne année, un joli caillou, un coquillage, une pépite d'or. Si la noix est très grosse, vous pouvez même y mettre un très petit jouet. Recollez les deux parties.

Peignez-la en doré ou en argent, ou ne la peignez pas. Remplissez un récipient de ces noix pour offrir pendant toute la période de Noël.

C'est très amusant de voir ce que feront vos amis devant un plat où il y a des noix en argent, des noix en or et des noix ordinaires.

Dites « c'est une noix magique ». Certains la gardent sans l'ouvrir. D'autres l'ouvrent dans l'instant, dans l'espoir d'y trouver la lune.

Et si quelqu'un autour de vous est capable de bricoler un « estrebeillou », un moulinet dont l'hélice est de buis et le corps une noix, apprenez vite l'art de le fabriquer.

Souvenez-vous bien que rien ne vaut un cadeau où vous avez mis de l'imagination, du temps et du cœur.

Le blé de la Sainte-Barbe, la table de Noël et les treize desserts

Le 5 décembre, jour de la Sainte-Barbe, dans trois coupelles blanches, du blé est mis à germer. Il fallait bien vingt jours, autrefois, dans les maisons sans chauffage, pour que le grain germe et pousse une brindille verte. Aujourd'hui, tâchez de tenir vos coupelles dans une pièce sans feu ou retardez la plantation. Le grain, assez serré, est posé soit en terre, soit sur du coton humide. On peut mettre des pois chiches ou des lentilles dont la feuille est aérienne et joliment découpée, mais la tradition dit : du blé. Il a valeur de symbole : il est la nourriture essentielle et de lui vient le pain le meilleur.

Bien vertes pour Noël, vos coupelles seront au centre de votre table, avec trois bougies de cire. Sur la table seront superposées trois nappes. Tout cela en l'honneur de la Sainte Trinité.

Quant aux treize desserts qui représentent le Christ et les apôtres, ils étaient servis en Provence après le « gros souper » qui comprenait sept plats maigres — les sept sacrements. On n'a plus guère envie de manger maigre pour une fête, mais le carde, les escargots, servis à ce repas, je vous en ai donné les succulentes recettes.

Seul le nombre 13 est important. On fut longtemps limité et les mandarines présentes dans ces desserts, ou les dattes, représentaient des friandises merveilleuses.

Nougatine, pralines, caramels, en voilà déjà trois. Noix, dattes, figues, mais pourquoi pas fourrées. C'est le moment de sortir vos confitures sauvages : mûres, azerolles, gratte-cul, prunelles, celles que vous trouvez les plus originales et de faire vous-même une belle brioche au beurre pour les accompagner. Des chocolats et des noisettes, si jolies. Nous voilà à 13.

Comme on ne mange pas tout le soir de Noël, les assiettes garnies restent là, à disposition des visiteurs. C'est cela la joie de Noël : le don. Les noix, les fruits dans leur bocal transparent, les plats pleins de gâteries, la nuit qui tombe tôt derrière la vitre sur laquelle on a fixé des pendeloques graciles et clinquantes.

Noël c'est la crèche que vous installerez puis rangerez dans un carton. C'est une odeur de mandarine et de bonheur suspendue au-dessus des têtes.

Pralines, nougatines, caramels

— Les enfants, vous voulez des caramels ?

— ...

— Vous voulez des pralines ?

— ...

— Vous voulez de la nougatine ?

— ...

— Alors, venez trier les amandes.

Et ils viennent. C'est un bon moment ce triage communautaire, c'est une plage dans les jours de vacances. C'est un goûter original. Ça demande plus d'efforts évidemment que d'asseoir les gamins devant un écran de télévision. Mais c'est un effort qui paie en bonheurs. Il en est ainsi chaque fois que l'on prend la peine de cuisiner pour les enfants : crêpes, beignets de fleurs d'acacia, friandises diverses dont les amandes sont la base. Il est important de leur faire des souvenirs, de meubler leur mémoire d'images. On le fit pour moi, n'est-il pas légitime que je le fasse à mon tour ?

Le goût du caramel de ma mère, qu'elle versait sur un marbre huilé et découpait au couteau, comment l'oublierais-je ? Un bonbon, jamais, fut-il supérieur à celui-là, dont je suivais la fabrication, dont l'odeur m'enivrait longtemps avant le moment où je le suçais ?

Tâchez de ne pas briser l'amande en rompant la

coque, vos pralines seront plus jolies. Mettez dans une casserole trois volumes égaux d'amandes non émondées, d'eau, de sucre — un peu moins de ce dernier toutefois. Cuisez à feu vif en remuant. Lorsque la totalité du sucre aura enrobé les amandes, versez-les dans un plat beurré ou sur un marbre, et séparez-les les unes des autres de la pointe du couteau.

Pour la nougatine, coupez les amandes en quatre ou cinq morceaux. Pesez-les. Mettez un poids égal de sucre dans une casserole, avec un peu d'eau. Lorsque le caramel commence à devenir roux, versez les amandes. À coloration brune, versez sur un marbre beurré, aplatissez au rouleau à pâtisserie huilé. Lorsque la nougatine est froide, cassez-la en gros morceaux irréguliers.

Si vous désirez façonner la nougatine, retirez-la du feu avant que le sucre ne soit trop brun. Étalée, passée au rouleau, et encore tiède, vous lui donnerez la forme que vous désirez.

Pour faire les caramels, émondez les amandes en les faisant bouillir une ou deux minutes. Une fois égouttées, elles se «dérobent» d'un seul geste. Réduisez-les en poudre. Ajoutez un poids égal de crème fraîche et de sucre. Suivant que vous désirez du caramel plus ou moins dur, vous laisserez plus ou moins brunir le mélange.

Versé sur une plaque beurrée, aplani à la spatule, découpez le caramel en carrés tandis qu'il est encore tiède.

Je réserve cela aux temps de Noël, aux mercredis un peu désœuvrés de mauvais temps. L'amande et le sucre sont un secret merveilleux pour éclairer le cœur.

L'estoufat de Noël

Ce n'est pas une daube : rien ne frit avant d'être noyé de vin.

C'est un plat d'une très grande simplicité... Mais... il y a toujours un *mais* à la simplicité culinaire, elle est faite d'impondérables nombreux, de choses inachetables, de finesse dans la cuisson, de justes quantités de chaleur, d'onctuosité exacte... si bien que la simplicité devient parfois un exploit.

Il faut une toupine de terre, bien culottée par la fréquentation de la soupe et du feu, du jambon, peu, des faux morceaux, des couennes réservées, un os, un peu rance mais venu d'un jambon de vrai cochon bien élevé au son, aux châtaignes, aux pommes de terre, aimé par sa maîtresse, pendant le temps requis, c'est-à-dire le temps qu'il faut pour faire assez de chair enrobée d'un lard solide et rose. Il faut du bœuf entrelardé coupé en gros carrés, un morceau de queue pour le moelleux. Mettre tout cela, pêle-mêle, dans la toupine avec deux têtes d'ail entières, le laurier et le thym ficelés en un petit bouquet. Couvrir largement de vin rouge allongé d'un peu d'eau.

Puis posez un papier boucher sur le pot et ficelez-le fermement autour de l'ouverture.

Théoriquement, il ne reste plus qu'à faire cuire. Tout un jour, à une distance convenable de la source de chaleur, feu de cheminée ou cuisinière. « Convenable », cela veut dire qu'il faut apprécier et doser.

278

Dans le creux clos et désormais scellé, des choses vont se produire, le vin va réduire, le jambon rendre l'âme dans le vin, comme l'ail ou les couennes, le thym expirer, la viande devenir fondante : les filaments se détachent, à peine touchés par la fourchette. Ces mystères doivent s'accomplir sans «rumer», exhortés par la cuisinière qui pendant tout un jour doit avoir «l'estoufat dans la tête», le penser, le soigner, tourner le pot, le secouer, lui faire prendre un boul, l'éloigner, s'en occuper comme d'une mariée.

Autour du pot — on a reposé le couvercle sur le papier et il dépasse une collerette de fête qui roussira un peu au fil des heures — autour du pot, placer un bel hiver froid, de la neige si possible, une messe de minuit où l'on sera allé à pied.

C'est en revenant dans l'allégresse de la Nativité, la tête pleine des chants des anges, qu'on enlève le papier boucher et qu'on mange l'estoufat avec des pommes de terre.

Il réchauffe le sang et l'esprit. Quelque part dans la pièce, comme de petits soleils d'hiver, brillent des oranges.

L'empastat de poisson,
gourmandise des parfaits

Les parfaits cathares étaient végétariens. Ils avaient en horreur la «fereza», nourriture carnée, au point de transporter avec eux — pour être sûrs de ne point manger dans un récipient souillé — leur propre cassolette de terre. Ils jeûnaient trois fois par semaine et observaient trois carêmes par an.

À ce prix-là, à défaut de gras sur la panse, ils avaient l'esprit alerte et cette foi qui les faisait marcher en chantant vers les bûchers.

Toutefois, dans cette vie d'errance et de solitude, dépendante de la charité des croyants, astreints au travail manuel, ils appréciaient ce qu'ils avaient le droit de manger et aimaient que ce soit bon.

Ainsi en était-il du poisson, chair sans âme, chair non issue de la fornication dont la consommation leur était permise. Plus que tout ils prisaient l'«empastat de peis», littéralement «poisson cuit dans le pain». Un texte colligé par Doat raconte que «des croyants portèrent à des hérétiques des "empastats" de saumon et leur dirent de les remettre à Raymond Sans, diacre des hérétiques».

Dans les registres de Jacques Fournier, il est raconté que «deux jeunes gens de Mirepoix amenèrent à un parfait... des empastats de poisson et une cape bleue». Ailleurs, on note que «des croyants donnèrent aux hérétiques deux deniers pour faire des empastats de saumon».

Les poissons utilisés pour ce « pâté » et cités dans les textes de l'époque sont l'anguille, le saumon, la truite, poissons nobles, particulièrement prisés au Moyen Âge, mentionnés comme mets de choix dans tous les contes et récits.

Cet « empastat » était même une véritable gourmandise. Pour un pâté de poisson, un parfait pouvait en jalouser un autre. « Car, quoique ces messieurs ne se fassent point de tort les uns aux autres, il y a bien néanmoins de l'envie et de la rancœur » à propos de ce mets.

Vous préparerez l'empastat pour une grande occasion. C'est un plat délicat, un plat de prince, somme toute facile, qui ne demande que du doigté et des ingrédients de grande qualité.

Vous préparerez vous-même la pâte feuilletée.

Pendant qu'elle reposera, débitez les filets d'un poisson. Pour dimanche dernier, j'avais choisi (à défaut de saumon sauvage — si rare —, refusant la truite — qui est d'élevage — et n'ayant pas trouvé d'anguille ce jour-là) un turbot clouté d'un kilo. Une truite de mer aurait fait aussi bien, ou une dorade de Méditerranée, ou un pageot. Voyez avec les hasards de la marée, mais que le poisson soit brillant et l'œil profond.

Réservez le foie et aussi les laitances, les œufs que vous trouverez dans les intérieurs ravissants des poissons frais.

Avec la moitié de votre pâte, faites une abaisse à laquelle vous donnerez la forme d'un poisson. N'oubliez ni la queue, ni les nageoires dorsales et ventrales. En respectant autour de cette forme un rebord d'un ou deux centimètres, rangez les filets, foie et œufs, salez, poivrez avec mesure, saupoudrez d'un peu de thym, sans trop, mettez quelques petits bouts de beurre.

Prenez le deuxième morceau de pâte, taillé à la dimension et à la forme du premier. Soudez le dessus et le dessous d'un peu d'eau.

Puis, de la pointe d'un couteau dessinez dans l'épaisseur de la pâte, sans la trouer, les ouïes, une grande bouche et toutes les écailles comme les tuiles d'un toit. L'œil sera un petit rond de pâte piqué d'un grain de genièvre. Dorez d'un jaune d'œuf délayé de quelques cuillerées de lait.

Laissez cuire une petite demi-heure, à four vif. Le cathare Authié se souciait que le vin « fût bon ». Prenez un picpoul de Pomerols. Servez l'empastat avec une salade, de préférence « sauvage » — pissenlits, râpette, coquelicots, rouquette, plus quelques bourrues et amères —, préparée avec l'huile d'olive de Bize.

En attendant de vous laisser joyeusement brûler vif, comme les parfaits, peut-être rêverez-vous la nuit suivante à l'une de vos vies antérieures, à travers lesquelles, selon les cathares, il fallait passer, pour arriver, de filtre en filtre, de plus en plus fins, à la lumière, à la vérité, au pur Amour.

EXQUIS RÉGIME

Mise en bouche

Un cataclysme vous a jeté en bas du ciel où assis à la table des anges vous mangiez innocemment les cuisses grasses des moutons et étaliez la moelle brûlante sur du pain grillé tiède. C'est peut-être une décision médicale : on a découvert dans votre sang de ces poisons invisibles aux noms de fleurs, de cristaux de roche ou de jeux vidéo : Cholestérol, Triglycérides, Gamma G.T. C'est peut-être votre miroir : comme dans *Blanche-Neige* il vous a parlé ce matin. « Il est temps de réagir, a-t-il dit sévèrement, si tu ne veux pas abandonner définitivement l'idée de te mettre en maillot ou en collant de gymnastique. » C'est peut-être une aspiration à l'ascétisme. Il vous semble que le ventre plat et l'estomac un peu creux vont vous permettre de vous élever vers la pensée subtile, les sensations neuves et l'esprit à l'avenant.

Il est donc temps de penser à moins manger. Moins de tout, moins souvent et, pour un temps, plus du tout de graisses cuites, de pâtisseries. Beignets divers, petites cabotes craquantes farinées et passées à la poêle, sorties presque pétrifiées de l'huile, pommes de terre frites dans la graisse d'oie, croûtons, jus de saucisse coulant sur la purée, daubes, sauces où le gras surnage, fricassées de champignons, foie gras, chapon, crème anglaise où flotte une île de blancs montés, beaucoup trop chargée en caramel, bananes flambées, adieu !

285

Vous frissonnez et cela se comprend. Il vous vient à la mémoire les repas d'autrefois à la pension. La lecture « recto tono » d'une vie « pénitente et séraphique » tombant sur votre tête dans le silence obligatoire des temps de pénitence. Vous aviez le front courbé sur une assiette désolante, une soupe maigre, des pâtes aqueuses. Vous pensez aux tristes salades à l'huile de paraffine, au calvaire des gens au régime dans les repas de famille. On les attablait sans vergogne devant une tranche de jambon de malade, alors que les assiettes autour d'eux débordaient de pâtés, de tostes de gibier. Jusqu'au vin transporteur des âmes qu'on leur refusait.

N'allons pas plus loin dans l'évocation. Il y a là de quoi décourager les meilleures volontés, de quoi vous écarter définitivement d'une meilleure santé, de la vie ascétique, d'une plus belle allure.

Oublions tout ce que nous savons.

Repartons à zéro.

Le régime sera exquis et joyeux ou ne sera pas.

De la joie

Parlons d'abord de la joie. Il convient d'entourer le moment du repas d'une certaine solennité souriante : table bien mise mais gaie, choix des faïences et des transparences, certes, mais surtout présence des rites. Qui dira leur mérite au moment ou l'on déplie sa serviette, où l'on tranche le pain ?

Je vous conseille, si vous êtes tant soit peu croyant, le bénédicité. Je me souviens de l'atmosphère qu'il créait autour des assiettes et des gobelets de métal de la colonie, dans un réfectoire particulièrement sévère, sur le silence — « attention au tintement de vos couverts, mesdemoiselles ! on dirait un orphéon de village ! » —, sur les grandes bassines d'aluminium qui contenaient les mets, sur l'eau claire des brocs. Le signe de croix et la formulette que nous récitions debout suffisaient à transformer cette médiocrité en illuminant le cœur.

« *Père qui nourrissez le dernier des moineaux, chantions-nous, donnez-nous notre pain et donnez-en à nos frères humains.* » Mésanges et rouges-gorges étaient alors près de nous avec l'odeur de la miche et l'obligation de regarder du côté de ceux qui ne mangeaient pas à leur faim. Un autre de ces bénédicités contenait une sorte de blague, une familiarité inhabituelle avec le divin.

Petit Jésus, gnaque, gnaque, gnaque,
Petit Jésus n'y a que vous de bon.
Le monde au citron, le monde aussi trompeur que lâche,
Se nourrit de veau, se nourrit de vos
Sages leçons.

On riait et on n'oubliait pas que la parole aussi est une nourriture.

Ce bref moment était un seuil sur lequel on marquait une pause avant d'entrer dans le temps consacré au repas. Comme l'introductif du conte il permettait de changer d'univers et d'entrer apaisé dans celui des saveurs.

La religion risque de vous manquer pour les petites choses. C'est là qu'elle est importante et là seulement qu'elle échappe aux ayatollahs. Le signe de croix sur le pain, tracé par le chef de famille avant que l'on ne commence à manger, a des vertus insoupçonnées.

Donc, des rites. Il ne s'agit pas de prendre ses repas à la sauvette, devant la télévision, tout seul avec son plateau, bêtement, comme en se cachant, surtout en période de régime. Que l'heure devienne par le soin que nous en prenons un moment privilégié du jour. Qui peut mesurer la valeur alimentaire des visages, des paysages, des conversations, de la musique mêlés aux mets ?

De l'exquis

Ne nous leurrons pas. Ne mentons pas. Qui dit régime dit moins de nourriture et l'abandon, au moins momentané, des graisses, cuites et frites, et des glucoses. Mais tout vous invite à choisir pour ce qui vous est autorisé les produits les plus raffinés.

Le beurre, puisque vous en consommerez frais, vous le prendrez à la motte et laitier, plein encore de ces gouttelettes que le couteau fait jaillir et qui donnent un goût légèrement et agréablement aigrelet, — du goût, quoi. Je ne sais pas si vous l'avez remarqué mais le beurre totalement essoré de son « petit-lait » laisse dans la bouche une très désagréable impression de bougie.

Plus que jamais, soignez le pain. Achetez-le chaque jour. La fraîcheur craquante du pain frais enjolive les saveurs. Choisissez-le aux céréales par exemple.

Pour le sel, je vous propose celui d'Aigues-Mortes. Avant de l'adopter, allez en promenade dans cette ville étrange d'être justement morte, port échoué au milieu des lagunes, forteresse de plus rien, blanchie comme un os de seiche, quadrillée d'ombre et de soleil glacé l'hiver, brûlant l'été. Quand, dès les beaux jours, les places sont envahies de tables qui se touchent, de gens qui mangent et boivent, on y éprouve malgré tout une terrible impression de désert. Dans la rue qui tourne autour des remparts passe de moment en moment un train pour touristes, un de ces petits trains blanc et bleu qui semblent des jouets et avancent au pas de l'homme en actionnant une clochette de couvent. La voix du guide parvient. Elle parle de rois et de huguenotes prisonnières dans la tour, de port ensablé, de saint Louis. Menue et douce elle ne saurait troubler ni le sommeil des touristes ni celui des siècles. Quand le train s'éloigne, que l'on peut à peine suivre des yeux tant la lumière est cruelle, le silence revient et monte le chant d'une flûte à bec. Tout est si blanc que les mouettes en paraissent sales. L'odeur des zones lagunaires cuites de soleil pénètre jusqu'au cœur.

Les portes de la ville découpent chacune un frêle paysage tremblant de roseaux et d'herbes sèches. Ce sont des tableaux chinois, faits de rien : de la ligne sableuse d'un horizon lointain, d'une bande d'étangs, de la pointe jaunie des roseaux.

Allez jusqu'au Grau-du-Roi en longeant les salines. Les montagnes de sel brillent comme de la faille, l'eau des lagunes immobile est couleur de bois de rose.

L'impression s'installe, qui associe les murs d'Aigues-Mortes, les grues, immenses insectes immatériels, et le sel. Ce sel près de vous sur la table que vous avez pris soin d'acheter gros et brut. Il sent bon et chaque fois que vous y puisez se lèvent les images.

Pour le lait, il faut éliminer de vos achats le lait stérilisé. Il tient plus de l'eau plâtreuse, donc de la maçonnerie que de la gastronomie. Comme autrefois on trouve partout du lait frais. Autrefois : dans les années cinquante il y avait dans Béziers, en pleine ville, une bonne douzaine de laiteries avec vaches et bonnes odeurs. Donc : du lait frais. Ne livrez pas vos papilles au liquide sirupeux des briques. Vous trouverez même du lait de chèvre frais. Ce lait bleuté dont la composition est la plus proche du lait de femme était celui des nouveau-nés aux estomacs fragiles. Il est léger et vif.

Votre huile sera exclusivement d'olive. Le sens culinaire de l'huile d'olive est le même que le sens liturgique. Elle consacre, fortifie, guérit, éclaire, nourrit et réjouit, car elle est cholagogue, émolliente, pleine de vitamines A et E — pour l'ardeur amoureuse —, si facile à digérer que le nourrisson même peut la consommer. Elle protège les vaisseaux sanguins, donc le cœur et la précieuse muqueuse de l'estomac.

Il faut une huile fruitée, ardente comme disent les goûteurs. Vous avez droit à un peu d'huile crue, il est précieux qu'elle soit parfumée pour rehausser les salades et éviter de trop saler — le trop de sel gâte les régimes.

Essayez l'huile de « verdales » ou de « picholines ».

L'olivier, l'abeille, la vigne et le mouton sont le quatuor languedocien autant que virgilien. Ce sera le quatuor des régimes où l'on préférera le miel au sucre blanc — avec un petit bémol sur le mouton qui sera de l'agneau et pas très souvent.

De quelques principes

Faire bouillir ou étuver les légumes donnerait une table monotone. Or, il faut conserver le plaisir de manger et garder bien éveillée la curiosité de la bouche. Si l'on s'assied imperturbablement devant le même plat, on prendra vite en grippe le régime et l'on se précipitera vers l'huile frite, l'étal du pâtissier, du charcutier, vers ces viennoiseries qui au coin des rues réveillent la faim de façon si vive en répandant sur nos itinéraires l'odeur de la croûte chaude.

Pour faire cuire chair d'animal ou de poisson, vous pratiquerez le fondu de légumes. Non pas, toujours, en mélangeant tous les légumes coupés en menus morceaux mais, pour plus de variété, en mijotant une fois un fondu de blettes — vert et côte —, une fois un fondu de blancs de poireaux, une autre fois de cœurs de céleri — cuits en quelques minutes —, une autre fois encore de navets. N'oubliez pas celui de pommes de terre — en rondelles, fines, elles cuisent très rapidement.

Le secret de ces « fondus » c'est la modération du feu. Petitet, menudet, docamenet, plan-panet sont les mots des fondus. Les légumes ne doivent aucunement prendre couleur mais s'évanouir lentement jusqu'à ce que leur nature devienne souple, tendre.

Sur ce lit conciliant on posera viandes et poissons.

Pour les bases de préparation, pour une sauce tomate par exemple, on adoptera, légèrement modifié, le « sofregit » des Catalans. Pour cuire l'oignon émincé ils mélangent à parts égales matière grasse et eau. Et feu

290

dessous. Lorsque l'eau est évaporée l'oignon est cuit. Il suffit d'attendre un peu en remuant avec la cuillère de bois pour que l'oignon prenne couleur. C'est une astuce excellente pour avoir un oignon cuit sans être brûlé : doré et cœur tendre. La seule différence avec le «sofregit», c'est que nous ne mettrons dans notre cocotte que de l'eau avec l'oignon émincé. On peut procéder de la même manière avec l'ail, qui prend si facilement en cuisant trop un goût déplaisant. Ail haché et eau jusqu'à évaporation de l'eau sont une excellente «base», à laquelle on peut ajouter de la tomate fraîche.

D'un préjugé dangereux

On ne cesse de criailler à nos oreilles, comme dirait Montaigne : plus de pain, plus de pâtes, plus de féculents ! Grave erreur. Sans sucres lents il est à parier que l'on ne pourra tenir régime plus de quinze jours.

Les sucres lents qui entre deux repas se répandent progressivement dans l'organisme sont un puissant régulateur de la glycémie, empêchent la sensation de faim et évitent de tomber évanoui à la moindre émotion. Vous veillerez donc à avoir assez de féculents à chaque repas. On avait, autrefois, une jolie expression pour les aliments de cette sorte. On disait : «Ils tiennent au corps.» Ils ne «passaient» pas à toute vitesse, laissant l'individu tout vide.

Il faut donc pratiquer le féculent. Modérément s'entend. Il ne s'agit pas de se bourrer de haricots secs ou de pain — on deviendrait gonflé et blême à la manière des religieuses d'antan. Ce qu'il faut, c'est avoir «à côté» des légumes crus ou cuits une portion convenable de sucres lents.

Notre exquis régime comporte du riz, du pain, des pois cassés, des lentilles, des pois chiches, des châtaignes, des pâtes et des semoules.

De quelques refus catégoriques

Non aux interdictions absolues, oui aux dérogations raisonnables, nous y reviendrons souvent.

Non aux sucres de substitution, oui au miel, aux fruits frais, aux compotes.

Non aux fromages à zéro pour cent, oui aux fromages à vingt et même trente pour cent.

Non aux matières allégées, oui au vrai beurre laitier, au lait frais entier, à la crème épaisse que l'on utilisera dédoublés.

Petit encouragement en forme de confidence

Ma petite-fille est diabétique. Insulino-dépendante. Elle avait trois ans quand son cœur d'agneau faillit s'arrêter de battre. Ce fut un impératif puissant à se mettre tous au régime. À éviter les sucres autres que naturels, les graisses aussi car les vaisseaux sanguins du diabétique sont fragiles. Il convient de ménager son cœur.

Puis ce fut mon mari qui eut une grave hépatite.

À l'un comme à l'autre, tout en respectant les consignes il fallut conserver le plaisir de manger, faire en sorte que le repas ne devienne pas une occasion de regrets et de frustrations. Rien de pire pour celui qui est privé que ces haricots verts dont on lui réserve une assiettée avant de les fricasser avec de la poitrine salée, sans se préoccuper autrement de lui rendre les légumes attrayants. Je me dis qu'au contraire nous devions tous partager des contraintes qui finiraient par ne pas en être car une cuisine repensée offrirait l'opportunité d'un renouvellement des goûts. C'est ainsi que nous devînmes tous des régimes volontaires — comme il y a des abstinents volontaires.

Tous les gestes de la cuisinière — moi donc — devinrent autres. Sa bibliothèque s'enrichit d'ouvrages d'aromathérapie, de médecine populaire, d'un traité de thérapie par les légumes et les plantes, d'un manuel de l'argile verte. Au marché elle s'écarta de bien des produits. Elle eut la main légère sur tout. Elle se recomposa des habitudes.

Mais je puis vous le dire : le résultat valait largement l'effort. Il faut vous attendre à des impressions neuves, à des étonnements, à une curiosité un peu comparable à celle que vous éprouveriez en pays étranger, à une philosophie nouvelle née d'un environnement mental que vous soignez.

Prêt, vous le serez une fois muni de cassolettes à fond épais et couvercle transparent — ne serait-ce que pour le plaisir de voir vos mets à travers les gouttelettes de buée.

Entouré de beauté et soutenu de rites, le garde-manger plein d'ingrédients de choix, ayant à portée de la main l'huile de picholine à la transparence verte de bouteille ancienne, le sel d'Aigues-Mortes dont l'idée est rose, l'ail de Lautrec, rose aussi, les oignons doux, les oignons forts, le genièvre, le poivre noir, le curry, la coriandre, l'esprit libre de préjugés et tout occupé de nouveautés et de joies, vous voilà en route pour la minceur élégante, la recherche mystique, la bonne santé. Cette route, croyez-m'en, n'est pas si aride.

Allons-y.

Fêtes de printemps dépuratives

Décembre et janvier en Languedoc offrent des journées étincelantes malgré le froid vif. Dans les coins abrités du vent où le soleil au « bon du jour » s'attiédit, les amandiers se couvrent de fleurs frêles, sucrées, blanches et roses exposées audacieusement à la mort. C'est le premier printemps. On peut partir un panier au bras à la cueillette des plantes sauvages et commencer les fêtes dépuratives, qui seront plurielles et même quotidiennes si vous êtes vaillant et ne craignez ni l'onglée ni le froid aux pieds.

Pourquoi tout ne débuterait-il pas par un bain de lierre terrestre, celui dont la tige est carrée, la fleur bleu lavande, la feuille festonnée si joliment ronde que la plante se nomme « rondette » ? Une livre de plantes fraîches bouillies un quart d'heure dans cinq litres d'eau font un bain lustral à l'arôme tannique, vert, amer, fort, dont on sort ravigoté, prêt à tous les exercices du corps.

Lavé du dehors, commencez le récurage intérieur sans rien oublier, ni les reins, ni le foie, ni surtout l'intestin. Ce n'est pas par hasard que l'on dit des gens tristes qu'ils sont constipés. Un intestin agile est une garantie de bonne humeur.

Pendant au moins trois semaines, tant qu'ils sont jeunets et blancs de cœur, commencez le repas par un plein saladier de pissenlits « dents-de-lion ». Vous les assaisonnerez avec du fromage frais, salé, poivré, délié d'huile de picholine et parfumé d'ail sauvage — dit «ail des ours» — dont les feuilles fines sortent justement de terre dans tous les prés.

Vous y mêlerez presque toutes les jeunes feuilles : celles de la pâquerette, de l'ortie, de la mauve, du plantain, du silène enflé — la pétairolle de notre enfance —, du jeune coquelicot, de la bourse-à-pasteur, de la chicorée, du trèfle. De la doucette sauvage. De l'ail. Des œufs durs. Du vinaigre.

Au fil des jours votre saladier devient le vase de toutes les saveurs insolites tombées du ciel.

Un peu plus tard, au moment du vrai printemps, à côté des asperges de jardin, il est possible de tremper dans sa vinaigrette une infinité de jeunes tiges : celles du chou aux boutons floraux encore fermés, celles du navet, du houblon, du tamier, de la bryone, de la bourrache, pour ne citer que les plus connues.

Les viandes sont parfumées à l'ail des ours haché, les poissons à l'oseille sauvage, les pommes de terre en robe des champs au fenouil naissant.

Tous ces «verts» cités pour la salade, les blettes et laitues sauvages, les langues-de-bœuf, les pissenlits devenus gros, déjà en fleur, seront bouillis, essorés et servis en sauce blanche avec des rondelles d'œuf dur. On pourra en faire des soufflés, avec cette même sauce blanche allégée, augmentée d'un jaune d'œuf et du blanc d'œuf bien battu. Le meilleur de ces soufflés est celui que l'on prépare avec les pointes d'asperges sauvages, si tendres qu'il n'est pas besoin de les bouillir, si parfumées qu'elles font rêver à la garrigue odorante.

Le soir : une soupe d'orties, riche en sels minéraux, et toujours ces mêmes plantes que l'on retrouve dans la salade quand elles sont jeunes et cuites un peu plus tard dans les fricots et les soupes. Quelques pommes de terre, bien sûr, mais beaucoup de ce vert un peu barbare sorti tout droit du sol.

Poireaux de campagne, boutons floraux du pissenlit en omelettes — sans gras dans une poêle antiadhésive —, jusqu'en mars vous pouvez vous refaire une santé avec les végétaux non domestiqués et comestibles.

Si en hiver la table est tournée vers les réserves, dès janvier elle sort et va vers les prés, les vignes, les talus, les orées de bois.

Pour y pourvoir vous marcherez et ce n'est pas le moindre avantage de cette fête gigogne qui peut durer trois mois.

Bourride de minceur

Bonne baudroie à sale tête, à sale peau, à la belle chair d'un blanc de neige. Poisson sans arêtes qui sous la fourchette se délite en feuillets lisses comme du papier où écrire des poèmes, délicieuse baudroie, où te mettre sinon sur un lit de blettes fondues? À feu minuscule, la blette — vert et côtes coupés menu — devient ce matelas moelleux où te poser. Là tu cuiras, dans la vapeur verte — la face posée sur le lit en sera quelque peu verdie —, tu rendras du jus de poisson qui se mêlera à la saveur des blettes. Du sel d'Aigues-Mortes, du poivre, nécessaire car la blette est un peu sucrée, une pincée de thym si vous le désirez. Il est tonique, carminatif, diurétique, et c'est toujours utile même si la bourride de minceur est particulièrement clémente aux estomacs.

Quand le poisson est cuit, réservez-le sur un plat chaud et liez le fondu de légumes avec un jaune d'œuf, une demi-cuillerée de crème, entière s'entend. Sur le feu toujours menu, tournez en faisant bien attention que la sauce ne brousse pas. Nappez le poisson de ce mélange.

C'est à se lécher les cinq doigts et le pouce.

Pot-au-feu antitriglycérides

Qu'il soit fait avec du bœuf (sans os à moelle), avec du mouton (de la cambette), du veau (jarret), qu'on y ajoute une volaille ou une demi-volaille, le pot-au-feu sera préparé la veille pour pouvoir être dégraissé le jour de la consommation. La viande cuira avec tous les légumes, poireaux, carottes, navets, blettes entières, oignon piqué, thym et laurier, tout sauf les pommes de terre qui ne seront ajoutées que vingt minutes avant de servir dans le faitout bouillant et ses vapeurs apéritives.

Les viandes, les légumes, l'indispensable moutarde, les cornichons font éventail sur l'assiette et permettent d'aller de l'un à l'autre par petites bouchées en un succulent manège.

Le dîneur écartera dans les chairs le peu de graisse qui aurait pu échapper à la vigilance de la cuisinière.

Une variante est de substituer aux légumes divers un chou dont les grosses feuilles seront roulées sur une farce maigre de pain, d'œuf, d'ail, de persil et de « vert », agrémentée d'une poignée de jambon haché.

Par « vert » il faut entendre épinards, blettes, feuilles extérieures de la frisée ou de la scarole, ou de gros pissenlits. S'ils ont de gros bourgeons floraux prêts à éclater, c'est encore mieux. L'œil y trouve plaisir et la joie de l'œil n'est jamais à négliger.

Une autre variante est le pot-au-feu de poisson. Maquereau, cabote (ou grondin, poisson à chair superbe et ferme), saint-pierre, vive, dorade, pageot. Trois sortes de poissons, c'est un minimum. Les légumes sont les mêmes que pour le pot-au-feu de viande, mais attention : ils doivent cuire longtemps et on ne doit laisser le poisson que dix minutes à eau frémissante afin qu'il ne se démolisse pas.

Pour ce pot-au-feu de la mer, j'évite la moutarde car il est délicat. Je me contente d'arroser l'assiette d'un peu de bouillon et d'utiliser l'huile d'olive comme accompagnement.

Pour l'un comme pour l'autre de ces plats complets, le bouillon de cuisson pourra devenir un consommé du soir.

Les pommes de terre du moine en carême

Midi. Le moine a faim. Normal, repas du soir et déjeuner du matin sont liquides en ces quarante jours avant Pâques dont il sort amaigri, rempli d'une joie vive comme l'eau, clair comme elle, bonifié, prêt à chanter « Alléluia ! » pendant la veillée pascale où se célébreront l'eau, la terre et le feu nouveaux. La lecture de la Genèse annonce que plantes, bêtes des airs et bêtes des eaux sont données à l'homme « pour lui servir de nourriture ». Le moine entendra cette Parole avec simplicité. Il sera prêt à égorger les poulets.

Mais pour que grande soit la joie il faut la gagner de quarante jours où il fait plus froid, plus austère, où le gobelet au réfectoire ne s'emplit que d'eau. Dans cette épreuve toutefois le moine ne peut nier que le pain prenne de jour en jour plus de saveur, que son odeur seule le fasse défaillir et le mette en salive. Il ne peut nier qu'il y ait péché de gourmandise où n'apparaît que la pénurie. Il l'avoue. Mais il sait aussi que rien ne dit, nulle part, qu'il ne faille point éprouver de plaisir si on respecte la pauvreté et la privation.

Aussi, après la messe, trempa-t-il son pain dans du café au lait. Oui, mais le lait était de chèvre, directement passé sur de la chicorée séchée et torréfiée au couvent, plus un peu de poudre de café. On n'imagine pas combien c'est crémeux et parfumé. Surtout si le mélange est sucré au miel. Et le pain des frères ? Complet et goûteux. C'était bon, mais c'est loin et le moine a grand-faim.

À midi, il y aura des pommes de terre. De simples pommes de terre du jardin dont il a la charge. C'est lui, dans la force de l'âge, qui organise le potager, sème judicieusement, prépare les semis, entretient sa «pharmacie du Bon Dieu» et ses plantes aromatiques.

La récolte de pommes de terre a été abondante et les races variées. Pour aujourd'hui midi, pour ce ragoût des jours maigres, le frère cuisinier a choisi des pommes de terre à chair farineuse. Coupées en gros carrés elles sont couvertes d'eau, salées, poivrées, parfumées de laurier fraîchement cueilli. On fait cuire à feu modéré, sans trop. Que la pomme de terre s'écrase bien sans se défaire. Il faut qu'il reste du bouillon qui est lié d'un ou deux jaunes d'œufs. Pour obtenir une sauce bien liquide on ajoute un peu de lait. C'est au dernier moment, dans l'assiette, que la pomme de terre est écrasée dans le jus à saveur de laurier. C'est un plat clair et doux. Peut-être une nourriture angélique.

Près du moine mange un très vieux religieux auquel on concocte de petits plats, des laits de poule et des tartines nourrissantes. Mais le moine n'est pas jaloux du vieux frère diaphane et proche de la mort. Le temps viendra pour lui où la règle se fera douce.

Pour dessert, il y aura un bocal de mirabelles blondes récoltées dans l'enclos.

«Merci, Seigneur, de tous vos bienfaits», chante le moine en revenant au jardin où l'attend beaucoup de travail paisible qui peut se faire en priant. Demain midi, comme c'est loin ! se dit-il. Je leur ramasserai des carottes et j'en jouirai deux fois : en les arrachant tout en rêvant à la fricassée et en les consommant, modérément s'entend, rendant grâce à Dieu qui fait fleurir et porter graine.

Que personne ne se prive de poisson bleu !

Morue, maquereau, sardine ne seront pas écartés de votre table. Ils sont gras, mais relativement. Et puis, il y a des degrés de régime. Au départ un sérieux coup de frein est nécessaire. Éliminez le fromage râpé, même en petite quantité, ne vous autorisez que des viandes et des poissons blancs.

Mais au bout d'un certain temps, un mois, deux si votre foie est très endommagé, commencez à enchanter une purée de pommes de terre avec de la morue effeuillée. Ail et persil parsèment de vert ce « merlussat ». Sur votre fondu de légumes posez des filets de maquereaux. Essayez les boulettes de sardines. Écaillez de belles sardines miroitantes, coupez-leur la tête et ôtez les filets de part et d'autre de l'arête centrale. Faites-les bouillir dans de l'eau seulement salée au sel des lagunes languedociennes.

Façonnez-en des boules bien pressées de la grosseur d'une petite pomme. Mettez-les dans une sauce tomate (voir « Bolognaise des sportifs de haut niveau », p. 350). Attention à ce que les boulettes ne se défassent pas. Ne rien remuer. Ne laisser dans la sauce que le temps de réchauffer et servir avec un riz blanc parfumé au genièvre.

Il n'y a rien à regretter que la brandade. Et encore. Si nous essayions ?

Après avoir été dessalée et blanchie la morue effeuillée est mise dans un poêlon et battue jusqu'à ce qu'elle soit transformée en purée. On y ajoute alors un peu de lait et de l'huile, assez pour le goût.

Cassoulet fitness
et lentilles des quatre-temps

Nous l'avons dit : dans un repas il faut des féculents. Lorsqu'il y aura au menu des haricots, des pâtes, de la purée ou des légumes secs, le pain sera quasi inexistant : une tranchette. Si au contraire vous avez cuisiné des légumes verts il sera possible de profiter, à pleines dents, du pain aux céréales.

La veille, faites tremper de bons haricots cocos ou flageolets dans une grande quantité d'eau claire car ils vont boire abondamment et gonfler.

Le jour du cassoulet, mettez vos haricots dans de l'eau froide additionnée d'une grosse cuillerée de bicarbonate. Laissez prendre le boul, trois minutes. Égouttez. Rincez à l'eau tiède.

Préparez le court-bouillon de cuisson avec oignon piqué, sel marin, poivre, pas mal d'ail, une branchette de thym, du laurier, du jambon cru maigre, un blanc de poulet ou une cuisse et son porte-cuisse pelés, une tomate fraîche, un peu de concentré. Ajoutez des couennes dégraissées — raclées du côté du lard avec un coutelas. Ah ! si vous pouviez râcler aussi facilement le lard qui est sur votre panse. Laissez cuire jusqu'à ce que la graine s'écrase sous la langue, toute souple, sans avoir aucunement besoin des dents.

C'est un vrai cassoulet auquel il ne manque que la saucisse, le petit salé et le confit. Mais en mangeant un cassoulet, à Castelnaudary par exemple, n'avons-nous pas répété, en traquant les graines entre les viandes, que le meilleur du cassoulet c'était le haricot?

Les modestes lentilles, ô combien fitness, se préparent au naturel avec juste de l'ail et un oignon. De l'huile, du vinaigre au moment de servir, et l'estomac est lesté d'un féculent riche en fer. C'est un plat tout à fait indiqué pour le repas unique des jeûnes de vigiles. Car nous pratiquerons les vigiles des quatre-temps... Rien de plus joli que ces trois jours de jeûne qui célèbrent l'entrée dans les saisons. Les quatre-temps d'hiver chantent à travers Isaïe cet âge d'or où « l'on transformera les épées en socs de charrue et le fer des lances en faucilles ». Les quatre-temps de printemps inaugurent le jeûne du carême par le jeûne — heureusement, au milieu, il y a la mi-carême! Les quatre-temps d'été saluent l'abondance des biens venus du jardin avec la lumière croissant en chaleur et en quantité d'heures. Et les quatre-temps d'automne rendent grâce pour les récoltes rentrées, la vendange et le repos hivernal du corps. « Laissez éclater votre joie, sonnez de la trompette, nous serons nourris de la fleur du froment et du miel du rocher. »

Tant de poésie vaut bien quelques austérités à base de lentilles, n'est-ce pas?

Poulet à la purée d'ail,
réservé aux chastes

C'est grâce à l'estoufat et aux escargots d'Henriette que l'idée me vint d'utiliser la pulpe d'ail bouilli en sauce d'accompagnement. Certes, aussi bien dans le court-bouillon des escargots que dans le vin de l'estoufat l'ail prend un goût en plus de son goût. Mais il est si fort et original en saveur qu'il peut très bien être seulement bouilli dans de l'eau salée où l'on aura mis une branchette de thym frais, ce thym d'hiver aux feuilles petites et gorgées d'arôme que je préfère à la fleur. Après la cuisson, assez longue afin que le grain soit bien ramolli, on fait sortir la pulpe des têtes entières et on la recueille dans un bol. Il y a là au passage un plaisir d'enfant maniant la boue, de pêcheur de palourdes pataugeant dans la vase crémeuse qui le caresse entre les orteils.

Cette purée, poivrée, arrosée d'huile de négrette, est servie par exemple avec des blancs de poulet étuvés sur un lit de poireaux ou un lit de quoi que ce soit qui vous « vienne par goût » ou vous soit offert par le jardin — on a vu étuver des viandes sur un lit de févettes.

L'essence d'ail volatile et vasodilatatrice passe rapidement dans le sang et rapidement dans le souffle. Mais sentir l'ail est très mal vu. Au lieu de louer pour sa sagacité une personne se nourrissant d'ail on fronce le nez et on s'écarte d'elle. Elle fait peuple.

Si vous avez l'amour aventureux, tentez l'affaire. Bien bourré d'ail, invitez votre belle.

Sinon, réservez cette consommation pour les jours où vous dormez seul — avouons tout : certaines personnes ont l'ail flatulent, dans un lit cela fait mauvais effet —, pour les jours de chasteté où vous n'avez aucune amoureuse, aucun amoureux à embrasser.

Le veau au citron des dyspepsiques

« Monsieur le boucher, je voudrais du veau bien maigre, un morceau un peu gélatineux et un bout de queue. »

Quand vous serez servi — avez-vous près de chez vous un boucher aussi beau que le mien, avec des moustaches noires, une veste quadrillée de rouge, une cravate rouge vif, un tablier de devant relevé au carré ? Rien que de le voir on a envie de viande —, achetez un citron non traité. Avec de l'ail et un peu de farine vous avez ce qu'il vous faut pour élaborer un délicieux veau au citron.

Dans une de vos cocottes à fond épais en fonte émaillée ou fonte d'aluminium, mettez votre veau coupé en gros quartiers, à l'exception de la queue. Quand la viande aura pris une teinte chaude, saupoudrez-la de farine, ajoutez de l'eau, beaucoup de grains d'ail, la queue et le citron coupé en tranches fines. Faites cuire longuement en rajoutant de l'eau au fur et à mesure de l'évaporation, et surtout remuez souvent afin que le plat n'accroche pas.

C'est un mets plein de vivacité qui se sert par exemple avec de petites carottes cuites à feu menu dans leur jus. Et vous avez droit à une belle grosse tranche de pain croustillant.

Aïoli, mais oui,
anchoïade aussi...

Dans le fond, tout est cru dans l'aïoli. C'est donc un magnifique accompagnement des régimes, à condition : premièrement d'y piler beaucoup d'ail, deuxièmement de mettre deux jaunes d'œufs, troisièmement de le faire court — pas plus d'huile que le volume des deux jaunes —, quatrièmement de se servir avec modération, cinquièmement de ne pas y avoir recours tous les jours — surtout les jours d'étreintes passionnées.

Dans les mêmes conditions l'anchoïade aussi sera précieuse pour accompagner des pommes de terre bouillies, des légumes crus ou cuits, des œufs durs. Composez de belles assiettes d'été, vertes et rouges : cœurs de céleri, tomates, bouquets de chou-fleur, quelques feuilles d'épinards, une petite bolée de pois chiches. Même avec moins d'huile et une bonne rasade de vinaigre le goût de cette pâte d'anchois crus au sel n'est pas fondamentalement changé. Vous y trempez avec modération des légumes crus que l'on peut consommer en abondance : beaucoup de vitamines et de sels minéraux. L'estomac est satisfait parce que bien rempli.

La sauce se conserve bien. S'il en reste, elle suffit à magnifier une viande rouge ou du poulet grillé.

La seiche au secours des obèses

Ai-je assez chanté les louanges de la seiche? Ai-je bien parlé de la tendresse du manteau sous la dent? Des tronçons de pattes soyeux sous la langue? Des petites ventouses dont on sent la sphéricité dans la bouche, avec les joues internes et la face interne des lèvres si sensibles aux consistances? Au moins ai-je bien précisé qu'il fallait réserver le foie — liquide — et qu'il fallait le mettre à bouillir dans le jus de cuisson? Et surtout qu'il ne fallait être rebuté ni par sa couleur ni par sa consistance? Oui? Ne m'accusez pas de repapier — de me répéter. C'est que je tiens tellement à ce mollusque irisé et marbré de sombre sur sa blancheur, si précieux pour tous ceux qui sont privés de poissons frits, de ces ablettes craquantes, des jols, gobies et mellettes que l'on mange entiers comme de petites frites, de la raie au beurre noir! Quelle aubaine pour eux une rouille maigre!

Il faut mettre directement les morceaux de seiche dans un poêlon chaud et sec. Attention, je me répète encore: n'achetez pas de seiche déjà lavée par les poissonniers — détrempée d'eau, «dé-goûtée», sans aucun goût — ni à plus forte raison de seiche congelée. Un petit effort, que diable! Vous craignez le noir sur vos doigts? Il faut choisir entre la délicatesse de la bouche et l'esthétique des mains — ce sera pareil pour le salsifis, le carde, les pissenlits, les pommes de terre nouvelles.

Comme la jardinière, la cuisinière qui ne craint pas les épluchages en a les doigts un peu marqués.

Donc, dans un poêlon brûlant et sec, avec vos doigts noircis, mettez les morceaux de seiche, les tronçons de pattes, et laissez-leur prendre couleur. Ajoutez le foie, cuire un peu, du concentré de tomate, cuire encore. Mouillez. Que l'eau dépasse la hauteur de la seiche. Ail, sel d'Aigues-Mortes, poivre, un peu de cayenne. Laissez cuire environ quarante minutes pour que la chair se défasse bien dans la bouche. Avant de servir, mêlez à la sauce la valeur d'un fond de bol d'aïoli augmenté d'une cuillerée de piment doux. Laissez épaissir en remuant en prenant soin de ne pas faire brousser — feu menu et vigilance de l'œil.

Des pommes de terre cuites au four dans leur peau accompagneront cette rouille allégée.

En variante on aimera le ragoût de seiche, tout simple, sans aïoli, encore plus maigre. Nous revenons au moment où vous avez mis dans la cocotte, à feu vif, le foie et le concentré de tomate. Mouillez largement afin d'obtenir une sauce assez liquide dans laquelle cuiront de gros carrés de pommes de terre. Si vous le désirez, liez d'un jaune d'œuf auquel vous avez ajouté du piment doux.

Avec la seiche encore — inépuisable seiche aux beaux yeux dorés — un simple court-bouillon dans lequel on fait cuire des pommes de terre bien farineuses, cette fois coupées dans le sens de la longueur. On consomme avec un filet d'huile d'olive et du bouillon de cuisson.

Régalez-vous alors sans remords. Le remords gâte tous les plaisirs de table des obèses. S'en défaire et toutefois bien manger fait avancer d'un grand pas vers la silhouette affinée, avec l'impression, nouvelle et enthousiasmante, de flotter dans ses pantalons.

Pour le diabète d'Iris

Comme elle est raisonnable et courageuse, la petite Iris ! Il faut la voir se piquer le bout des doigts quatre à six fois par jour, manipuler les seringues de ses mains agiles, doser elle-même la dangereuse insuline, enfoncer sans hésiter l'aiguille dans sa cuisse, son ventre ou son bras, ne rien grignoter entre les repas, mettre sagement de côté ce qu'on lui offre pour ne le manger qu'à l'heure autorisée. Vous qui voulez mincir pour de futiles raisons, prenez exemple sur elle.

Les diabétiques ont tout intérêt à ne jamais utiliser de sucres de substitution, à se contenter de la douceur naturelle des fruits. Mais, même si l'on sait qu'il n'est pas très diététique de manger un paquet de bonbons, d'arriver jusqu'à l'écœurement de réglisse, jusqu'à l'inappétence et même au dégoût dus à l'excès de fraises Aribo, il n'empêche que nous avons tous en mémoire ces friandises qui accompagnaient d'inoubliables lectures, les sucres d'orge et les sucettes longuement fondues, le plaisir qu'il y avait à dérober une pièce dans le porte-monnaie maternel et à courir au bazar acheter une plaque de Zan, de la biberine ou du coco. Aussi, en y songeant, je plains souvent la petite Iris. Mais tout le monde dans la famille est soucieux de ne pas lui faire de peine et de remplacer par d'autres biens ces gavages de l'enfance à base de confiseries.

C'est ainsi que les compotes sans sucre, faites maison, avec cannelle ou vanille sont entrées dans nos menus. Elles sont à l'abricot, exquises, à la pêche, rosées, à la prune, aigrelettes. C'est ainsi que nous servons les fraises juste baignées dans l'eau fraîche, avec encore leur collerette verte. C'est ainsi que de beaux plateaux de fruits ont remplacé les gâteaux du pâtissier.

On peut aussi faire facilement des sortes de sorbets en mettant de la pulpe ou de la compote directement dans le freezer, dans de petits pots. C'est plein de paillettes de glace et parfumé. Tous les enfants adorent ça.

Une fois de temps en temps on prépare une tarte. La pâte est faite avec de la graisse végétale et suffisamment salée pour rehausser le sucre naturel des fruits. Il faut bien la garnir en tranches de pommes, de poires, mêler quelques raisins secs et ajouter pour pomper le jus un ou deux biscuits émiettés.

On sert le fromage blanc avec des framboises du jardin ou, quand c'est la saison, avec des framboises sauvages ou, mieux encore, des fraises des bois, des vraies, impossibles à domestiquer, qui, bien que grosses comme l'ongle, embaument la bouche après avoir réjoui l'œil aux orées des bois, sur les talus ensoleillés des promenades.

Et lorsque c'est la saison des mûres de buisson, lorsque fin août et septembre donnent des lumières d'or frais, nous partons à la cueillette, un panier au bras.

Au dessert, on rigole bien de nos touches noir-violet, véritables trous d'enfer.

Boulettes de chou farcies au poisson
à l'usage des mystiques

Je recommencerai à chanter le chou, ses multiples déguisements, la forme de ses feuilles qui invite à la farce, comme on reprend régulièrement une chanson cent fois répétée : avec le même plaisir.

L'important est de blanchir convenablement le chou afin de pouvoir manipuler les feuilles sans les démolir.

Après avoir enlevé le trognon à l'aide d'un grand couteau pointu d'un mouvement conique, le même qui ôte l'œil noir de la pomme de terre, mais plus large, plonger le chou, cul en bas, dans l'eau bouillante bien salée pendant cinq minutes. L'intérêt de l'ablation du trognon est de faire pénétrer l'eau du blanchiment dans le cœur du chou aux feuilles si serrées que sans cela elles sortiraient crues de l'eau la plus bouillante. Éteindre. Couvrir. Attendre cinq minutes encore. Quand le chou est refroidi commencez à enlever les grosses feuilles. Posez-les devant vous : elles ont une forme de bol. Huit, dix seront le point de départ des boulettes. Le cœur, lui, grossièrement haché, est mêlé à une farce de chair de poisson — merlan, lieu —, de pain trempé, d'ail, de persil, d'un œuf entier, d'un peu de lait. Le tout bien assaisonné.

Répartir la farce dans les feuilles-coupelles du départ, entourer des secondes feuilles jusqu'à épuisement, nouer d'un coton léger — je revois ma mère préparant ses longueurs de fil sur un coin de table. Poser les boulettes sur des couennes, le côté du gras tourné vers le fond de la cocotte — encore ont-elles été raclées. Cela évitera aux boulettes d'attacher et leur donnera la saveur du lard, seulement la saveur, pas le lard. La bonne astuce!

Je dis «pour mystiques», car ce genre de plat passe comme lettre à la poste dans l'estomac, parce que le chou combat la neurasthénie. Le mystique est libéré des digestions perturbantes, et presque de la pénible impression d'avoir ce corps de plomb à traîner vers l'éternité.

Du riz

Nous avons une chance inouïe : l'apparition sur le marché de riz naturellement parfumés qui seraient bons sans rien du tout. Ce qui ne va pas nous empêcher de les garnir. J'avoue mon faible pour le basmati, long, mince, dont la seule cuisson odorante réjouit les sens.

Un peu de jambon cru maigre au fond de la cocotte. De l'ail, quelques grains de genièvre diurétique — « On sait cela depuis la plus haute Antiquité et même, dit mon voisin qui se pique de médecine naturelle, depuis le Moyen Âge ». On met le riz directement sur le jambon et on le laisse blondir. On ajoute alors trois fois son volume d'eau. On laisse cuire et quand il n'y a plus d'eau le riz est prêt. Un filet d'huile, un peu de curry, c'est la manière la plus simple, celle des gens pressés, idéale pour accompagner une viande préparée.

Mais à partir de là tout est possible.

Le riz de la mer se fait avec des moules et des clovisses que l'on fait ouvrir et dont on recueille le jus. Augmenté d'eau, il sert à mouiller le riz blondi. Une noix de beurre au moment de servir.

Le riz du jardin a pour point de départ un fondu de jeunes légumes, des fèves en particulier, dérobées — je ne résiste jamais à l'emploi de ce joli mot qui signifie « enlever la robe ». Ou alors on prendra de petites courgettes, des cœurs de céleri, des aubergines. Mêlez le riz lorsque les légumes sont cuits, faites-lui faire «quelques tours» à feu vif et versez alors l'eau nécessaire.

Le riz de poule est cuit dans le bouillon du pot-au-feu maigre, le riz des Espagnols est mêlé de poivron grillé débité en lamelles et d'un reste de viande. C'est un riz du lendemain.

Pour le riz à la seiche, consultez «La seiche au secours des obèses» (p. 311). Il suffit de remplacer les pommes de terre par du riz. Le goût se passe de commentaires.

Riz au vert sauvage, riz à l'omelette, riz aux champignons, car vous n'allez pas vous priver de cèpes ou de mousserons. Simplement vous les étuverez ou les utiliserez secs.

J'en passe. Et des meilleurs. Salades de riz, si fraîches l'été avec des tomates et des olives. Riz au fromage qui se sert en trois plats : le riz au naturel, la bolognaise des sportifs de haut niveau (voir p. 350), le fromage qui est du fromage frais ou de la brousse assaisonnés d'oignons doux ou d'ail des ours. Riz au lait, délicieux cuit dans un lait dédoublé parfumé à la vanille, la vraie en gousses velues de fils d'argent et éventrées pour répandre tout leur parfum. Un peu de miel, des raisins secs, une écorce d'orange et quelques tranches de fruits cuits.

Le riz est un joli piège blanc, piège à l'imaginaire des cuisinières.

Les haricots vers du mannequin

Y a-t-il grand-chose à dire lorsque le haricot vert est fraîchement cueilli, point trop fin, qu'il cuit dans sa propre vapeur, que l'on laisse fondre sur lui une noisette de beurre et qu'on l'arrose d'un jus de citron?

Que dire sinon qu'on peut en manger un plein saladier avec du pain aux céréales, sinon que le mannequin sera encore plus svelte?

Purée de pois cassés à l'œuf poché
pour malades du foie

Soyeux, joliment verts, faisant un bruit de pluie fine quand on les verse du paquet dans l'eau bouillante salée, les pois cassés donnent la purée que l'on sait, celle de notre enfance, vert caca d'oie disions-nous, où vous avez ouvert de la pointe de la fourchette de succulents torrents à partir du cratère rempli de la lave brûlante d'un jus de saucisse. Ce n'est pas celle que je vous propose. La nôtre est plus douce et tout à fait propre aux foies fatigués.

Respectez la quantité d'eau où faire cuire les pois cassés, sinon la purée sera trop liquide. Mettez de l'ail, un clou de girofle dans une moitié d'oignon. Mixez lorsque les pois sont cuits. Un peu de beurre frais. Ou du lait.

La purée sera servie avec un œuf poché, ressource précieuse des régimes. Il donne du moelleux, il est meilleur que l'œuf dur parfois difficile à déglutir. Pour pocher des œufs il faut une casserolette où on les fera cuire les uns après les autres dans de l'eau vinaigrée, non salée pour que le blanc ne s'éparpille pas. Il convient de casser l'œuf dans une tasse et de verser le contenu dans l'eau bouillante. Réduisez alors le feu et laissez frémir deux minutes à deux minutes et demie. Retirez l'œuf avec une écumoire et posez-le sur la purée.

Chaque convive avec sa fourchette perce l'œuf et libère le jaune. C'est bien joli à l'œil : vert, blanc, or roux.

320

Après avoir assaisonné l'œuf, on déguste en ménageant blanc, jaune et purée pour ne manquer ni de l'un ni de l'autre.

Mâchez lentement. C'est un autre secret des régimes que de faire durer, relativement, les repas. Il faut un peu de temps avant que le centre de la satiété, un point localisable du cerveau, ne soit informé et ne fasse disparaître la sensation, parfois torturante, de faim. Le pois cassé, sucre lent, vous mènera jusqu'au prochain repas sans aucunement l'éprouver.

Les soupes de tous les carêmes :
carême de minceur, carême de pénitence, carême de santé

Quarante jours de jeûne et d'abstinence, c'est-à-dire ? Un seul repas solide par jour : celui de midi, les autres liquides. Donc, café au lait le matin avec une tartine malgré tout et soupe le soir. Je me souviens de remarquables tricheries qu'il faudra éviter. Ce bol énorme où l'on avait trempé tant de biscottes que l'on ne voyait plus le liquide et cette soupe du soir où la cuillère tenait toute droite tant elle était épaisse. Certes, les hypocrites prétendaient que cela se mangeait à la cuillère et ne se mâchait pas. Ils affirmaient jeûner, mais c'était pour tromper le Ciel.

Nous serons honnêtes et vanterons la vraie soupe maigre des carêmes, qu'il s'agisse de celui des malades, du carême esthétique ou du carême des croyants.

Vive la soupe ! Soupe passée de tous les légumes des enfants et des malades. Soupes de poireaux, de chou, de rave en petits morceaux. Soupe de cresson qui embaume le printemps, verte comme une prairie. Soupe de courge, de fanes de radis, de courgettes. Soupe à l'oignon « à la poêle », soupe froide à la tomate des jours d'été avec de petits cubes de concombre, soupes parfumées au pistou, au fenouil d'hiver. Soupes de poireaux ou de châtaignons blanchies au lait. Soupe à l'ail et aux vermicelles où le blanc d'œuf éparpillé est figé comme un filet à poissons, où le jaune lentement délayé donne cette couleur beurrée. Soupes où flottent les yeux de l'huile d'olive crue.

Soupes au bouillon de cuisson des haricots secs, des pois chiches, des lentilles, des pois cassés, accompagnées de pain grillé — il est resté après le repas une bolée de légumes secs pour épaissir, au besoin on l'a réservée avant de manger.

Dans cette variété à l'infini, quelques invariables, et tout d'abord la pomme de terre — sauf pour la soupe à l'ail et à l'œuf, la soupe de châtaignons, les soupes aux féculents.

Ensuite, le parfum. Il viendra d'un os de jambon bien maigre qui cuira plusieurs fois jusqu'à avoir tout donné : tout, c'est-à-dire son goût. On le jettera avec un regard de regret pour la couenne un peu rance devenue, après tant de cuisson, si coopérative et qui serait si souple sous la dent. Pour le parfum on aimera peut-être une lichette de saindoux ou sagin. Une lichette suffit : elle donne une soupe nostalgique. On rêve des hivers d'hier que l'on percevait plus froids parce que les maisons étaient moins confortables et les vêtements moins chauds. Hivers des éventails de glace aux vitres, des chambres si froides qu'au matin on avait le corps bouillant mais le nez gelé. La veille, au mépris de l'hygiène, on avait glissé ses habits entre la couverture et l'édredon. On s'habillait à toute vitesse avant de s'avancer vers le premier repas du jour. La soupe au « sagin » vous rendra tout cela et pincera doucement votre cœur...

La soupe remplit bien l'estomac. Contenant des pommes de terre ou du pain trempé elle tient solidement au corps. De plus, elle fait absorber du liquide chaud, plein de sucs de légumes, une légère décoction de thym. À cause de tout cela, la soupe a la propriété d'activer le foie, de favoriser les sécrétions digestives, de faire uriner pour le bonheur des reins, la clarté du teint et la confusion de la cellulite.

Réveillon de remise en formes

Au centre de remise en formes — car il s'agit bien des formes et non de la forme — pour belles baigneuses et autres personnes soucieuses de leur ligne, on est riche. Le réveillon sera marin.

Il commencera avec des huîtres, les plus charnues, les plus hautes en saveur : les belons. On les accompagnera d'un petit verre de vin blanc que l'on achèvera peu à peu au cours du repas.

Il continuera avec une assiette tiède de moules, encornets petits et coquilles Saint-Jacques, à rien d'autre qu'un filet d'huile sur les encornets, une miquette de beurre sur les moules et rien sur les noix de saint-jacques. La couleur de l'assiette est ravissante : blanc, blanc rosé, corail, orange. Et elle embaume.

Le réveillon se prolongera par des homards, des langoustes grillés. Est-il besoin de les accompagner d'une sauce ? Je ne crois pas. Comme les doigts sont occupés à chercher dans tous les coins des pattes des bouts de chair blanche, le cerveau a le temps de recevoir l'information : je n'ai plus faim. Excellent point pour les crustacés.

Quand arrive sur la table un grand saladier de pissenlits et de mâche sauvage, vous êtes prêt pour les petites bouchées de gourmet.

C'est alors que l'on se permet du roquefort en fines lichettes. L'avantage du roquefort, c'est qu'il n'est pas besoin d'en consommer beaucoup. Deux ou trois gorgées de bon rouge — pas des gorgées de Gargantua, des gorgées de taste-vin. Et pour dessert des orangettes, écorces d'oranges au naturel trempées dans du chocolat noir fondu. Quelques-unes. En dégustant presque goutte à goutte un muscat sec — un tout petit verre. J'espère que vous voilà content : on ne peut rêver meilleur et plus léger. Toutefois, dans les jours qui suivent commencez la fête de printemps dépurative.

Réveillon à l'hôpital

C'est le plus difficile, car il ne faut pas s'écarter d'un strict régime. Vous venez d'être ponté, vous êtes entré pour une cirrhose... Alors pas de blagues... Mais il est important de faire réveillon car on a besoin de tout son moral.

Ceux qui l'aiment amèneront au malade de petits encornets, longs comme le doigt. Tout roses, si délicats de goût qu'il n'est besoin d'aucun apprêt. Même pas de sel. C'est cuit en un clin d'œil. Quand on porte à la bouche la totalité des tentacules rétractés et carminés — on dirait de charmantes araignées, de petits dahlias ou de petites roses — les délices de la mer pénètrent le corps et le gonflent de forces neuves sans le charger.

Quelques cuillerées de riz au genièvre saupoudrées de curry et un peu de compote éclairée de vanille.

Pour finir une gorgée de vin. Oui, docteur, une gorgée pour l'euphorie ! Mais quel vin ! Les amis ont choisi un pomerol ou un bourgogne par exemple, portant le millésime de la naissance du malade. Cela lui fait chaud partout rien que de regarder la bouteille. Si on hésite à l'entamer pour une seule gorgée, que le malade la garde près de lui. Il la boira bientôt pour célébrer sa propre convalescence.

Réveillon dans un couvent de femmes

Après la messe de minuit, sans rompre avec la pauvreté qu'incarne la Nativité, les religieuses font réveillon.

Rien ne leur convient mieux que les treize desserts symbolisant le Christ et les douze apôtres. Trois nappes sur la table, trois cierges, trois coupelles de blé, naissant, comme la lumière. Et des assiettes blanches. L'une est garnie d'amandes ayant pris légère couleur brune dans une poêle chauffée. L'autre d'une brioche — l'avantage de la brioche est de ne pas contenir de sucre, de plus on peut diminuer le beurre entrant dans la recette. La troisième contient des biscuits minces et légers de la marque « Monastère » — ils proviennent d'un échange avec la chartreuse de Voreppe —, la quatrième de la confiture de fraises, la cinquième des prunes sèches, la sixième des pâtes de coing qui brillent de sucre cristallisé — un jardinier leur apporte le surplus de sa production, aussi leur armoire à confitures est-elle bien garnie. En septième position les figues sèches, ouvertes puis refermées sur une demi-noix. Neuf : des pommes reines des reinettes lumineuses de leur rose à joues. Dix : les abricots secs, petits soleils. Onze : du pain d'épice maison comme la brioche. Tout cela sera débité en petites portions car il s'agit moins de se nourrir que de se réjouir en grignotant.

Au milieu des assiettes fume la chocolatière et à côté — ai-je bien vu ? — une bouteille de Maury, un vin naturellement sucré et fort en alcool.

Pas besoin d'en boire beaucoup pour être un peu pompette.

C'est ce qui arrive aux religieuses dans l'étrange nuit — sol blanc de gel, ciel blanc d'étoiles.

Au-delà de la clôture, sûrement, des anges dorés gardent les troupeaux des bergers partis pour adorer l'Enfant. Aucune ne doute qu'aujourd'hui, au cœur de l'hiver, est né le printemps.

Pour la belle baigneuse :
moules au naturel,
coquilles Saint-Jacques de même

La coquille Saint-Jacques, la vivante bien sûr, celle qui sur l'étal du poissonnier cherche à vous mordre les doigts en disant : « Clap ! » d'un petit ton énervé, est une merveille de goût délicat. Charnue sous la dent, elle offre trois textures différentes : le corail, la noix, les jupons, et des nuances de goût dans chaque texture.

Contentez-vous de couper le muscle qui relie les deux parties de la coquille — sa grosseur explique la vigueur de ses pinçons et la force de son cri. Passez-la très rapidement à l'eau pour enlever le sable qui pourrait rester dans la dentelle de son jupon — on dirait vraiment un petit volant froncé et brodé — et mettez à cuire dans une poêle « Tergal » — c'est ainsi que dit ma cousine. Laissez évaporer l'eau rendue pour concentrer les sucs et régalez-vous en accompagnant de pâtes au basilic : les pâtes sont fraîches, le basilic est cru et haché, la sauce moitié huile moitié crème, avec un peu d'eau rendue par les coquilles.

Si en entrée elle mange des moules juste ouvertes sur le feu et fumantes d'iode, la belle baigneuse peut mettre son bikini et faire admirer son anatomie, surtout après un carême de minceur.

L'estoufat des migraineux

Au contraire de la daube, l'estoufat des hautes terres du Midi est en fait une viande bouillie dans le vin. J'ai donné la recette de l'estoufat (voir p. 278). Pour qu'il s'approche le plus possible du régime, ne mettez qu'un tiers de vin pour deux tiers d'eau, du bœuf très maigre, beaucoup de couennes dégraissées, quatre têtes d'ail entières enveloppées dans une mousseline afin que ne s'échappent pas dans la sauce des morceaux déplaisants de pelures, du jambon maigre. Cela cuit plusieurs heures, bien couvert, à «l'étouffée», d'où son nom.

Lorsqu'on retirera les têtes d'ail, au lieu de les jeter il faut les presser comme un tube de dentifrice. La pulpe d'ail arrosée d'huile sera dans un petit bol à la disposition des convives pour la délayer dans leur sauce.

Personne ne verra que du feu au niveau du goût de cet «estoufat» semblable à s'y méprendre à un estoufat normal. Et personne, à condition de ne pas trop en manger, n'aura la migraine.

Fête d'hiver chez les solitaires d'Égypte

Le solitaire était encore plus pauvre que le moine ou les ermitesses. Il s'assurait le nécessaire en vendant des paniers. Il ne travaillait d'ailleurs que pour sa stricte subsistance, tout occupé qu'il était à prier. S'il lui arrivait de faire la fête, cela ne pouvait être qu'avec le moins cher. Mais si l'on considère qu'il se nourrissait habituellement de pain, de quelques olives, d'herbes sauvages, et ne buvait que de l'eau claire, avec peu il faisait bombance.

Tous les trois ou quatre ans, et même moins, il s'accordait une fête avec quelques collègues éloignés et soumis à de semblables régimes, et parfois à des régimes pires : ces brouteurs qui tout nus, à quatre pattes, mangeaient l'herbe comme des moutons, ces candidats à l'exploit qui ne se nourrissaient que du peu de pain qu'ils pouvaient saisir entre les doigts en puisant dans une bouteille, ceux qui étaient passés d'une poignée d'olives journalière à deux olives ou même une seule.

Les solitaires rassemblés — le brouteur avait passé une robe de palmes tressées — étaient maigres comme des estélous et joyeux comme des oiseaux. Voilà leur menu : pied de porc grillé et bourrache aux œufs ; pain frais, meilleur qu'un gâteau car à l'accoutumée ils se nourrissaient de pain rassis, mais vraiment rassis — Marie l'Égyptienne garda des pains plusieurs années ; vin — c'est un cadeau ; dattes accompagnées de galettes

— pâte à pain sucrée au miel sauvage —, garnies de pignons et cuites sur des pierres chauffées à blanc car la vaisselle du solitaire est quasi inexistante, juste un toupin où faire un peu de soupe et cuire les plantes des jachères.

C'est presque trop pour des personnes habituées à un ordinaire si indigent.

Au soir de ces agapes, les solitaires avaient une impression d'estomac tendu, distendu même. Avec un ou deux verres de vin ils arrivaient à l'ivresse. La vision troublée par l'alcool, le corps pour une fois alimenté et éprouvant d'agréables fourmillements de chaleur, ils mesuraient la force de la tentation et comprenaient que le diable peut se cacher dans un pied de porc. Ils revenaient, le stylite à sa colonne, le dendrite à son arbre, le stationnaire à son immobilité d'oiseau, sur un pied, et celui qui avait pris le nom de Jésus à ce murmure ininterrompu qui l'arrimait au ciel.

Sans aller jusqu'à de tels excès, nous, au régime, ferons la fête d'un pied de cochon grillé. Car le gélatineux n'est pas le gras, on ne saurait trop le répéter. Pour le pain frais j'ai dit ce qu'il fallait en penser ; pour le vin c'est un autre chapitre.

Les saquettes

Petit sac de toile en bandoulière pourvu d'un rabat et fermé d'une boucle de fer, la saquette, où l'on emporte le repas que l'on mangera hors de chez soi, désigne surtout le contenu de cette sacoche.

Des saquettes, il y en a toute une palette. Celle que j'adorais m'était préparée pour aller « manger sur l'herbe » avec le patronage. Nous n'allions pas bien loin, à quelques kilomètres de la ville, dans une « campagne » — entendez une propriété de vignes — dont le propriétaire mettait quelque pinède à la disposition de la paroisse. Ou alors nous prenions la saquette à l'occasion d'un pèlerinage, Notre-Dame-de-Consolation ou Notre-Dame-de-la-Genouillade, où l'on vénérait, entourée d'une grille, la trace dans le rocher du genou de la Vierge Marie qui avait arrêté la mer. L'empreinte, énorme, évoquait une géante. Où qu'on allât, les circonstances les plus austères, comme la récitation du chapelet, prenaient, grâce à la saquette, un air de fête. Nous avions longuement pensé à son contenu, nous en rêvions pendant la messe, et venait le moment mirifique où nous étalions devant nous sur une serviette toutes nos richesses. « Manger sur l'herbe », c'était beaucoup dire, car mon pays ne connaît guère qu'une végétation inhospitalière. Dans une gourde de métal, j'avais de quoi boire — un peu d'eau et de vin sucré — sauf s'il y avait une fontaine. Quand ma mère était « argentée » elle me donnait, pliées dans du papier boucher, quelques tranches de saucisson dont je suçais comme une friandise les cubes de lard rose. Puis j'avais une omelette glissée à l'intérieur d'un morceau de pain. Pendant toute la matinée, l'omelette bavait son jus parfumé sur le pain et c'était si bon que je ne savais plus ce qui était le meilleur de l'œuf ou du pain imbibé. Pour finir, j'avais une ou deux Vache-qui-rit, et un Malakoff. C'était vraiment la fête. Elle était complète si la pinède offrait des pignes amandières. À quatre pattes dans les aiguilles nous cherchions les petits fruits qui protègent si bien par une coque dure l'amande parfumée.

Dans la gamme infinie des saquettes, une constante apparaît toutefois : l'œuf dur et, dans un coin, le tube de sel fin. Tube vide de remède mais plutôt, doux sous les doigts, ce bout de roseau dont le fond est un des nœuds cloisonnants de la tige et que l'on ferme d'un bouchon de liège, minutieusement taillé d'un couteau aiguisé pour s'adapter à une embouchure que la nature n'a pas standardisée.

Il y avait la saquette des vendanges, plus austère, car il ne s'agissait pas de dépenser — de manger au sens strict — ce qu'on allait gagner. Alors c'était des tranches de boudin, de la ratatouille ou des tomates farcies froides. Pour le dessert, il était entendu qu'il y avait le raisin.

La saquette du chasseur que mon père emportait à l'aube des dimanches d'hiver comportait cette omelette se répandant dans le pain, un bout de saucisse cuite au préalable et parfois un cassoulet en boîte quand mon père avait précisé qu'il mangerait dans un grangeot et donc qu'il y aurait du feu.

Il y a la saquette du cheminot qui fait les trois-huit, celle de l'ouvrier de chantier qui ne rentre pas chez lui à midi. Je connais une infirmière du bloc opératoire qui emporte sa soupe dans une Thermos, son assiette, sa cuillère. Dans son univers de nickels aseptisés elle s'ancre sur une solide éducation villageoise. Cet été, les deux jeunes ouvriers agiles comme des chats qui peignaient ma façade, interrompant un moment leur travail, cassaient la croûte sous les arbres. Ils sortaient charcuteries et fromages d'un sac de plastique — mutatis mutandis.

Il existe aussi la saquette des plus pauvres qui s'éloignent pour manger, car ils ont trop peu. C'est ce que faisaient les Espagnols à la vigne. Ils n'emportaient que du pain et une ou deux sardines au baril, qu'ils mêlaient à des grains de raisin. Cela faisait « tomber » un peu le sel excessif de la sardine. S'ils s'isolaient c'est que nous jugions sévèrement leur économie forcenée.

Pour nous, gens au régime, nous éliminerons seulement les charcuteries pour ces repas de plein air — sauf de temps en temps un jambon cru, bien maigre, comme le serrano.

Nous aurons recours à l'œuf dur, mais comme il est à la vérité bien sec nous préférerons la salade de pommes de terre. La vinaigrette toute préparée — par vous bien sûr — s'emporte facilement dans des bocaux de verre dont le couvercle ferme d'un pas de vis. On n'y aura oublié ni l'ail, ni les fines herbes, ni l'oignon doux, ni le persil. C'est parfait comme plat de résistance. L'été on ajoutera une tomate à la croque-sel. L'estomac bien lesté nous savourerons une belle viande grillée. Vous l'avez vu, nous n'en abusons pas. Aussi son goût sur braise de sarments est-il une vraie friandise.

Pour dessert, si vous randonnez, vous pouvez vous permettre un peu de chocolat. Des figues sèches ou des dattes en hiver. Mais si vous allez seulement vous asseoir au bord de l'eau pour profiter de la fraîcheur des crépuscules, contentez-vous de fruits frais, transportables : pommes et agrumes.

Que vous soyez triponté, en voie de sanctification ou en marche vers les mensurations idéales, préparez votre saquette pour un beau jour clair de l'hiver, un jour lumineux d'automne ou un beau soir d'été. Qu'elle soit légère dans les deux sens du terme : légère à porter, légère à digérer. Et emportez-la sur la plage du soir, près du torrent d'Éric au midi limpide de janvier, vers les Auzils où vous trouverez bien un pan de mur à l'abri du vent. À Centeilles en automne ou au printemps, quand fleurissent les oliviers. Dans un lieu en tout cas où vos yeux se nourriront d'images et votre corps du délicieux nécessaire.

Le repas du goutteux

Je soigne avec tendresse mon goutteux.

Voici des menus :

En entrée (c'est au choix, bien entendu) : poireaux sauvages ou domestiques en salade, asperges, chicorée sauvage, chou cru ou céleri cru.

En plat principal : purée de cœurs d'artichaut, navets au genièvre, salsifis, tomates, vert en sauce blanche, en particulier les feuilles extérieures de la frisée et de la scarole.

En dessert : ananas frais, framboises, groseilles, prunes, poires, cerises, raisin.

Sans limites : persil et pissenlits.

De grandes carafes de tisane froide à la feuille d'olivier. Et les litanies de l'huile d'olive : vitamines A, B, C, E, phosphore, soufre, potassium, magnésium, calcium, chlore, fer, cuivre. Cholagogue, cholérétique, laxative et quatre fois moins calorique qu'une autre huile. Et pour sa gloire la meilleure du monde.

Plat unique des abstinents : volontaires et obligatoires

Abstinents ? Pas seulement les alcooliques repentis et ceux qui les accompagnent, mais ceux qui s'imposent de fuir les graisses cuites et le sucre ajouté.

Ce plat unique est complet, délicieux et convenablement nourrissant.

Préparez des pois chiches comme indiqué dans « Adoptons la purée de pois chiches » (voir p. 348). Et veillez à avoir assez de bouillon, avec oignons, os de jambon, ail, laurier. Tout bouillant vous le versez sur de la semoule moyenne crue et laissez infuser. En cinq minutes la graine est prête à la consommation. Servez les pois chiches à part de la semoule et peut-être, si vous avez cru bon d'en mettre, le jambon cru, maigre, effeuillé. Dans l'assiette, on arrose d'huile d'olive et on va de l'un à l'autre en agrémentant d'un peu de chair de jambon. Avec un fruit, voilà le repas.

J'appelle cela parfois « couscous blanc » puisqu'il n'en demeure que les pois chiches et la graine ambrée. Envolés la harissa et le mouton gras. Mais nous savons désormais nous en passer.

Onglet au sang

Pour gens un peu pâles à la sortie d'un carême, l'onglet, entier, non refendu, tel un petit rôti dans un four brûlant, même pas salé. Un quart d'heure, pas plus. Il ne s'agit pas de lui dessécher le cœur. On taille dans une chair tendre abondante en jus rouge, en sang frais. Un peu de sel. Quelques pâtes fraîches dans le jus. L'homme, hier amolli, a soudain envie de courir, de vaincre, de retourner la terre, d'arpenter le paysage à grands pas.

La blanquette d'agneau des cardiaques

Ah! cet affreux serrement entre les seins qui vous réveilla en pleine nuit. Ce bras gauche lourd et douloureux. Cette impression d'étouffement le jour où vous avez couru pour ne pas manquer le car. Misère! votre cœur fait des siennes. Une pensée vous habite désormais, désagréable comme un cor au pied et bien plus angoissante. Et si, brusquement, vous tombiez le nez dans vos tomates? Ou penché sur votre maîtresse?

Vous êtes allongé sur la plage : ne fait-il pas trop chaud? Vous aimez la neige : n'est-elle pas trop froide?

Non seulement vous vous sentez fragile mais en plus on vous a mis au régime. Alors, si vous ne pouvez plus ni courir, ni faire l'amour, ni manger, où seront les satisfactions? C'est la déprime. Vous roulez des pensées noires. Vous pensez à cet agneau de Pâques à la graisse blanche. Le gigot. La féchoulette. Soyez rassuré. Vous ne serez privé ni de l'un ni de l'autre.

Parlons d'abord du plus simple : la féchoulette. Si vous relisez «Tous les étages de l'agneau pascal» (voir p. 93) vous constaterez qu'il suffit de supprimer l'huile où frire les poumons, le cœur, le foie, la rate et les ris débités en petits morceaux. À la simple chaleur d'une cocotte sèche ils vont rendre un peu de sang. La farine en nuage s'y mêlera, aussi bien qu'à la matière grasse. Saupoudrez de thym. Un peu d'ail, un peu de persil.

Couvrez d'eau et liez au jaune d'œuf. Il n'y a là rien de contre-indiqué et c'est aussi délectable qu'avant.

Certes, il vous faudra faire la croix sur le gigot et les côtelettes — même au gril le jeune agneau est bien gras. Mais une blanquette, pourquoi pas? Préparez-la avec la cuisse et non avec la poitrine. Et surtout faites-la la veille, afin de la passer au froid et d'ôter impitoyablement le gras pris qui s'est figé à la surface.

Il y aura pour vous autant de plaisir qu'autrefois.

Sauce blanche pour cholestérol grimpant :
ne dirait-on pas un nom de fleur ?

Pour deux personnes vous mettrez dans une casserole trois cuillerées à soupe d'eau, du sel, une cuillerée à café de farine. Quand cela commence à frémir, ajoutez de la crème fraîche et de l'eau afin d'avoir une sauce assez liquide. Poivrez et raclez un peu d'ail de la pointe du couteau. Ôtez du feu. Suivant le degré de régime où vous vous trouvez mettez ou non un peu de gruyère râpé. À cette sauce légère ajoutez vos bouquets de chou-fleur, ou vos poireaux, ou votre salade cuite, épinards ou même pommes de terre déjà bouillies.

Après avoir saupoudré de chapelure — ça fait gratin — passez quelques instants dans un four chaud. Je dis bien quelques instants, car il ne s'agit pas de cuire les graisses contenues dans la crème.

Le vin de tous

Cirrhotiques, hépatiques, ulcéreux, cardiaques, athlètes, séducteurs et séductrices, mannequins, cloîtrées, ermites au milieu du monde, mystiques de tout poil, il ne faut absolument pas supprimer le vin. Il est la joie mais aussi la santé. Il aime la lumière avec laquelle il joue, il aime les tables sous les treilles qui réunissent ceux qui s'aiment.

Sachez qu'à condition d'en boire un verre, et de temps en temps, vous ne devez en aucun cas l'exclure de votre alimentation. L'esprit du vin est l'alcool. Ce n'est pas pour rien qu'on le nomme eau-de-vie. Stimulante et vulnéraire, elle n'est néfaste qu'en quantité. Mais dans un petit verre! dans un bon vin, avec ses multitudes d'arômes, ses tanins bons au cœur!

Y a-t-il des coquillages? un bon fromage? une fête? Quelques gorgées. Faites aller le vin sous la langue et dans les joues, écoutez ce qu'il dit à votre œil, à votre nez, écoutez les souvenirs qu'il laisse après son passage. Sachez tremper les lèvres, profiter de l'âme du vin parfois, sans toucher au corps.

Votre temps de régime vous aura appris, si vous ne le connaissiez déjà, le vrai usage du vin, tout en finesse d'amour courtois.

Filet mignon à la sauge pour les sages

Il en est du porc comme du poisson bleu. Si de temps en temps on consomme un peu de porc, ce n'est pas une affaire. L'important est la mesure. Un régime bien conduit n'a rien à voir avec des interdits imbéciles. Jamais de ceci. Toujours de cela. Cela fait penser à cette inscription sur la porte de l'enfer avec laquelle, au catéchisme, on comptait nous faire peur. Il paraît qu'en lettres de feu on pouvait lire : « Toujours. Jamais. » Il y a là de quoi donner l'ulcère à l'estomac, la congestion du foie et un stress latent qui éclatera un jour en infarctus. Exactement tout ce dont on veut se protéger. Un bon régime sait composer. Donc, parfois, un rôti de porc. À la sauge.

On choisira un filet mignon, si tendre que dans mon pays on l'appelle le « lapinou », le petit lapin. On l'installe dans une cocotte et l'on pose sur lui une branche entière de sauge fraîchement cueillie. On ferme d'un couvercle lourd. Le filet mignon cuit dans une vapeur parfumée de sauge. Les feuilles de la plante, qui ne touchent pas le fond, deviennent souples sans aucunement se dessécher.

Les Anglais appellent la sauge la « sage ». On la nomme aussi « herbe sacrée ». Ce n'est pas pour rien. Tonique et cholérétique — elle a une réputation aphrodisiaque —, elle a des propriétés œstrogènes et hypoglycémiantes. Elle peut être utilisée comme emplâtre aussi bien que comme fricot.

Lorsque vous soulevez le couvercle, l'odeur seule enivre.

Posez le filet dans un plat chaud. Détachez les feuilles de la branche et laissez-les un moment dans le jus rendu par la viande. Versez sur le rôti.

Pourquoi ne pas accompagner le repas d'une infusion de sauge?

Dans l'après-midi une marche lente est conseillée. Non pour digérer l'ultra-digeste mais pour attendre l'éclosion de pensées douces et subtiles que vous devrez à la sage sauge.

Le loup à la salicorne
des candidates au titre de Miss

La salicorne des terrains salés du littoral — on l'appelle « sansouira » ou passe-pierre — a quelque chose de l'algue dans la couleur et la forme de ses feuilles. Si en se promenant du côté des étangs on en mâchonne un brin, on la découvre charnue — un peu comme un haricot vert — et légèrement salée. Son nom évoque la Camargue, les taureaux sauvages, les cahutes de gardians et Frédéric Mistral.

C'est pourquoi la salicorne sera idéale pour accompagner un loup. Mais, attention, un vrai loup pêché en mer. Car l'enfer de l'élevage industriel a englouti le loup argenté qui adore la tempête et se joue des vagues. Mon père nous menait sur la digue Richelieu, au cap d'Agde, quand il y avait de la mer, et battus d'embruns salés nous cherchions les loups des yeux — un instant, un seul, on les voyait dans le cristal de l'eau avant que l'écume ne les voile. Ces beaux loups sauvages on peut maintenant non seulement les nourrir de croquettes mais de plus les habituer à l'eau douce. Leur chair écœurante pour l'esprit l'est aussi, molle et fade, pour la bouche.

Achetez donc un vrai loup. À la place des entrailles mettez un peu de thym, salez et poivrez. Posez sur un lit de salicornes et sur du papier alu. Recouvrez de salicornes et fermez le papier le plus hermétiquement possible dans le genre couture rabattue.

Exposez le paquet au feu vif d'une braise ou à la chaleur d'un four brûlant. Suivant la taille du loup, comptez un quart d'heure ou vingt minutes.

Le poisson est réputé pour faciliter le travail intellectuel et pour faire la jambe fine. C'est exactement ce qui convient pour les candidates au titre de Miss France. Mme de..., la présidente, explique bien qu'on n'est pas élue si on ne remplit pas deux conditions : les mensurations idéales et la conversation. Il paraît que les messieurs frétillants du jury sont impitoyables : belle et intelligente doit être Miss France.

Le loup à la salicorne sera très utile aussi après l'obtention du titre. On dit que les élues, un peu ivres de leur succès, invitées ici et là, ont si souvent l'occasion de céder à la gourmandise qu'elles prennent vingt kilos dans l'année. Sans blague ! Toujours intelligentes et de conversation agréable, elles sont disqualifiées pour cellulite.

D'où la nécessité de la force morale, d'où l'importance du loup en papillote, accompagné de salicornes.

Adoptons la purée de pois chiches

Pour un hors-d'œuvre frais nous adopterons un plat oriental. Ce sera l'été. On n'aura envie que de tomates glacées, de fraises à la croque-sucre — juste la pointe de la langue rouge trempée dans du sucre cristallisé. L'ombre d'une cuisine sera la bienvenue pour accompagner la purée de pois chiches.

La veille on aura mis les graines à tremper dans de l'eau fortement bicarbonatée. Au matin, on rince les « petits culs » et on les fait cuire dans de l'eau simplement salée au gros sel d'Aigues-Mortes non raffiné. C'est tout. Lors de la préparation de la purée il y aura suffisamment de condiments.

Pour l'heure, ce qui importe c'est d'avoir un pois chiche très cuit, à la limite du trop cuit. Égouttez. Ajoutez ail cru, jus de citron, huile d'olive et mixez. Mettez ensuite des graines de coriandre pilées. Ce sont les ombelles de la plante séchées, battues, vannées et conservées au sec. Les bienfaits de la coriandre sont multiples : elle est stomachique, aphrodisiaque et facilite la mémoire.

Vérifiez si la purée est assez salée, poivrée et coriandrée, car il faut tenir tête au jus de citron, et mettez au frais.

Cela se sert sur du pain grillé tiède et permet d'attendre le repas du soir qui, en période de canicule, pourra être plus copieux.

Le crépuscule défait l'ardeur du jour. Après l'arrosage il fait presque frais. Lorsque la nuit est tout à fait close, nous montons vers les crêtes, nous nous asseyons dans l'herbe et nommons les étoiles.

Bolognaise des sportifs de haut niveau

Dans l'une de vos cocottes à gros cul confortable, mettez à cuire un «sofregit» d'oignons. Lorsque l'eau est évaporée et l'oignon doré, ajoutez de la viande de bœuf hachée, exclusivement rouge. Lorsque le hachis a un peu rissolé, ajoutez du concentré de tomate, remuez vivement. Un moment après, mettez des tomates écrasées fraîches ou en boîte, selon la saison. N'achetez jamais ce qui est présenté comme sauce tomate déjà assaisonnée. Je leur trouve à toutes un affreux goût sucré. Mieux vaut, moins cher et plus efficace, la boîte de tomates pelées que l'on écrase dans la sauce.

Ajoutez du thym, des assaisonnements divers, de l'ail, du poivre — assez — et une tranche de pain grillé pilée. C'est la «picade» des Catalans. Elle épaissit les sauces et donne du moelleux. Servez avec des spaghetti cuits à votre goût. Certains les aiment «al dente». Ce n'est pas mon cas, mais c'est la mode. Tellement qu'il faut se méfier : on voit servir des spaghetti dont le milieu est cru. Après, ils achèvent de cuire dans l'estomac. Pour digérer : bonjour !

Il y a dans ce plat tout ce qu'il faut pour les sportifs de haut niveau. Vous savez, ceux que l'on voit au bord des routes, en train de secouer leur lard, à la limite de l'épuisement, rouge brique ou blêmes.

Avant ou après, notre bolognaise leur redonnera du tonus sans leur faire regagner une graisse si péniblement fondue.

La jardinière des ermitesses pauvres

Le chasseur s'était mis un moment à l'abri de la tramontane. Dans un ciel vertigineux et glacé elle sifflait à voix menue. C'est pourquoi il ne fit pas attention, d'abord, à ces pépiements qui s'ajoutaient aux paroles indéchiffrables du vent. Au bout d'un moment, toutefois, il se demanda tout étonné qui donc se promenait dans les Albères par cette température polaire. D'autant que le ton aigu faisait penser à des voix d'enfants.

C'est alors qu'il vit surgir des femmes de la ligne nette de la colline contre le ciel. Hautes, minces, vêtues de beige doux, leur voile volant à la verticale. Le chasseur dut se rendre à l'évidence : il s'agissait de religieuses. Sept en tout apparurent, riant et causant. De grands lions blancs les accompagnaient. Il se fit petit derrière les chênes et les arbousiers : elles passèrent.

Quand le chasseur raconta son aventure, on lui apprit que des ermitesses avaient choisi les Albères comme désert d'Égypte et y vivaient suivant une règle sévère, en pauvreté. Pour gagner leur vie elles élevaient des chiens des Pyrénées.

Des ermitesses ? se dit le chasseur : à partir de ce jour il n'eut de cesse de savoir. L'image de ces femmes surgies du sol ou venues du ciel, roses de froid, riantes et bavardes, accompagna désormais ses chasses.

Il s'agissait d'un ordre qui n'avait qu'une maison. Les

« ermites de Marie » vivaient en laure. Chacune avait sa petite cabane où elle travaillait, priait, mangeait seule. Des cabanes fort simples car elles étaient très pauvres. Leur clôture était un symbolique fil de fer — on ne peut monter des remparts que si l'on est riche.

Leur vie réglée sur la cloche était essentiellement solitaire. Elles se levaient la nuit pour chanter matines et respectaient vigiles et vrai carême, ce que la plupart des ordres, même les Chartreux, avaient supprimé. Le soir, elles assistaient ensemble à l'eucharistie, mais sans parler.

Près des chiens, au jardin, près des abeilles, près des chèvres, elles travaillaient dans un strict silence, ne se servant de la parole que pour les nécessités du service.

Une fois par mois seulement, elles avaient droit à une promenade collective où elles bavardaient comme vous et moi. C'est un de ces jours-là que le chasseur les avait rencontrées.

Pour Noël, une fois l'an, elles mangeaient ensemble.

À midi sonnait la cloche : elles venaient jusqu'à la cuisine chercher le petit panier qui contenait la ration de tout un jour. Le pain, la soupe du soir, la pitance de midi, un quart de lait de chèvre et un dessert tant que n'étaient pas épuisés les pâtes d'arbouses, la confiture de gratte-cul, les fruits frais du jardin — fraises, groseilles et prunes — et le fromage de chèvre.

Réduites par le choix de l'austérité et leur réelle pauvreté à limiter les produits achetés, leur nourriture était extrêmement pauvre en matières grasses et sucre.

Chacune mangeait seule dans sa logette. Si vous avez vu les habitations des premiers franciscains à la Portioncule, c'est tout à fait cela.

L'ermitesse de service à la cuisine — à tour de rôle, elles étaient jardinières, lingères, cuisinières, chevrières, apicultrices, éleveuses de chiens — avait à cœur de donner un panier qui puisse réjouir la bouche et l'âme. Avec le peu qu'elles avaient. Comme ces femmes d'autrefois qui s'ingéniaient à varier sur l'ordinaire malgré la pénurie endémique.

C'est ainsi qu'au haut printemps, quand le jardin commençait à donner, il y avait à midi parfois une jardinière, de jeunes fèves pelées, tendres comme l'eau, de petits pois, carottes, pommes de terre, corsés d'un peu de beurre de chèvre.

Faut-il plus au don vert du Bon Dieu printanier? On finit par un fromage au miel. Et si justement c'est le jour du pain frais, on comprend mieux la joie qui s'exprimait en babillages, on comprend mieux que le chasseur ait cru voir s'entrouvrir les portes du paradis.

Les ermitesses reçoivent les gens qui désirent comme elles un face-à-face avec le silence. Si cela vous dit...

ET N'OUBLIEZ PAS...

... tout ce vers quoi vous poussera la curiosité, l'invention, les aventures, le désir de nourrir votre chair d'un monde succulent, et votre âme de l'âme des choses.

Table des matières

Achevé d'imprimer en mai 1997
sur presse Cameron
par Bussière Camedan Imprimeries
à Saint-Amand-Montrond (Cher)

ISBN : 2-228-89094-4

Dépôt légal : mai 1997.
N° d'impression : 1/1352.

Imprimé en France